BRIAN STEE

TRANSLATION FROM SPANISH: AN INTRODUCTORY COURSE

SOCIEDAD GENERAL ESPAÑOLA DE LIBRERIA, S. A.

Primera edición, 1979
Segunda edición, 1990

Produce:
SGEL-Educación
Marqués de Valdeiglesias, 5 - 28004 Madrid

ISBN: 84-7143-189-0
Depósito Legal: M. 17.085-1990
Printed in Spain - Impreso en España

Compone: SELECCIONES GRÁFICAS, S. A.
Imprime: NUEVA IMPRENTA, S. A.
Encuaderna: F. MÉNDEZ

A la memoria de Fernando Lázaro Navarro († 1977).

PREFACE

A more accurate but quite unacceptable title for this book would be: An advanced course designed to improve passive comprehension of Spanish syntactical structures and to serve as an essential introduction to translation from Spanish. *Such a title would come closer to indicating the specific purpose which the book has been designed to serve: to enable advanced English-speaking students of Spanish to recognise and solve,* in a systematic way, *many of the comprehension and translation problems found in a variety of styles (both literary and 'non-literary') which an educated native speaker of Spanish can understand without difficulty. (The only material deliberately excluded is most usage of a specifically colloquial nature, which will not be of interest to some readers. For those who are interested, a separate description is available in my previously published* A Manual of Colloquial Spanish, *which may be regarded as a* supplement *to the present work.)*

This book is intended for use as one *component of any advanced Spanish course and should prove equally useful to those students whose main interests are in literature and associated areas and to those others who wish or need to study 'non-literary' styles and subject matter. Bearing in mind the needs of both types of student, the material presented in the first six chapters has been taken from both literary and non-literary sources and in Chapter 7 there is a* choice *of examples for study and translation from one or other of these broad areas of usage.*

Given the potential readership of this book, it has been possible and necessary to take for granted a great deal of basic morphological and syntactical phenomena in order to concentrate on a relatively small number of potential problem areas with which students need to make themselves thoroughly familiar. By systematic study of these areas and by subsequent study and translation of the supplementary exercises at the end of each chapter and in Chapter 7, students' passive comprehension and translation ability should increase more rapidly and efficiently than is often the case when they are required to undertake regular translation work for which they have had no special preparation.

The nature of this book is essentially a hybrid one, as the following list of characteristics will show:

— *It offers much material normally found in reference grammar books.*
— *It supplements and illustrates* some *of the information available in dictionaries.*
— *It contains* controlled *translation exercises.*
— *It presents Spanish examples taken from a variety of styles and geographical areas.*
— *Its examples, although predominantly from contemporary Spanish, include some taken from selected literary works written in the last quarter of the nineteenth century and the early part of the twentieth century.*

If used as a textbook, this hybrid product should nevertheless offer students plenty of much-needed practice not only with the syntactical points explained in the text of the book but also with others which they will discover for themselves in the supplementary exercises. Furthermore, the sample sentences given in the text and in the supplementary exercises have been carefully chosen to ensure that most of the unfamiliar vocabulary and references are not esoteric *but* necessary *for passive comprehension of educated styles of contemporary Spanish.*

During the number of years that this work has been in preparation, my own memories of being left more or less to fend for myself in acquiring an adequate advanced knowledge of Spanish, although not unpleasant, have constantly goaded me to search for an effective way of selecting and presenting a manageable amount of useful information to enable students to speed up the process of perfecting their comprehension of Spanish. Many (probably most) of the features which are illustrated in this textbook are, in fact, due to information and insights gleaned from the study of the published work of other teachers and scholars. Where possible, specific debts and major available reference sources have been indicated by the use of examples taken from such sources. These examples are followed by the name of the scholar, the year of publication (if more than one work by the scholar is listed in the Bibliography) and a page reference; in those cases where the example has been taken from the scholar's own writing, *only the name is given (as with other examples). The Bibliography presented at the end of the book provides interested readers with fruitful sources of information; it also represents a further attempt to acknowledge my syntactical and other creditors. Nevertheless, it is both fair and satisfying to record here my special indebtedness to the general reference works by N. D. Arutiunova, Coste and Redondo, Gili Gaya, Harmer and Norton, Keniston, María Moliner, Ramsey, Seco, and Spaulding and, for insights into the workings of English, to the indispensable work by Quirk* et al.; *also, to the specialised studies by Bull, Carnicer, Cartagena, Fente Gómez, Fish, Lope Blanch, Lorenzo, and Navas Ruiz. Naturally, the selection, interpretation and condensed presentation of complex syntactical problems may sometimes have resulted in a misrepresentation of my sources of information, for which I apologise in advance.*

On a more personal level, I should like to record my gratitude, first and foremost, to my good friend, José Polo, for his constant encouragement and his often alarming faith in my ability to complete this work; also, to the late Professor L. C. Harmer, to Professor Werner Beinhauer, maestro y amigo, *and to A. Gooch, whose acute observations on usage were, in their different ways, a revelation to me some years ago and have been a constant source of inspiration ever since; and to Monash University, for providing me with the opportunity to work on this project.*

For their inspiring affection and for understanding far beyond the call of duty, a final brief but very sincere word of thanks to Piluca, Maribel and Paul.

BRIAN STEEL

Monash University, Melbourne.

November 1977.

CONTENTS

LIST OF SYMBOLS AND ABBREVIATIONS

/	=	alternative item
( )	=	optional item
-D	=	English past participle (e. g. *tried, thought, seen*)
-DO	=	Spanish past participle (e. g. *comprado, hecho, visto*)
-ING	=	English present participle (e. g. *trying, thinking*)
-NDO	=	Spanish present participle (e. g. *comprando*)
adj.	=	adjective
Am. Sp.	=	American varieties of Spanish
coll.	=	colloquial
esp. Am. Sp.	=	especially used in American varieties of Spanish
infin.	=	infinitive
SVE	=	subjunctive
A B C sem.	=	*A B C*, edición semanal
AG	=	A. Ganivet
AM	=	A. Machado
APV	=	A. Palacio Valdés
Alcina	=	J. Alcina and J. M. Blecua, *Gramática española*
Arg.	=	Argentina
BPG	=	B. Pérez Galdós
CJC	=	C. J. Cela
Colom.	=	Colombia
Coste	=	J. Coste and A. Redondo, *Syntaxe de l'espagnol moderne*
Cuadernos	=	*Cuadernos para el Diálogo*
EPB	=	Emilia Pardo Bazán
FDP	=	F. Díaz-Plaja
FGP	=	F. García Pavón
GGM	=	G. García Márquez, *Colombia*
GTB	=	G. Torrente Ballester
Gili	=	S. Gili Gaya, *Curso superior de sintaxis española*
Harmer	=	L. C. Harmer and F. J. Norton, *A Manual of Modern Spanish*
JFS	=	J. Fernández Santos
JLCP	=	J. L. Castillo-Puche
JMG	=	J. M. Gironella
JV	=	J. Valera
Keniston	=	H. Keniston, *Spanish Syntax List*
MB	=	M. Benedetti, *Uruguay*
MD	=	M. Delibes

MU	=	M. de Unamuno
MVL	=	M. Vargas Llosa, *Peru*
Manual	=	B. Steel, *A Manual of Colloquial Spanish*
Mex.	=	México
Moliner	=	María Moliner, *Diccionario de uso del español*
PB	=	P. Baroja
P. Rico	=	Puerto Rico
Parag.	=	Paraguay
RPA	=	R. Pérez de Ayala
RVI	=	R. del Valle-Inclán
Ramsey	=	M. M. Ramsey, *A Textbook of Modern Spanish,* Revised by R. K. Spaulding
Seco	=	M. Seco, *Diccionario de dudas y dificultades de la lengua española*
Spaulding	=	R. K. Spaulding, *Syntax of the Spanish Verb*
Urug.	=	Uruguay
VBI	=	V. Blasco Ibáñez
Venez.	=	Venezuela

INTRODUCTION

Accurate comprehension and translation of language depends, basically, on correct interpretation not only of lexical and syntactical forms and patterns but also of the precise functions of these forms and patterns in particular contexts. Some forms and patterns have single functions, others have two or more. For the advanced English-speaking student of Spanish, comprehension and translation difficulties are more likely to arise in the following circumstances:

a) When the form or pattern, although familiar (or 'known') in one of its functions (usually its most basic, or primary, one), has other functions which are not familiar (e. g. the different meanings of individual lexical items; lexical idioms; the secondary uses of indicative tenses; certain uses of -DO and -NDO forms).

b) When the form or pattern has not been met previously or when its function has not been fully understood (e. g. unknown vocabulary; stylistically restricted forms and patterns; the uses of the subjunctive or of 'reflexive' pronouns).

By taking the most important of these forms and patterns as a starting-point, it is possible to show that in comprehension, what is most important is not necessarily the form or pattern itself but its *function* in a given context. Translation may then be seen as needing, above all, ability and flexibility in matching the true *function* (or sense) of the original with whatever form or pattern of the second language is closest to conveying that function or sense in a given context. Because it is usually a mistake to regard Spanish forms and patterns as having a constant one-to-one 'equivalence' with specific English forms and patterns, it must be clearly understood that the translation 'equivalents' suggested in this book are offered not dogmatically as the *only* solutions possible but as possibly acceptable solutions in given contexts; in their own reading, listening and translation, students must preserve a *flexible* apprach.

In attempting to present for *systematic and 'economical' study* those forms, patterns and functions which may present comprehension and translation problems at this level, it is obviously necessary to make a selection.

The selection offered in this book is confined mainly to those syntactical forms and patterns which have multiple or complex functions, for which simple consultation of a dictionary is either unsatisfactory or impossible, namely those which, unlike many individual lexical items, *recur* as parts of broad and characteristic systems of Spanish — especially those for which English lacks corresponding systems. (However, to avoid giving the impression that all uses of language can be fitted unequivocally into neat categories, certain cases where forms and patterns occur 'outside' a particular system will also be pointed out.) The broad syntactical systems or areas that I have selected as being the most crucial to comprehension and translation and as most suitable for condensed treatment are the following, which will be described and illustrated in the first six chapters of the book:

1. Basic verb forms and patterns.
2. The subjunctive mood.
3. Uses of *se* and of other reflexive and object pronouns.
4. Description in Spanish.
5. Subordinate clauses, non-finite 'clauses' and certain related verbless clauses.
6. Sentence word order patterns.

It will immediately be apparent that of the two major components of clause and sentence structure, namely the noun phrase and the verb phrase, this selection concentrates much more heavily on the latter as being most vital to comprehension and translation. However, although many aspects of the noun phrase (e. g. complex nominal structures, affixes, indefinite determiners and pronouns) are not dealt with in the text, a careful study of the examples and translations offered in the text, and practice with the supplementary examples at the end of the first six chapters and in the various sections of Chapter 7 will give students practical experience with many of these aspects — and with others, like intensifiers, *connecting adjuncts* and other 'subjective' *adjuncts* which have important communication functions — which they may not have had to take into account in their previous language work.

Already in this Introduction, it has been necessary to use some grammatical terms. The terminology used throughout this textbook has been kept as simple and traditional as possible (e. g., the constant references to verbs as indicating 'action' or 'state'). However, in an attempt to group together certain important forms and patterns in Chapters 4 and 5, I have used the terms *relator* and *adjunct*, which may be unfamiliar to many readers. Where such terms are introduced, I have tried to explain my use of them, but even if readers should find the explanations obscure or inadequate, they should still persevere with a study of the *examples* and the suggested translations, since it is these that will help them most in improving their understanding of Spanish.

Finally, because of the special nature of this textbook, three cautions are necessary:

1. It should not be assumed that all points dealt with are necessarily common or frequent.
2. The amount of explanation or examples given for a particular point or set of points must not automatically be assumed to indicate relative importance or frequency. Although such a correlation might be accurate in some cases, in others it is not, since less explanation and illustration *may* mean that the point, although frequently found, is considered basic (or known), while more space *may* in turn mean that the form or pattern presents greater difficulty for comprehension or translation, *or* that it is not dealt with in other textbooks used at this level.
3. Readers are not at liberty to assume that all the examples (particularly those taken from more hastily produced and ephemeral writings, like newspapers, magazines, political speeches, etc.) are totally acceptable to educated native speakers of Spanish, either from a point of view of 'correctness' or from one of stylistic adequacy. It is, in fact, precisely when students are familiar with a wide range of forms and patterns in use in different styles of Spanish that they may realistically be expected to make independent and reliable appraisals of questions of correctness and stylistic adequacy or originality. In that sense, this work should serve as a preliminary text not only for translation work but also for the study of Spanish styles and linguistics.

1

TENSES AND VERB GROUPS

1.0 From the point of view of comprehension or translation, there are many similarities and many differences between the Spanish and English verb systems. Most of the similarities and some of the differences will already be familiar to readers of this book. One of the major peculiarities of the Spanish verbs system is the extensive use of subjunctive verb forms; because of the special complexity of this part of the verb system, it will be described separately in Chapter 2. This chapter takes for granted much basic and familiar verb usage in order to present special uses of the indicative tenses (1.1 - 1.5), systematic uses of certain verb groups, i. e. combinations of verbs in which a non-finite form is dependent on a preceding verb (1.6 - 1.13) and types of verbless clauses and sentences (1.14). All of these selected features constitute potential comprehension or translation difficulties at this level of study. In some cases, the presentation of potential problems will necessitate brief reference to verb usage already known to the reader.

NOTE

For specifically colloquial uses of the indicative tenses and of certain verb groups (e. g. *ir a+infin.* and *haber de+infin.*), see *Manual.*

SECONDARY USES OF INDICATIVE TENSES

1.1 THE PRESENT TENSE

The following secondary uses of the present tense in written Spanish usually require translation by an English past tense.

1.1.1 A present tense is often used as a variant for a preterite.

Goya nace en un pueblo, y en un pueblo aragonés. No recibe enseñanza alguna.
(J. Ortega y Gasset)

Hace más de cuatrocientos veinte años, un médico leonés... se pone a escribir un Diálogo... (A. Alonso)

A principios del siglo XVI aún no se habían colonizado las Antillas, cuya conquista, según sabemos, se realiza entre 1508 y 1514. (F. Morales Padrón)

1.1.2 The present tense is used to indicate that an action or state has begun in the past and is still going on or is being repeated right up to the time of speaking or writing. English translation will be by a perfect or a perfect progressive tense. The following patterns are found:

present tense + *(desde) hace* + time expression;
hace + time expression + *que* + present tense;
any similar time reference (e. g. *de un tiempo a esta parte/de algún tiempo acá* : *recently*; *for some time now*) accompanying a present tense.

—Le espero desde hace media hora.
I have been waiting for him for half an hour.

—Hace poco tiempo que la conozco. (Spaulding, 31)
I have only known her for a little while.

—Desde las dos estoy aquí.
I have been here since two o'clock.

—Le ayudo desde el verano pasado.
I have been helping him since last summer.

NOTES

1. A negative verb may also be used in this way:

—Hace un siglo que no nos vemos. (Alcina, 789)
We haven't seen one another in ages.

2. Although infrequent, the archaic form *ha,* following a time expression, is equivalent to *(desde) hace*:

—¡Pues si no escribo una [*carta*] medio siglo ha! (Spaulding, 31)
But I haven't written one for fifty years!

3. An English perfect tense may also be required for a Spanish present tense following *la primera vez que*:

—Es la primera vez que te veo triste.
... I've seen you sad.

4. The present tense of *llevar* is frequently found, particularly in colloquial Spanish, in a variety of constructions with a similar meaning. For details, see 1.9.2 and 4.7.2

1.2 THE IMPERFECT TENSE

The much-drilled contrast between the imperfect and the preterite tenses need not concern us here because it is more a problem of *active* expression than of comprehension and translation for the English-speaking student of Spanish. Of more interest for our present purpose are the following secondary uses of the imperfect tense.

1.2.1 The secondary use of the imperfect tense as a literary variant for the preterite will be familiar to students. Here the writer uses the imperfect to achieve a more vivid effect of 'action in progress', as is shown in the first two verbs in the first example below. This use of the imperfect as a variant for the preterite is also common in journalistic Spanish and in other written styles (e.g. those of historical and biographical writing), especially when a time expression indicates when the action took place. Almost always, a simple past tense will be necessary in translation.

> ¡Pum! ¡Pum! ¡Pum!... ¡Y nada! No respondía nadie. ¡No abrían! ¡No se movía una mosca! Sólo se oía el claro rumor... Al fin, cerca de la una abrióse un ventanillo del piso segundo. (Ramsey, 327)

> El 14 de noviembre de 1909, un militante anarquista asesinaba al entonces jefe policial, Ramón Falcón... (*Cambio 16*, 5-7-76)

> No quiso o no pudo proseguir. Besó a los suyos. Horas después rendía su último cansado suspiro. (MU)

> El 10 de mayo de 1843 nacía Galdós en Las Palmas de Gran Canaria...
> (J. Casalduero)

NOTE

The imperfect of verbs indicating communication (i.e. speaking or writing) quite often needs to be translated by an English simple past tense:

> —Tú no puedes autorizarlo —me decía. (Keniston, 182-183)

> Emma Zunz... halló una carta por la que supo que su padre había muerto... Un compañero de pensión de su padre firmaba la carta. (J. L. Borges, *Arg.*)
> *... The letter was signed by a fellow boarder of her father's.*

1.2.2 The imperfect tense may be used to indicate that an action or state had begun in the past and was continuing or was being repeated at the time referred to. In translation, a progressive pluperfect tense will normally be needed. The following patterns are found:

imperfect tense + *(desde) hacía* + time expression;
hacía + time expression + *que* + imperfect tense;
any similar time reference (particularly with *desde*) preceding or following an imperfect tense form.

> La esperaba desde hacía media hora.
> *I had been waiting for her for half an hour.*

> Hacía media hora que la esperaba.

Hasta supo con buen éxito remedar el acento madrileño que Juan usaba de algún tiempo a aquella parte. (Spaulding, 31)
He even succeeded in imitating the Madrid accent that Juan had been affecting for some time lately.

Juan estaba sin trabajo desde los sucesos de octubre. (I. Aldecoa)

NOTES

1. A negative verb may be similarly used:

 Hacía años que no comía coquinas y las devoré glotonamente. (J. Goytisolo)
 I hadn't tasted these shellfish for years and I swallowed them greedily.

2. An English pluperfect tense may also be required for a Spanish imperfect following *la primera vez que:*

 Era la primera vez, desde su enfermedad, que volvía a la calle. (L. Spota, *Mex.*)

3. The imperfect of *llevar* is frequently found, particularly in colloquial Spanish, in a variety of constructions which need a pluperfect in translation. For details, see 1.9.2 and 4.7.2.

1.3 THE PRETERITE TENSE

1.3.1 For translation purposes, there is a broad correspondence between, on the one hand, the Spanish preterite (e. g. *Habló*) and the English simple past tense (e. g. *He spoke*) and, on the other, between the Spanish and English perfect tenses (e. g. *He hablado*: *I have spoken*). In such cases, the former tenses are used for more 'remote' past actions or states and the latter tenses for those which the speaker or writer sees as more closely related to the present (at the time of speaking or writing). However, the correspondence is far from complete. For example, in questions, a Spanish preterite may be translated as '*did*+verb' or as a perfect tense (*have*+-D) depending on the context (and the viewpoint):

—¿Tú oíste algún disparo? (A. Barrera-Vidal, 203)
Did you hear a shot?

—¿Llamaron ustedes?
Did you call?

—¿Lo terminaste (ya)?
Have you finished it (already)?
BUT: ¿Lo terminaste (ayer)?
Did you finish it (yesterday)?
Also possible in American English: *Did you finish it (already)?*

Also, in non-interrogative sentences, an English *perfect* tense may be necessary to translate a Spanish preterite if the sentence contains an explicit link with the present (in the form of verbs meaning *to finish* or adverbs like *ya, aún, todavía, hoy,* etc.) or an implicit link. Such usage is more widespread in American varieties than in Castilian Spanish.

—Prepara tus maletas. Se acabaron los estudios en Madrid.
(A. Barrera-Vidal, 227)

—La semana que viene voy a ir al Museo de Arte Moderno. Ya fui al Museo de Bellas Artes.

—No tengas prisa. Y tómate otra copa. ¡Que la fiesta aún no terminó!
(D. Sueiro)

La democracia, que aún no llegó, se le está atragantando a la Bolsa...
(*Cambio 16*, 19-1-76)
Democracy, which has not arrived yet, is upsetting the Stock Market.

—Parece que todavía no vino. (C. Gorostiza, *Arg.*)

—Todavía no los usé nunca. (R. M. Cossa, *Arg.*)

—Este mes estudié mucho. (J. M. Lope Blanch, 1961, 377)

—Oye, ¿llamaste hoy al profesor López? (H. Berschin, 546)

NOTES

1. This use of the preterite tense is spreading in Castilian Spanish, particularly in the news media:

   —Si no tomó sus vacaciones, hágalo en septiembre.
   (*A B C*, 18-8-71: advertisement)

   However, examples like the following, where the reference is to the immediate past, are still not fully accepted by many educated speakers of Castilian Spanish:

   Desde Londres les informó...
   You have been listening to...

   Vieron ustedes...
   You have been watching...

2. In subordinate relative clauses in narrative sequences, a Spanish preterite may need to be translated by a *pluperfect* tense:

   Deshizo Gerardo el camino que cierta noche, dos meses antes, anduvo desesperado. (Keniston, 188)
   Gerardo retraced the steps that one night two months previously he had taken in despair.

1.3.2 Although selected verb groups are dealt with later, in sections 1.10-1.12, it may not be inappropriate to list here some special features of the preterite tense of certain common verbs which may be followed by an infinitive.

a) For the preterite tense of some verbs, special translation equivalents may sometimes be needed:
quise: I tried to; I suddenly felt like; no quiso: he wouldn't; (occasionally) *he didn't mean that/to; no quiso que* + SVE: *he wouldn't allow ... to ...* ; *supe: I found out; I realised,* etc.; *no supo* + infin.; *he was not able to; pude: I managed to.*
(Note also: *conocí: I met* (for the first time); *tuve: I received; I got.*)

b) The preterite tense of *poder* and *deber* may be used before an infinitive as variants for the following compound tenses: *hubiera podido/debido; habría podido/debido; podía/debía haber* + -DO; *podría/debería haber* + -DO.
Such simplified usage, which seems to be increasing, corresponds to English *could have/should have* + -D and, sometimes in the case of *deber (de)*, to the conjectural *must have* or *couldn't have* + -D.

Un accidente que le pudo costar la vida, afeó al futuro gran hombre.
(Coste, 433)
An accident, which could have cost him his life, disfigured the man who was to become great.

Sucedió un percance que no puedo pasar en silencio, por las fatales consecuencias que pudo tener. (Spaulding, 40)

—Nunca debiste casarte. (Coste, 433)

—Debí preverlo. (Coste, 433)

—Debí figurármelo. (A. Barrera-Vidal, 231)

—Debió (de) hacerlo.
He must have done it.

—No debió oírlo.
He couldn't have heard it. (As well as: *He shouldn't have...*)

NOTE

Occasionally, the perfect tense of *poder* and *deber* is found with meanings similar to those described above.
(Cf. French *Il a pu* + *infin.* and *Il a dû* + *infin.*):

—He podido morir mil veces, capitán. [=*mi capitán*]
(Spanish Television, 1973: dubbed film)

Fue hace varias semanas. Desde entonces ha podido cambiar de idea.
(J. López Rubio)

1.4 The conditional and conditional perfect tenses

The primary uses of the future, future perfect, conditional and conditional perfect tenses may be taken as known: ***Iré mañana; Habré terminado mañana; Iría si pudiera; Habría ido si hubiera podido.*** Secondary uses of the future and future perfect and the main secondary uses of the conditional and conditional perfect are basically colloquial and are dealt with in detail in *Manual.* They indicate conjectures, suppositions or conjectural questions relating to present or past actions or states, for example: ***¿Dónde estará Juan (ahora)? Juan estará en casa a esta hora. Estaría enfermo la semana pasada.*** More suitable for treatment here are the following secondary uses of the conditional and conditional perfect tenses.

1.4.1 In narrative styles (especially where biographical details are presented), the conditional tense may sometimes be best rendered by an English simple past tense or by ***was to***+verb:

> Empecé a escribir esta obra en 1950... No se publicaría hasta 1965, en París. (A. Sastre)
>
> ...*It was not published until 1965, in Paris.*
>
> Su primer cargo político lo obtuvo en 1935... En 1937 ingresaría en la Cámara de Representantes... (*A B C*, 23-1-73)

1.4.2 In essay styles and in spoken Spanish, the informal deferential use of the conditional tense of verbs used to express opinions, like ***decir(se)*** and ***parecer***, and of ***jurar*** are equivalent to the analogous use of the English conditional (i. e. ***would***; ***could***) and, sometimes, to an English present tense.

> —Yo diría que tiene razón.
> *I would say he's right. / I think he's right.*
>
> Se diría que el joven escritor ha leído y escrito mucho más. (M. Bermejo Marcos)
>
> *One would/might think that... / It would appear...*
>
> Parecería que no lo hizo.
> *It would appear that he didn't do it. / It seems that...*

Note

With *no sabría*+infin., as with French *Je ne saurais*+infin., an appropriate translation may occasionally be *I can't/I am not able to:*

> Siento de una manera vaga, que no sabría explicar, el impacto de la naturaleza. (J. Díaz, *Chile*)

1.4.3 A more recent and increasingly frequent extension of the basically colloquial uses of the conditional and conditional perfect tenses to convey suppositions, etc. is the use of these tenses to present allegations or rumours, a tendency mainly restricted to the news media. Since this usage is potentially ambiguous (particularly in the case of the conditional perfect tense and in references to *future* action), it is important to remember that the 'conditional of allegation' may refer to past, present or *future* actions or states, and that its compound form refers to allegations about past actions, etc. rather than to hypothetical ones, as it does in its primary use (e. g. *Habría ido si hubiera podido: I would have gone...*). Once one is aware of this secondary usage for allegations, the relevant clues will normally be found in the context, particularly in the form of a reference to the source of the allegation (e. g. *según fuentes oficiales: according to official sources*).

The conditional and conditional perfect of allegation are more frequently found in American Spanish journalism but they are by no means uncommon in Peninsular newspapers, magazines and other media. Not surprisingly, perhaps, in view of the potential ambiguity, this usage (although common in French and Portuguese journalistic styles) is often censured by those grammarians who mention it. Because of the ambiguity and the censure, it should not be actively used by English-speaking students.

For translation into English, it will be necessary to use a simple past, present or future tense (according to the context), accompanied by an adverb like *apparently* or *allegedly*, or preceded by a clause like *it is reported that,* if these specific indications are not present in the Spanish sentence.

Moscú estaría decidido a aflojar presión en Europa. (Ramsey, 341)
Moscow is apparently ready to reduce pressure on Europe.

Los animales, según la opinión popular, no tendrían «inteligencia». Ellos obedecerían ciegamente al instinto y sólo tendrían una vaga conciencia de lo que hacen. (B. Subercaseaux, *Chile*)
... do not have ... obey ... have ...

El armisticio regiría a partir del 12 de este mes.
(*La Prensa,* Buenos Aires, 3-12-72)
It is reported that the armistice will come into force on the twelfth of this month.

Grave accidente de tránsito en el Perú. Al precipitarse un camión a un río habrían resultado muertas 40 personas.
(*La Prensa,* Buenos Aires, 3-12-72: headline and sub-heading)

La frialdad de relaciones [*entre los dos hombres*] se habría producido, según fuentes dignas de todo crédito, por el ritmo lento con que, según el Rey, se están llevando las reformas políticas. (*Cambio 16,* 3-5-76)

El viaje a Gran Bretaña parece que tiene su importancia: lo habría emprendido —son rumores— en contra de la voluntad de Brejnev, y para conseguir un éxito en el exterior. (*Triunfo,* 26-4-75)

VERB GROUPS

1.5 The following combinations or groups of verbs will be described:

> *haber* + -DO (1.6); *estar* + -NDO (1.7); *ir* + -NDO (1.8); other verbs + -NDO (1.9); verb + infin. (1.10-1.13).

NOTE

> Because of the varied uses of the -DO form, discussion of most of its uses in combination with other verbs (e. g. *ser* + -DO) has been deferred until Chapter 4.

VERB + -DO

1.6 Of the compound tenses consisting of *haber* and -DO, the future perfect and the conditional perfect have already been mentioned in 1.4. The remaining compound indicative tenses are the perfect (special usage of which is mentioned in 1.3.2 Note and in the Notes to this section, below), the pluperfect (e. g. *había hablado*), which has no secondary uses, and the *past anterior*. The latter tense, which consists of the preterite of *haber* followed by a -DO form, e. g. *(cuando) hubo terminado*, is comparatively rare nowadays even in written styles, but it may be found more frequently in non-contemporary written Spanish. The past anterior was (and still may be) used as a variant for the pluperfect or preterite tenses in subordinate time clauses following *relators* meaning *when, as soon as, after* or *no sooner* (i. e. *cuando, en cuanto, así que, luego que, después (de) que, apenas, tan pronto como, no bien,* etc.). English translation will be by a simple past tense or a pluperfect tense according to the context.

> En cuanto se le hubo pasado el vértigo, salió de la estancia. (Spaulding, 46)
> *When he stopped feeling dizzy, he left the room.*
>
> Meditó mucho tiempo, y cuando lo hubo reflexionado bien, tomó una decisión. (M. Azuela, *Mex.*)

NOTES

1. The mainly archaic variant forms of such clauses (e. g. -DO *que hubo*, etc.) are described in 5.2.1:

   > Pasado que hubieron algunos minutos, el jesuita... dijo... (N. D. Arutiunova, 1965, 62)

2. Accompanying a present tense used as a variant for the preterite (see 1.1.1), the Spanish perfect may need to be translated by an English pluperfect:

   > No ha cumplido el pequeño un mes (tenía exactamente 25 días) y sus padres se trasladan a Treinta y Tres [*a town*]. (J. Imbert, *Arg.*)

3. Very occasionally, a Spanish perfect tense may correspond to an English simple past tense:

> El año pasado se ha publicado en Suiza un interesante estudio sobre el lenguaje deportivo de España. (E. Lorenzo)

4. The perfect tense of *saber* sometimes needs to be translated as *I have been able to*, etc.:

> En el fondo de mi corazón, ¿he sabido perdonarle su conducta con mi pobre madre...? (JV)

VERB + -NDO

1.7 The compound tenses formed by *estar* and -NDO to denote an action or state in progress (e. g. *estoy/estaba esperando*) may be taken as basic. Worthy of note is the occurrence of *estar siendo*, which is described below, and of the characteristically Spanish verb groups consisting of *ir* and -NDO (1.8) and of certain other common verbs and -NDO forms (1.9).

The verb group *estar siendo* + -DO is mainly found in non-literary written styles, particularly in journalistic ones and has been heavily criticised by Spanish grammarians as an anglicism which is unnecessary because of the already existing pattern *se está/estaba* + -NDO, which has an equivalent passive and progressive meaning. However, such usage, which may sometimes be clearer than the '*se* pattern', is becoming more rather than less frequent in such styles, as are the patterns *estar siendo* + adj. and *estar siendo* + noun phrase, which will often need to be translated by *to be becoming/getting/proving to be* or by *to be* plus complement. In some cases, the addition of an adverb like *lately* may be advisable.

> El puerto está siendo bombardeado. (C. E. Kany, 1951, 237)
>
> El problema está siendo discutido en este momento. (R. Fente Gómez, 1971, 125)
>
> Están siendo juzgados cinco súbditos británicos. (R. Carnicer, 1972, 44)
>
> —Está siendo tarde. (E. Lorenzo, 124)
> *It's getting late.*
>
> —Estoy siendo indiscreto. (Spaulding, 103)
> *I am being/getting indiscreet.*
>
> El consejo de familia estaba siendo tumultuoso. Todos daban su opinión. (Eulalia Galvarriato)
>
> Hay que tener en cuenta que dicha entidad [*firm*] comenzó a funcionar como editorial apenas en 1970, y que, según este contexto, su labor ha sido —y, sobre todo, 'está siendo'— notable. (J. Polo)
>
> El exilio de 1939 fue el más cuantioso y trágico de los sufridos por los españoles y está siendo a la vez el más dilatado. (*Triunfo*, 24-4-76)
> *... and it is proving to be the most protracted.*
>
> Por otro lado, leo en «El Norte» que su última novela está siendo un «best seller» en USA. (MD)

NOTES

1. In the preterite tense, *estar* + -NDO is usually equivalent to an English simple past tense or *to stood* + -ING:

   Manolo lo estuvo examinando con cuidado por todos lados. (JFS)
   Manolo examined it carefully all over.

   —... escucha: ¿no dices que primero estuvo cenando en el comedor de la fonda, y que le sirvió la patrona? (F. Ayala)

   —Estuve escuchando un rato antes de abrir la puerta. (G. T. Fish, 1964, 134)
   I stood listening/I listened for a while before opening the door.

2. A verb group consisting of *hallarse* or *encontrarse* and an -NDO form will usually be translated as *to be* + -ING. Occasionally, a time expression like *at the time* or *at present* or the use of *to happen to be* will be closer to the Spanish meaning. (See also 4.11.1.)

   —Recuerdo que me hallaba hablando con aquella devota Marquesa.
   (Keniston, 207)
   I remember that (at that moment) I was talking to that pious Marchioness.

3. See also 4.3.3*b*.

1.8 *ir* + -NDO

1.8.1 Like certain other Spanish verbs whose primary meaning denotes movement (see 1.9), *ir*, used with a following -NDO form, may sometimes retain all or most of its primary meaning:

Iba diciendo unas cosas horribles. (R. Fente Gómez, 1971, 134)
He was going along/around saying dreadful things.

Iba cantando.
He was singing as he walked. / He was singing.

In combination wih many -NDO forms, however, *ir* loses most or all of this primary meaning and indicates that the action described in the -NDO form is gradual, repeated or beginning. Translation will often need one of the following: *is/was* + -ING; *gradually; slowly; one by one*; a form of *to begin*. Where the action is gradual but translation will not naturally allow *gradually*, etc. in English, a simple past tense may be adequate.

Bajaron las latas y fueron llenándolas de un bidón. (JFS)
They took down the tins and began to fill them from a large can.

—¿Qué vas a ser? Hay que ir pensando en eso, ahora que has acabado el bachillerato. (CJC)

—En resumidas cuentas, ve habituándote a esa idea; o te casarás con Colás.
(RPA)

—... yo se la iré dictando. (Spaulding, 103)
...I'll dictate it to you (bit by bit).

Se fue estrechando el valle poco a poco. (R. Fente Gómez, 1971, 133)
The valley gradually narrowed.

NOTE

ir andando may be considered as a fixed lexical item meaning *to walk.*

1.8.2 *ir siendo*

This verb group, usually followed by an adjective, will normally be translated by *is/was becoming/getting.* (Cf. *estar siendo* in 1.7.)

La conducta del indio iba siendo sospechosa. (Ramsey, 397)

Este calor se va haciendo insoportable. (Ramsey, 397)

Va siendo tarde. (E. Lorenzo, 124)

Esto va siendo largo y quiero concluir. (MU)

The colloquial idiomatic *(ya) va siendo hora (de* + infin./*de que* + SVE) means *it's (high) time to/that ...*:

—Y tú, ¿cuándo te casas, Núñez Maza? Ya va siendo hora, ¿no te parece? (JMG)

—¿No te parece que ya va siendo hora de que las cosas cambien? (A. Arrufat, *Cuba*)

NOTES

1. In the following colloquial sentence, the sense of becoming is still present but English translation will be by *to turn out to be:*

   ¿Y que fueran siendo federales? (M. Azuela, *Mex.*)
   But what if they (were to) turn out to be Federal troops?

2. Ramsey (p. 363) quotes the following example of *ir* followed by *estando.* Again the meaning in English is *to become:*

   —¡Oh, excelente amigo!, ya vas estando un poco carcamal.
   My dear friend, you are getting a little decrepit now.

1.9 A few other common verbs which may combine with -NDO forms to form verb groups need care in translation since, like *ir,* they sometimes retain and sometimes lose their primary meaning. Most common of these are *venir, llevar, andar, quedar(se)* and *seguir* (and its synonyms).

1.9.1 *venir* + -NDO

In *Vino andando,* the meaning of *vino* is literally *He came* and *andando* may be considered adverbial in function: *He came on foot; He came walking*

(— also: *He walked*). In other uses, however, *venir* (usually in the present or imperfect tenses, but occasionally in the perfect tense as well) and a following -NDO form may be considered as parts of a cohesive verb group in which *venir* indicates the progressive (or repeated) nature of an action, etc. begun (or first performed) in the past and continuing (or repeated) up to the time of reference. Quite often, a time reference will also be present in the sentence, e. g. *desde hace/hacía* + time expression or the following which mean *recently, lately* or *for some time now: de algún tiempo a esta/aquella parte, de algún tiempo acá.* Translation will most often require *have/had been* + -ING, but in some contexts an adverb like *steadily* or *repeatedly* may also be necessary.

—Se lo vengo diciendo desde hace un año. (Seco, 342)
I have been telling him that for a year.

—La experiencia nos lo viene demostrando. (Spaulding, 104)
Experience has repeatedly proved it to us.

Desde hace cuatro o cinco años se viene diciendo que iba a haber una escasez de hidrocarburos, de petróleo, de gas natural, etc. (R. Tamames)
For the past four or five years, there has been talk of a coming shortage of hydrocarbons, of oil, natural gas, etc.

Desde 1879 se venía gestionando un acuerdo sobre la zona disputada; pero... la guerra estalló en 1932... (F. Morales Padrón)
Treaty negotiations over the disputed area had been going on since 1979... but war broke out in 1932.

NOTE

Parallel to the mainly journalistic use of *estar siendo* + -DO noted in 1.7 is the occasional appearance in similar styles of *venir siendo* + -DO to indicate repeated passive action:

... la ciudadanía de Santa Marta, desde hace varios años, ha venido siendo sometida a un tratamiento discriminatorio por parte del Gobierno Nacional. (*El Tiempo*, Bogotá, 30-1-72)
... has repeatedly been discriminated against by the government.

1.9.2 Especially in colloquial Spanish, *llevar* + time expression + -NDO is found with uses similar to those of *venir* + -NDO:

—Llevo seis días esperándole.
I have been waiting for him for six days.

Llevaba mucho tiempo esperándole.
He had been waiting for him for a long time.

A negative counterpart to this is *llevar* + time expression + *sin* + infin.:

Lleva/Llevaba varios días sin comer.
He hasn't/hadn't eaten for several days.

(See also 4.7.2.)

1.9.3 *andar* + -NDO

Whether *andar* retains or loses its primary meaning in the verb group *andar* + -NDO (mainly found in colloquial Spanish), the general reference is to an insistent, thorough or repeated action and English translation will most often be by a progressive tense (i. e. *is/was* + -ING):

> —Te andaba buscando. (Spaulding, 103)
> *I was looking for you.*

> —No le andes corrigiendo todo el tiempo. (A. Alonso, 220)

1.9.4 *quedar(se)* + -NDO

Care must be taken in translating this verb group since the most familiar meanings of *quedar(se)*, *to stay* and *to remain*, will, more often than not, be inappropriate in English. Instead, a simple past tense or ***stood/sat*** + -ING will be preferable.

> Incorporóse en la cama y quedó mirando hacia la puerta. (Keniston, 207)
> *He sat up in bed and stared at the door.*

> —Me quedé estudiando hasta las tantas de la noche.
> (R. Fente Gómez *et al.*, 1972*a*, 37)
> *I studied until the early hours.*

> Había observado que el sacerdote se quedaba a veces dudando entre sus pensamientos y sus palabras. (W. E. Bull, 1950, 479)

NOTE

For *quedarse sin* + infin., see 4.22.1.

1.9.5 *seguir*, *continuar* and *proseguir*, when followed by an -NDO form, also denote progressive or continued action. It should be noted, however, that where *to go on/to continue* + -ING are inappropriate in translation, *still* plus a progressive tense of the action referred to by the -NDO form may be needed. (For the negative construction *seguir sin* + infin., see 4.22.1.)

> Sigue lloviendo.
> *It is still raining.*

> Seguía lloviendo.
> *It was still raining. / It went on raining.*

> Siguió lloviendo.
> *It went on raining.*

> Aún prosiguió recitando oraciones. (Spaulding, 104)

NOTE

The following translation equivalents of other common combinations of verb + -NDO are worth noting:

a) *acabar/terminar: in the end/finally,* as well as *to end up*+-ING: Terminará aceptando. *He will accept in the end.*

b) *salir ganando: to come out on top/ahead; to win; salir perdiendo: to come off worst; to lose (on the deal):*

—Con la compra de aquel solar salí perdiendo mucho dinero.
(R. Fente Gómez *et al.*, 1972*a*, 36)

c) Where a verb of movement is accompanied by the -NDO form of another verb of movement, the latter form is usually adverbial in function, but English will often need a verb for the -NDO form and an adverb for the first verb:

salir corriendo: to run out; subir (la escalera) corriendo: to run up (the stairs); bajar (la escalera) corriendo: to run down (the stairs).

VERB + INFINITIVE

1.10 In Spanish the number of verb groups consisting of a verb followed by an infinitive or by a preposition and an infinitive is quite large. In the majority of these combinations the meaning of each of the verbal components may be considered semi-independent of the other and the problem presented to the English-speaking student of Spanish is therefore mainly a lexical one to be solved by acquired knowledge and consultation of the dictionary. This is the case with verb groups like *decidirse a*+infin., *lograr*+infin., *soñar con*+infin., *tratar de*+infin., etc. As with many other basic facts of Spanish vocabulary and structures, such groups do not present a major comprehension problem and therefore no composite or selected list is presented here.

In a smaller number of verb groups consisting of a finite verb form followed by an infinitive or by a preposition and an infinitive, there is more cohesion or dependence between the two components: neither verb component is really separable without serious loss of meaning, because the finite (or first) verb form adds an important comment concerning the action named in the following infinitive, rather as auxiliary verbs like *haber* do. For this reason, it is necessary to develop a 'feel' for the meanings conveyed by such verb groups in order to be able to translate them accurately. At this level of study, however, only the more versatile or less familiar of these verb groups need be illustrated. It will therefore be assumed that, since the following combinations of verb (+preposition)+infin. (and one combination of verb+*que*+infin.) are basic or have a single and easily translatable meaning, they are in no need of treatment here:

a) verb groups indicating a beginning, e. g. infinitives preceded by *comenzar a, empezar a, echar(se) a, ponerse a, romper a.*

b) verb groups indicating an end, e.g. infinitives preceded by *acabar por, terminar de/por.* (For *acabar de* and *dejar de,* see 1.12.3 and 1.12.4.)

c) other verb groups containing *acertar a (to manage to), alcanzar a (to manage to), deber (de), ir a, volver a, soler, tener que.* (For notes on *deber and poder,* see 1.3.2; for *saber,* see 1.3.2, 1.4.1 Note and 1.6 Note 4.)

The remaining verb groups to be described in 1.11-1.12 present more problems for the English-speaking student. Finally, in 1.13, a set of miscellaneous translation problems involving special uses of the infinitive following certain types of verbs is considered.

NOTES

1. Although, in general use, *ir a*+infin. may be considered basic, it has important secondary uses in colloquial Spanish. For details, see *Manual.*

2. The meaning of the verb groups *darle (a alguien) por*+infin., *dar en*+infin. and *darse en*+infin. is not easy to state simply, but they are usually chosen to convey the beginning or recentness of an action and/or an adverse judgement of it (or of the performer of the action). *Darse en* is most often followed by *decir* and *llamar.*

   Le ha dado por estudiar música.
   He has taken it into his head to study music. / He has suddenly taken up studying music.

   Ha dado en creer que todos le engañan. (Moliner)

   El lenguaje corriente da en confundir autoridad y poder. (D. Ridruejo)
   ... makes the mistake of confusing... / ... constantly confuses...

   ... lo que se ha dado en llamar peronismo. (*Hoja del Lunes,* Madrid, 25-6-73)
   ... what has come to be called Peronism. / ... what some call Peronism.

3. *Pasar a* indicates the imminent beginning of the action or state named in a following infinitive:

   —Pasaré ahora a comunicarles el resultado de mis investigaciones.
   (R. Fente Gómez *et al.,* 1972*a,* 22)
   I will now give you the result of my investigations.

   For *pasar a ser (to become),* see 4.15.2 Note 1.

1.11 *haber de*+infin.

1.11.1 In both written and spoken Spanish, *haber de*+infin. may indicate obligation *(must/have to).*

—Déjale, olvídate de él. ¿Cuántas veces he de decírtelo? (J. Marsé)

Hubo de agacharse a los pies de Orlando para recogerla. (E. Lafourcade, *Chile*)
He had to bend down at Orlando's feet to pick it up.

Si hubiera de seguirse aquí un orden estrictamente cronológico sería menester comenzar en 1951... (G. Sobejano)
If it were necessary to... / If one had to... / If one were to...

1.11.2 Particularly frequently in American varieties of Spanish and in non-contemporary Castilian, the present tense of *haber de* may be equivalent to an English future tense or to *is to* + verb, and the imperfect and conditional tenses may be equivalent to an English conditional tense (of the following verb) or *was to.* In the case of the imperfect and conditional tenses, the reference is often to an action seen as prearranged, predestined, or simply to an event known by hindsight.

—Te escribiré todos los días.
—¿De verdad?
—Lo has de ver. (Keniston, 202)

—Ay, Dios, ya no te he de ver más —dice la madre entre sollozos. (Coste, 420)
«Oh dear, I'll never see you again», sobbed the mother.

Muchos años después, frente al pelotón de fusilamiento, el coronel Aureliano Buendía había de recordar aquella tarde remota en que su padre lo llevó a conocer el hielo. (GGM)
... would remember... / ... was to remember...

Juanita estaba segura de que no había de variar su resolución por mucho que lo meditase. (JV)

Francamente, no sé si creo en Dios. A veces imagino que, en el caso de que Dios exista, no habría de disgustarle esta duda. (MB)

... y estaba lejos de pensar entonces que mi conducta habría de causarme vivos remordimientos. (F. Benítez, *Mex.*)

NOTE

For other colloquial uses of *haber de,* see *Manual.*

1.12 A few other verb groups consisting of verb + preposition + infin. constitute comprehension problems because their uses cannot be summed up in single English equivalents. These are: *llegar a* (1.12.1), *venir a* (1.12.2), *acabar de* (1.12.3), and *no dejar de* (1.12.4).

NOTE

For the translation of *sin* + infin. following verbs like *estar, quedar(se), seguir* and *dejar,* see 4.22.1; for *llevar ... sin* + infin., see 1.9.2.

1.12.1 *llegar a* + infin.

Depending on the context, any of the following may be needed to translate this verb group: *finally, to manage to*; *to happen to*; *actually*; *even.* When the following verb is *ser,* the translation will be *to become* or *to get* and, when used negatively, *not quite* or *not really* will sometimes be necessary.

¿Qué hacer, entonces? ¡Volverme a Los Sunchos! Esta idea llegó a convertirse en obsesión. (R. J. Payró, *Arg.*)
... This idea finally became an obsession.

—Menos mal que nacieron en España; ¡pero, mire usted que si llegan a nacer en China! (CJC)
Fortunately they were born in Spain, but imagine if they had happened to be born in China!

A lo mejor ocurre que muchos españoles escriben Diarios y Memorias, pero nunca llegan a publicarse. (A. de Miguel)
... but they never actually get published.

Llegó a ser Primer Ministro.

Tuve un sueño muy inquieto por las pesadillas y llegué a tener la sensación de que me asfixiaba. (M. Gómez-Santos)
My sleep was disturbed by nightmares and I even had the sensation that I was choking.

1.12.2 *venir a*+infin.

When not used literally or when a literal translation is unacceptable in English, *venir a* is often difficult to translate accurately. In general, the use of *venir a* with a following infinitive seems to modify the meaning of the latter in the vague subjective ways that *in fact* and *actually* (used unemphatically) or (especially where numbers of quantities are mentioned) *more or less* modify an English verb or sentence. Where these adverbial expressions fail to produce a convincing translation, it will be necessary to translate the infinitive in the tense shown by *venir.* Note that *venir a ser (como)* may often be accurately rendered by *to amount to.*

Viene a tener la misma edad que yo. (Moliner)
In fact, he is the same age as me. / He is more or less the same age as me.

Después de una hora de conversación, vino a decir que le era imposible asistir a la reunión. (R. Fente Gómez, 1971, 135)
After an hour's discussion, he actually stated that it was impossible for him to attend the meeting.

Estamos en una época de crisis, no sólo de valores sociales y literarios, sino de las mismas palabras que vienen a representar estos valores. (R. Buckley)

Esta nueva ley vendrá a solucionar el problema de la vivienda.
(R. Fente Gómez, 1971, 136)
In fact, this new law will solve the housing problem.

En el fondo, *Rayuela* viene a ser una apasionada... exhibición de aquellas dudas y contradicciones. (MB)
... amounts to...

Cuando hablamos de estilo y retórica queremos expresar que la palabra escrita viene a ser como una piedra que hemos de trabajar, pulimentar y, en definitiva, formar... (D. Pérez Minik)
... is, more or less, like a gemstone which we must mould...

NOTE

It is only fair to warn the reader that the above explanation is NOT the one usually offered. *Venir a* + infin. is usually explained as signifying one of the following: approximation *(about)*, end *(finally)*, coincidence *(happen to)*, usefulness *(to serve to)*. Although these suggested translations are indeed often useful, they do not cover all cases and the reader may therefore find them confusing. The explanation offered above attempts to show the more general content or meanings latent in the verb group so that the reader can develop a general 'feel' for it and supply, in a given context, the English version which seems most appropriate.

1.12.3 *acabar de* + infin.

The use of the present and imperfect tenses of *acabar de* to indicate recent completion *(to have just)* will be familiar to the reader. However, this verb group may *also* be used, without tense restrictions, with other functions, also related to the primary meaning of *acabar (to finish* or *complete)*. According to context, the following or equivalent expressions should offer an adequate basis for translation: *completely, finally, really, not quite, not really.*

—Madre, no debías [=*deberías*] coser tanto con esta luz. Vas a acabar de estropearte la vista. (A. Sastre)
... You'll really ruin your eyesight. / ... You'll lose the little sight you have left.

Don José lo midió de arriba abajo con una mirada despreciativa y soltó una risotada. Acabó de perder la cabeza el hijo y tiró violentamente del revólver que llevaba al cinto. (R. Gallegos, *Venez.*)
Don José cast him a scornful glance and sniggered loudly. The son finally lost his head and snatched at the revolver tucked into his belt.

—No lo acabo de entender.
I don't quite understand it.

—¿Tú no tomas, verdad?
—No. No he podido acabar de encontrarle el gusto a eso. (C. Gorostiza, *Mex.*)
«You're not drinking, are you?»
«No. I haven't really been able to develop a taste for this drink.»

1.12.4 *dejar de* + infin.

The basic translation equivalents *to stop/cease* + -ING will sometimes need to be replaced by *to fail to* (etc.) and, when used negatively, by *not to fail to, not to forget to,* or by positive emphasis (i. e. by the use of *quite, really* or *very*). For the pattern *no dejar de ser* + adjective, it will often be necessary to render this positive emphasis by *not* followed by an adjective or other word beginning with the prefix *un-*, e. g. *not unlike.*

—Si no cambias de actitud, dejarás de hacer muchas amistades.
(R. Fente Gómez *et al.*, 1972*a*, 29)
If you don't change your attitude, you'll miss the chance to make a lot of friends.

—Cuando pase por Madrid, ¡no deje usted de visitarnos!
(R. Fente Gómez *et al.*, 1972*a*, 30)
... don't forget to.../... don't fail to...

No dejó de agradarme que saludara. (E. Lorenzo, 213)
I was quite pleased that he greeted me.

Lo aguanto, pero no deja de ser molesto.
I put up with it but it is still very annoying.

Al fin y al cabo, estas posiciones no dejaban de ser parecidas a las de otros...
(D. Pérez Minik)
... were not unlike...

NOTE

The fixed group *no pasar de ser* may also be mentioned here. Its meaning is: *it is only/merely/no more than:*

Esta rebeldía no pasa de ser un gesto vano, pues es una exageración de los modelos contra los que pretende rebelarse... (O. Paz, *Mex.*)

1.13 Following certain other verbs, the infinitive also needs special care in translation into English.

1.13.1 When used in combination with the following types of verbs, a Spanish infinitive may need to be translated by an English -D form or by a passive infinitive (*to be*+-D):

a) Verbs of causing, allowing and ordering (most frequently when also accompanied by *se* or another reflexive pronoun). (See also 3.7.1 Note 3 and 4.6.2 Note.)

Se hizo temer. (Ramsey, 352)
He made himself feared.

Se hizo atar una cuerda a la cintura. (Ramsey, 352)
He had [i. e. *caused/ordered*] *a rope tied to his waist.*

Se hizo cortar el pelo.

Don Enrique y Fernanda se dejaron convencer. (Ramsey, 351)
... allowed themselves to be convinced.

—¡Qué infamia! ¡Para esto ha mandado usted prender a mi marido!
(Harmer, 295)
How vile! So that is why you have ordered my husband to be arrested!

b) Verbs of perception (e. g. e. g. *ver, oír*):

Vi fusilar a los desertores. (Ramsey, 348)

Note that with *oír decir* and *oír contar,* etc., English *to hear* will usually be sufficient:

He oído decir que su marido es muy celoso.

Yo oía contar muchas veces que un vecino estaba enfermo. (Keniston, 235)

c) The impersonal forms *haber que, hay que, habrá que,* etc.:

Habrá que aceptar su decisión.
His decision will have to be accepted. / We shall have to accept...

Hay que pagarle.
He must be paid. / We must pay him.

NOTE

See also 4.21.1 and 4.22.

1.13.2 In both Spanish and English, certain verbs denoting subjective attitudes may be followed by either an object clause or an infinitive, with a similar meaning, e. g.

Esperaba que le encontraría en casa. OR Esperaba encontrarle en casa.
He hoped (that) he would find him at home. OR *He hoped to find him at home.*

With verbs like *decir, creer, me parece* and *demostrar,* which denote speaking, thinking and showing, Spanish allows this double possibility (and even the use of a perfect infinitive: *haber* + -DO), but English prefers object clauses. Naturally, the tense of the English subordinate verb will depend on the context.

Dice no saber nada.
He says (that) he knows nothing.

Creí soñar, le miré mejor. (N. D. Arutiunova, 1965, 46)
I thought I was dreaming. I looked at him more closely.

No creo exagerar si califico mi acogida de calurosa.
I do not think I am exaggerating when I say that my reception was very warm.

Creía haber dicho bastante.

El señor Esteban creyó morir de rabia. (N. D. Arutiunova, 1965, 46)
Señor Esteban thought he would die of rage.

A veces me parecía oír pasos afuera... (J. Cortázar, *Arg.*)

...dijo que «con su postura Rusia ha demostrado no tener respeto a la libre opinión...» (*Cambio 16,* 14-11-77)

VERBLESS CLAUSES AND SENTENCES

1.14 Since this chapter deals with potential comprehension and translation problems involving finite verb forms and verb groups as the central components of clauses and sentences, it is appropriate to conclude with a brief note on those types of clauses and sentences which are characterised by the *absence* of this central component, namely *verbless clauses and sentences.*

First of all, certain clauses and sentences of a descriptive nature may be verbless. These are illustrated, along with other aspects of description, in Chapters 4 and 5 (particularly in 4.18 and 5.20-5.28).

A further considerable number of verbless clauses and sentences, including many which are of a stereotyped or 'ritual' nature, are characteristically found in colloquial Spanish; for a detailed treatment of these the reader is referred to *Manual* (especially to Chapters 2 and 4). Of these verbless sentences, the most likely to occur outside colloquial usage are those consisting basically of an interrogative or exclamatory word or expression and an infinitive. For these, English will normally require a finite sentence, most often one containing *can*:

> ¿Qué decir entonces del realismo estético norteamericano, manifiesto en la poesía y en la prosa? ¿Cómo explicar esta tendencia, que ha llegado a influir en la literatura europea? (H. A. Murena, *Arg.*)
> *What, then, can one say about American aesthetic realism, which is present in its poetry and prose? How can one explain this tendency...?*

Apart from these, the only general type of verbless clause left to be considered here is one which should not pose translation problems since it involves the evident ellipsis (or non-repetition) of a verb already used in the sentence or context. Where a similar English verbless clause is not acceptable, the use of an auxiliary verb (e. g. *do; have*) or a repetition of the original verb will be necessary.

> El hombre no dijo nada; la mujer, tampoco.
> *The man said nothing; neither did the woman.*

> —Su señoría defiende a los patronos, y yo a los obreros. (Keniston, 50)
> *Your Honour defends the bosses; I defend the workers.*

SUPPLEMENTARY EXAMPLES FOR STUDY AND TRANSLATION

1. Cinco bandidos enmascarados se presentan a altas horas de la madrugada en el domicilio del médico, ... y le obligan a subir a un automóvil. (*Ya*, 24-9-69)

2. —Hace media hora que estoy aquí —rugió sordamente—. ¡Desde las diez de la mañana me encuentro en este desierto! (W. Fernández Flórez)

3. De un tiempo a esta parte prolifera en castellano una construcción extraña a nuestros usos. (R. Carnicer)

4. —¿Crees que habrá tormenta este año? Hace más de veinte años que no nos azota un ciclón. Hasta las fuerzas ciegas de la naturaleza nos son propicias. (R. Marqués, *P. Rico*)

5. El martes, el paro se generalizó entre el personal de talleres y movimiento. Dos mil empleados abandonaban el servicio y se recluían en la iglesia de Nuestra Señora de Luján ... (*A B C sem.*, 15-1-76)

6. Un día, Amparo recibió una carta con letra desconocida. Le comunicaba que Néstor había muerto de tifus. (Concha Alós)

7. Efectivamente, era la primera vez que en España, escrita por un español, se publicaba tan naturalmente una síntesis del desgraciado asunto. (J. L. Vila-San-Juan)

8. —Antes de hacer esos chistes, espere que firmen el contrato.
—¿Qué? ¿Todavía no firmaron? (C. Gorostiza, *Arg.*)

9. Por fin, a principios de diciembre, Ursula irrumpió en el taller.
—¡Estalló la guerra! (GGM)

10. La humanidad, con excepción de los habitantes de regiones extremadamente áridas, se acostumbró a considerar el agua como un recurso inagotable ... Pero la sed del mundo, en realidad, existe ... (*Visión, Méx.*, 6-5-77)

11. Varias veces quise enseñar matemáticas a Allen, pero [*él*] no quería. (PB)

12. Cuando dije que me había casado porque lo quería [*a mi marido*] no quise decir que ahora no lo quiera. (E. Sábato, *Arg.*)

13. El hombre que estaba de servicio no supo indicarme dónde hallaría flores. (R. Fente Gómez, 1971, 167)

14. Un grupo de muchachas inglesas describieron hoy una aventura que pudo convertirles [*sic*] en esclavas durante una gira al norte de Africa. (*Hoja del Lunes*, Madrid, 19-3-73)

15. —¡Pudo cortarse!
—Le habríamos impedido a tiempo. (A. Buero Vallejo)

16 —No, no ..., ¡basta de odio! Pude quererte, debí quererte, que habría sido mi salvación, y no te quise. (MU)

17. ... lo último que recuerda es que lo llevaban por los pasillos del hospital judío de la localidad. Alguien debió encontrarle en la calle y conducirlo hasta allí. (*Cambio 16*, 30-5-77)

18. —¿Por qué ha de haber un error en esto? ¿No te han mandado nunca a

ti paquetes que iban destinados al vecino? ... Han podido confundirse de piso. (J. Calvo Sotelo)

19. La batalla naval, que tuvo lugar, según esta versión, concluiría con la madrugada, cuando la tripulación se rinde después de verse rodeada por barcos de superficie. (*Cambio 16,* 17-5-76)

20. Según denuncias que se han hecho, los policías implicados habrían prestado protección a los traficantes. (*La Prensa,* Buenos Aires, 3-12-72)

21. Todo comenzó, al parecer, unos quince días antes de la fecha fatídica, en una reunión social ... La fiesta habría tenido lugar el día 14 de diciembre ... En el curso del ágape ... (MVL: in a pastiche of journalistic writing)

22. Quince muertos ... habría producido a primeras horas de hoy y después de una decena de días de epidemia, el cólera en Italia. (*La Vanguardia Española,* 4-9-73)

23. Se diría que a Cela le interesa, sobre todo, el "hombre-caso" o el "hombre-masa", pero no, apenas, el hombre en su pleno valor de persona. (G. Sobejano)

24. Cuando hubimos terminado nuestra charla de negocios, don Manuel me invitó a comer con él. (A. Barea)

25. Luego que se hubo arreglado, pasamos al comedor, situado en la planta baja, con dos puertas vidrieras al patio. (APV)

26. Don Antonio Maura ... ha dirigido al señor Ministro ... un escrito pidiendo que se exija a todos los centros oficiales de España el empleo ... de la lengua oficial, que es el castellano. El tal escrito está siendo muy comentado en toda España y muy particularmente en Cataluña. (MU)

27. El verano actual está siendo el más caluroso desde hace un siglo, y en Nueva York, con el asfalto, los rascacielos y la humedad del Atlántico, cuarenta grados de temperatura parecen cien grados en otra parte. (*Cambio 16,* 22-8-77)

28. Esa de racista está siendo una palabra confusa y hay que ponerla en claro. (J. Martí, *Cuba*)

29. Toda la noche la estuvieron obligando a marchar. (G. T. Fish, 1964, 134)

30. ... se encuentra reponiéndose, tras el accidente automovilístico de meses atrás, en uno de los famosos sanatorios-balnearios del Mar Negro... (*Cambio 16,* 15-8-77)

31. Contó sobre la mesa un puñado de billetes pequeños, que fue recogiendo el ayudante apresuradamente. (JFS)

32. —Anda, hija, vete a casa y dile a mamá que se ha muerto la abuela. Y que vaya llorando, que ahora voy para allá. (E. Lorenzo, 125: quoted as example of humorous use)

33. ... que va siendo cada vez más difícil según se ponen las cosas. (JFS)

34. Hay que decir, sin embargo, que tan censurables construcciones van siendo frecuentes ... (S. Gili Gaya)

35. Posteriormente, mi oposición al sentido moderno del progreso y a las relaciones Hombre-naturaleza se ha ido haciendo más acre y radical, hasta abocar a mi novela *Parábola del Náufrago* ... (MD)

36. Y añadiré que desde hace algunos años vengo ejercitando en mi cátedra, en la medida de mis posibilidades, esta idea de la libertad académica. (P. Laín Entralgo)

37. Añade ... que el citado informe "da nueva importancia a las conversaciones que se vienen manteniendo entre Gran Bretaña y Argentina sobre el futuro de las islas" (*El País*, 23-4-77)

38. ... no fueron asesinados en el transcurso del día 5 de octubre, como hasta entonces se venía afirmando, sino en la mañana del día 6. (*Diario 16*, 17-11-76)

39. El español viene siendo juzgado a menudo por observadores precipitados y amantes de la generalización, bien como un tipo severamente serio, o bien un sujeto impertinentemente alegre. (*España para usted*, Spanish Government Booklet)

40. Ha cumplido los cuarenta y nueve años y lleva trabajando treinta y siete. (N. D. Arutiunova, 1965, 33)

41. Su madre lleva una semana sin dormir.

42. Luego abrió el cajón de su mesa y anduvo registrando hasta que encontró algo. (Spaulding, 103)

43. Suspiró profundamente y se me quedó mirando. (A. M. de Lera)

44. Luego se sienta en el taburete y continúa haciendo calceta automáticamente. (Coste, 467)

45. —Acabarás haciendo lo que ella te pide. (R. Fente Gómez *et al.*, 1972*a*, 37)

46. En las discusiones que manteníamos, él siempre salía ganando. (R. Fente Gómez *et al.*, 1972*a*, 36)

47. La ingeniería está efectuando en Elche la que se ha dado en llamar —quizá con buena dosis de razón— la obra del siglo. (*A B C sem.*, 30-10-75)

48. Mis abuelos paternos me impusieron la milicia. Hube de aceptarla, por presión. (E. Barrios, *Chile*)

49. —Aquí, padre, ya ve cómo vivimos. Hemos de hacer ocho kilómetros hasta la Parroquia para oír misa y comulgar. (Ana María Matute)

50. —Por deslenguado, he de arrancarte la lengua. (RPA)

51. —Te advierto que de ninguna manera te has de librar de mí, pues aunque te vuelvas el mismo Demonio, te he de pedir dinero y te lo he de sacar. (BPG)

52. ... pensé que la mayor prudencia había de ser esperar a la amanecida... (CJC)

53. Gerona iba a ser, una vez más, la piedra de toque de lo que había de ocurrir en todas y cada una de las capitales españolas... (JMG)

54. Después fueron produciéndose, poco a poco, con insidiosa persistencia, los acontecimientos que habrían de perturbar estos últimos años de mi vida. (E. Sábato, *Arg.*)

55. El 12 de abril de 1539 nacía en el Cuzco una de las más prestigiosas figuras del clasicismo peruano. El niño que habría de llevar el nombre de Gómez y el apellido familiar de Suárez de Figueroa, pasaría a la posteridad con el doble apelativo de Garcilaso de la Vega, nombre de su padre, y del "Inca" en recuerdo de la ilustre prosapia de su madre... (Padre Carmelo Sáenz de Santa María)

56. Nunca llegó a demostrarse la culpabilidad de Alger Hiss, que recientemente salió de la cárcel tras cumplir larga condena. (*Cuadernos*, septiembre 1974)

57. Desde hace cierto tiempo viene imponiéndose la idea de que el año *político* comienza en el otoño. El *retorno a las aulas* viene a coincidir con el fin de las vacaciones políticas... (*Cuadernos*, octubre 1974)

58. La consideración del origen ilegítimo de la muchacha vino a corroborar la creencia de que era pecadora. (JV)

59. Una calefacción solar viene a costar lo mismo que otra convencional, alimentada por fuel o gas... (*Cambio 16*, 21-3-76)

60. El libro viene a ser como un agitado retablo de los hombres, las ideas, las inquietudes, la vida toda en fermentación de aquella España que se asoma a su gran crisis. (J. L. Alborg)

61. —Para que acabe usted de convencerse de que mi sino es desdichado en el amor, le contaré mi última aventura. (J. R. Romero, *Mex.*)

62. No acaba uno de conocer a la gente. (A. Roa Bastos, *Parag.*)

63. La economía mundial no acaba de salir de la larga recesión que la detiene prisionera desde hace tres años. (*Visión, Mex.*, 8-1-77)

64. La espera, sin embargo, se prolongaba. Tan vasta iba a ser la empresa, tan largo el camino por recorrer, que no acababan los caudillos de decidirse. (A. Carpentier, *Cuba*)

65. No deja de ser paradójico que [*en Gibraltar*] la gente hable en español y lea en inglés... (*Cambio 16*, 19-9-77)

66. Cuando don Ulises quiso reaccionar, ya era tarde. El mismo día que ordenó encarcelar a los estudiantes, acusándoles de comunistas, una columna rebelde salía a la ciudad de Morelia. (F. Benítez, *Mex.*)

67. ... y alquilé una casita antigua en la calle central..., la hice empapelar, pintar, amueblar con cierto gusto innato de la familia... (R. J. Payró, *Arg.*)

68. ... y cuando el policía regresó y le dijo que tenía que marcharse, que era ya hora, se dejó llevar sin decir palabra. (G. Cabrera Infante, *Cuba*)

69. De veras no creí volver a poner los pies en aquella casa. (N. D. Arutiunova, 1965, 46)

70. —Los hombres como usted no agradecen nada. ¡Creen merecerlo todo! (N. D. Arutiunova, 1965, 47)

71. De pronto se abrió la puerta y me introdujeron en un lujoso despacho. Allí estaba Sainz, un alto funcionario que dijo llamarse Roberto..., que me recibió lamentándose: "Pobrecita, ¿qué te ha pasado?" (*Triunfo*, 18-6-77)

72. Todos se enteraron, sin embargo; hasta Juan Carlos, que dijo después no haber recibido a tiempo el telegrama. (MB)

73. Exagerar y mentir han llegado a parecer recursos plausibles. ¿Cómo llevar a los tribunales al editor que paga un anuncio asegurando que tal novelilla vulgar es "la obra de nuestro tiempo"? (A. Reyes, *Mex.*)

74. Donde hay vino beben vino;
donde no hay vino, agua fresca. (AM)

75. El cielo estaba despejado y lleno de estrellas; los charcos, helados; el suelo, endurecido por la escarcha. (PB)

[illegible] (M. D. Armitage, 1966).

[illegible] Beatriz [illegible] vinas de Francia), 1892 [illegible]

[illegible] Calle [illegible] (1963) [illegible]

[illegible] ab [illegible] la página, la parecia [illegible]

[illegible] [a aquelle compagnie?] [illegible] 1960.

[illegible]

[illegible]

[illegible] nombre [illegible] 1960, [illegible]

[illegible] maroda, [illegible] des ouvrages Sehring, [illegible] (1938) [illegible]

2

THE SUBJUNCTIVE MOOD

2.0 The extremely wide range of uses and the high frequency of occurrence of the Spanish subjunctive mood underline the special importance of these verb forms. Since an inadequate knowledge of the uses of the subjunctive (abbreviated to SVE in future references in this chapter) may cause fundamental comprehension and translation problems even at relatively advanced levels of study, a separate and extensive treatment of this part of the verb system is more than justified.

Much excellent work has been published on the SVE as a system and on individual aspects of SVE usage, and I am deeply indebted for many insights and useful examples to a large number of these studies but in particular to the work of the following scholars: D. L. Bolinger (1974 and 1976), W. E. Bull (1965), R. Fente Gómez et al (1972*b*), G. T. Fish (1963*a* and 1963*b*), L. C. Harmer and F. J. Norton, María Moliner, M. M. Ramsey, R. K. Spaulding, and K. Togeby. These and other sources are, of course, entirely innocent of blame for my classification of SVE uses, which was motivated by the special purpose of this book: to facilitate passive comprehension and active translation of Spanish structures. For teaching of learning how to *use* the SVE, a more limited classification may be used; for theoretical linguistic analysis, a more sophisticated framework would be needed. In fact, this chapter is merely an attempt by an 'outsider' to demonstrate to other 'outsiders' by means of formal and semantic evidence, how the SVE is used or *may* be used by 'insiders' (i. e. native speakers of Spanish).

2.1 *Basically, the* SVE *may be used to reflect the fact that the speaker is adopting or assuming a subjective attitude to the action or state (whether hypothetical or 'factual') named in the* SVE *verb form.* Also, in a limited number of cases, the SVE may be used as a variant for certain indicative forms (often as a result of stylistic choice). Ignoring for the moment these latter cases, it is obvious that such a broad and simple explanation of the SVE as a reflection of attitude or judgement helps to explain why native speakers of Spanish have no trouble in using or understanding these verb forms and also why many grammars written for native speakers do not provide a very extensive analysis of a mood whose use depends partly on habit and association (with particular patterns) and partly on the individual's unpredictable need to assume attitudes to what he is saying.

Since there is no comparable set of English verb forms with such a range of uses, however, this simple definition of the SVE —although preferable in many ways— is not sufficient for most teaching and learning purposes. Instead, it is necessary to try to present a thorough analysis of usage and a wide variety of illustrative examples in order that the dominant underlying principles may be firmly grasped. Unfortunately, because the main underlying criterion for use of the SVE *is* so broad, any attempt to offer a fully categorised analysis of this mood is bound to be either incomplete or inaccurate, or both. In spite of this, some such analysis is still necessary at this stage to show not only why the SVE accompanies those verbs, nouns, adjectives and conjunctions (or *relators*) which most obviously denote certain subjective attitudes, but also why the SVE may *sometimes* follow verbs like *creer* and *pensar*, nouns like *el hecho* (in *el hecho de que*), and relators like *porque*, *que* and *quien*. Other less familiar usage, including the use of the SVE as a variant for an indicative form can also be incorporated into the analysis. For these reasons, this chapter offers a detailed treatment of the *forms and environments* with which the SVE is associated, and a crude attempt to distinguish which subjective attitudes or other factors are involved in such usage.

By studying the numerous and varied examples given in this chapter and by noticing my difficulties in pigeonholing several of the uses and the large number of qualifying remarks or notes accompanying my categorical statements, students may finally be convinced of the need to abandon this detailed approach in order to view the SVE in the broad way that a native speaker does and to deal with individual uses in the light of this broad concept. Finally, in view of the length and complexity of this chapter, some readers may prefer to deal with it (and with the corresponding supplementary examples) in three parts: 2.0 - 2.14; 2-15 - 2.24; 2.25 - 2.35.

NOTES

1. Elementary obstacles to an adequate understanding of the SVE are the not uncommon ideas that

   a) the SVE is the mood of 'uncertainty and doubt' (and only that), and that it therefore *always* refers to hypotheses or mere possibilities, as opposed to 'facts';

   b) to match this all-pervading doubt and uncertainty, English *may* and *might* are implied by the Spanish SVE and *must* appear somewhere in most translations.

   Once a genuine 'feel' for the SVE is developed through an understanding of its full range of uses (including the many optional ones) and of the importance of context, such false ideas (which are based on the elementary but dangerous need to feel a one-to-one relationship between the forms of two languages) should disappear, allowing *may* and *might* (like *can, could, should,* etc.) to be used when the sense of the Spanish sentence warrants their use.

2. Although for the purposes of this book it is not necessary to list in detail all the contrasts between SVE and indicative in similar-looking environments (e. g. *Dijo que vinieran* vs. *Dijo que venían*), some of these contrasts will be mentioned if they constitute a translation problem at this level. For more information on those *relators* which may be ac-panied by both SVE and indicative verb forms, see Chapter 5.

3. For specifically colloquial uses (and non-use) of the SVE, students are referred to *Manual.* Nevertheless, a few important systematic colloquial uses of the SVE are repeated in this chapter.

2.2 Since the use of the SVE (and the 'meaning' to be attributed to it) usually depends on the sentence environment in which it occurs, the classification of uses in this chapter has been arranged as far as possible to show firstly those types of usage where certain attitudes are most *explicitly* present in the sentence (i. e. in the form of accompanying verbs, nouns, adjectives or *relators* whose meaning indicates or may indicate an attitude) and secondly (or in the Notes) those types of usage where the attitudes are less obvious or more *implicit.* The general arrangement is as follows:

A SVE *in subordinate clauses:*

(*i*) Accompanied by introductory clauses, verbs, nouns or adjectives which convey or may convey one or more of the following concepts: external involvement (e. g. *Quiere*); other attitudes or judgements (e. g. *Espero; Me extraña; Es posible*). (In such cases, the SVE verb is normally linked to the rest of the sentence by a *dependent* relator, e. g. *que, para que, a que.*)

(*ii*) Introduced by relators of the following types:

(*a*) those whose meaning exclusively or usually indicates an explicit attitude (such as external involvement, speculation or indifference);

(*b*) those which although lacking such explicit meaning, *may* be used with a SVE form if the speaker wishes to convey certain attitudes.

(*iii*) In certain sentence patterns which may be used to convey more than one of the attitudes already mentioned.

B SVE *in main or syntactically independent clauses:*

(*i*) To indicate external involvement, hope, fear and other subjective attitudes.

(*ii*) Where the clause is *semantically* dependent on another clause.

(*iii*) As a variant for an indicative form.

The table of basic examples of each of these main categories offered in 2.3 gives an elementary indication of both the types of forms and patterns and the types of attitude which will be illustrated in detail.

NOTE

Some of the classifications, especially of the types of introductory clauses, etc. referred to in A (*i*) above, are necessarily tentative because, as will become apparent, SVE usage does not always fit unequivocally into single neat categories but may have features which overlap two or more categories or which *suggest* a vague connection with the attitude postulated in the narrow category.

2.3 Below are offered very elementary examples of the types of usage to be examined. In subsequent treatment, illustration and comment will concentrate mainly on less familiar, less obvious or otherwise more difficult examples.

A SVE *in subordinate clauses:*

(*i*)	*Quiero que vayas a verle.* *Pidió que vinieras hoy.*	(external involvement)
	(No) Es necesario que lo sepas. *Importa que lo sepas.*	(involvement and judgement)
	Espero que venga.	(hope)
	Me gusta que lo diga. *Me gustaría que lo dijera.*	(approval)
	No importa que lo sepas.	(indifference)
	No me gusta que lo diga.	(disapproval)
	Me extraña que lo haya dicho.	(surprise)
	No me extraña que lo haya dicho.	(negative surprise)
	Es posible que venga. *No creo que venga.*	(qualified belief)
	No es verdad que haya venido.	(denial)
(*ii*) (*a*)	*Lo hice para que entendieran.*	(external involvement)
	Si tuviera dinero, lo haría.	(speculation)
	Aunque llueva, me voy.	(indifference)
	Aunque llueva mañana, me iré.	(indifference and speculation)

(*b*) *Busca un profesor que le enseñe a conducir.* (non-specific reference)
Te lo diré cuando vuelvas.
No lo digo porque sea mi hijo. (indifference/irrelevance)

(*iii*) *Lo (extraño) es que (no haya dicho nada).*

B SVE *in syntactically independent clauses:*

(*i*) *Hable; No hablen.*
Que hable el chico. (external involvement)
Que no lo vean nunca.

¡Viva el Rey!
¡Ojalá vuelva hoy! (other attitudes)
Quizá llegue hoy.

(ii) *Pase lo que pase, lo haremos.*

(*iii*) *Debieras escucharle.*

NOTES

1. The infrequent use of the future and future perfect tenses of the SVE will be illustrated in those environments where it is most likely to be found, e. g. *si hiciere/si hubiere hecho* (2.17).

2. The introductory relator *que* may sometimes be omitted after introductory clauses, etc., e. g.

—Ahora precisamente te ruego vengas conmigo para servirme de testigo.
(N. D. Arutiunova, 1965, 114)

SVE IN SUBORDINATE CLAUSES

INTRODUCED BY A CLAUSE, VERB, NOUN OR ADJECTIVE

External involvement

2.4 There is a wide variety of introductory clauses, verbs, nouns and adjectives whose meaning indicates or may indicate that the production of an action or state is, was or is to be influenced in some way, and that it took or may take place as a result of this *external involvement*. Here, as elsewhere with SVE usage, the brief description of a broad category is much more difficult and less clear to the reader than actual illustration of the category in question. It is hoped, therefore, that the use of the term *external involvement* (or, better, the common factor visible in such usage) will become clearer as the reader studies the following sorts of sample introductory clauses, etc. which may be accompanied by a SVE form:

a) *subjective involvement:*

(*i*) by reference to personal will:

querer que	*no querer que*	
pretender que	*oponerse a que*	... 2.5.1;

(*ii*) by expression of personal will (i. e. suggesting, inviting, telling, warning, ordering, demanding, etc.):

aconsejar para que	*mandar que*	
invitar a que	*insistir para/en que*	
advertir para que	*exigir que*	
(*decir que*, etc.)		... 2.5.2;

(*iii*) following nouns and adjectives with similar meaning:

(estar) decidido a que	*el deseo de que*	
(estar) ansioso porque	*la orden para que*	... 2.5.3;

b) *subjective and/or objective involvement:*

(*i*)

dejar que	*impedir que*	
permitir que	*prohibir que*	
consentir que	*(no) quitar para que*	
contribuir a que		
tratar de que		... 2.6.1;

(*ii*)

hacer que	*obligar a que*	
conseguir que		... 2.6.2;

(*iii*) following nouns:

no ser obstáculo para que	
no ser óbice para que	
la causa de que	... 2.6.3;

(*iv*) with implicit meaning ... 2.6.4.

2.5

2.5.1

—Quiero que lo hagas.

El pretendía que yo hiciera todo el trabajo.
He wanted/expected me to do all the work.

No quiero que lo hagas.

Mi familia siempre se opuso a que me casara con Remo. (R. Arlt, *Arg.*)
My family always objected to my marrying Remo.

2.5.2

Luego advirtió a los telefonistas para que estuvieran atentos. (FGP)
And then he told the telephone operators to listen carefully,

Insistió para que entraran en el café. (Spaulding, 87)

—Ahora le ruego que nos deje solos. (Spaulding, 75)

NOTE

Verbs denoting saying (e.g. *decir, insinuar, insistir en*) are followed by a SVE if they are used as expressions of personal will; when used to report, they are followed by an indicative form:

Le dije que lo hiciera. Vs. Le dije que lo hice.

...el propio Pietro Crespi había insinuado que Aureliano José fuera considerado como su hijo mayor. (GGM)
...Pietro Crespi himself had suggested that A. J. should be considered as their eldest son.

2.5.3

... y así saltó al volante con agilidad felina, decidido a que no lo humillara más miss Powell. (M. A. Asturias, *Guatemala*)
... and so he leapt like a cat for the steering wheel, determined not to let Miss Powell humiliate him any more.

2.6

2.6.1

—Dejaré que lo hagan.

—No dejaré que lo hagan.

Quizá no lo notó nadie; esto no impide que el joven bachiller se sintiera molesto. (J. Casalduero)
Perhaps no one saw it, but that didn't stop the young student from feeling embarrassed.

NOTE

no admitir que: either *not to allow* or *not to believe/to deny* — see 2.14 Note 1.

2.6.2

Esto hizo que volvieran.
This made them return.

Su ejemplo contribuyó a que en los últimos años se intentara corregir este defecto. (FDP)
His example was instrumental in bringing about an attempt to correct this fault in recent years.

Logró por medio de la persuasión que la mayoría de las casas fueran pintadas de azul para la fiesta de la independencia nacional. (GGM)
He managed by persuasion to get most of the houses painted blue...

2.6.3

—Pero esos méritos no deben ser obstáculo para que usted colabore en la solución de los problemas nacionales. (E. Solari Swayne, *Peru*)
But those qualities must not stop you from contributing...

Eso no es óbice para que yo me case con la chica. (Moliner)
That doesn't stop me from marrying the girl.

Esa ha sido justamente la causa de que no me haya decidido hasta hoy a hacer el relato de mi crimen. (E. Sábato, *Arg.*)
That is precisely why I have not decided until this moment to tell the story of my crime.

Todo el esfuerzo del teatro moderno consiste en que el espectador deje de serlo y participe. (*Triunfo*, 3-2-73)
Contemporary theatre tries its utmost to stop the audience from merely spectating and to make them participate.

2.6.4 The following combinations and extensions of the concept of external involvement are worth noting here:

a) In the following sentences, the introductory clauses are used with the SVE to express external involvement or combinations of involvement and necessity, expediency, (dis)approval, or possibility (=qualified belief):

—He pensado que ocupes tú su sitio en la oficina de mayoría. (K. Togeby, 34)

—Yo soy de opinión de que se envíen más hombres. (Spaulding, 54)
I believe that more men should be sent.

No quería exponerse a que lo encontraran dentro. (Spaulding, 54)
He didn't want to run the risk of being found there.

b) A combination of involvement and other subjective attitudes (e. g. disapproval or surprise) may also be conveyed by the following introductory elements which indicate a cause: *(es) la razón de que: the reason why; la culpa de que: the blame for/the fault that:*

¿A qué diablos explicar la razón de que no fuera a salones de pintura? (E. Sábato, *Arg.*)
How on earth could one understand why she didn't go to art galleries?

Esta es la razón de que las «parties» americanas sean, al principio, increíble mente rígidas. **(FDP)**
That explains why American parties are, initially, incredibly formal.

—Yo no tengo la culpa de que Pepe el Romano se haya fijado en mí.
(F. García Lorca)
It's not my fault that Pepe el Romano has his eye on me.

NOTE

For *de ahí que* (etc.) plus SVE, see 2.33.2.

2.7 Positive and negative clauses denoting subjective and objective necessity and expediency also indicate external involvement in the production of an action or state. However, in some ways, such clauses are also similar to others denoting approval and disapproval, which will be dealt with in 2.9.

2.7.1

(No) Es necesario que lo sepa.

Es importante que lo sepa.

(No) Conviene que lo haga.
He should (not) do it.

Era inevitable que lo descubriera.

—Será mejor que te calles.
You had better shut up.

—Me parece que ya es hora de que vayamos conociéndonos. (A. Sastre)
I think it is time we started to get to know one another.

—Laura, ha llegado el momento en que nosotros también hagamos algo.
(W. Cantón, *Mex.*)

2.7.2 When used with a following SVE, certain nouns, like *caso, cosa, cuestión, idea* and *solución,* and the verb *tratarse de,* also denote something considered necessary or expedient. This fact must be reflected in translation.

—El caso es que sepas trabajar. (CJC)
The important thing is that you should be able to work.

(Cf. El caso es que sabe trabajar: *In fact, he knows how to work.*)

—La cosa es que no se presente más por aquí. (Moliner)
The point is that he mustn't turn up here again.

—La solución al problema es que la meta a trabajar.
(J. M. Lope Blanch, 1971, 465)
The solution to the problem is for him to send her out to work.

Pero la idea es que la policía no tenga que intervenir. (MVL)
But the idea/intention is that the police should not have to intervene.

—Pero lo que quiero de ti puede perjudicar a tu padre. Se trata de que me pro porciones tres volantes impresos. (R. J. Sender)
...What is necessary/What I want is for you to get me three leaflets.

Hope and fear

2.8 Introductory clauses, verbs, nouns or adjectives which explicitly denote hope and fear need little special attention here because they pose no great problems. It may be pointed out, however, that (particularly with the verbs *esperar, confiar* and *temer*), a choice of SVE or indicative is available according to the amount of subjectivity the speaker wishes to express. It will frequently be impossible to reflect this choice accurately in English. (Note also that with such verbs the *que* —like English *that*— may sometimes be omitted.)

Espero que venga.
I hope (that) he comes.

Espero que vendrá.
I hope he will come.

Confío en que venga.
I hope he will come.

Confío en que vendrá.
I expect/am sure that he will come.

Me temo que no lo hagan.
I'm afraid they will/may not do it.

Me temo que no lo harán.
I'm afraid/I believe that they will not do it.

Más de setenta personas se teme hayan perecido ahogadas, al volcarse ayer una lancha en el río Balsas... (*A B C*, 18-8-71)

Domingo Soria estaba muerto de miedo; de miedo de que lo mataran.
(M. Aub)

NOTES

1. *esperar* may denote hoping, expecting or waiting. Therefore, *esperar que* may be followed by a SVE indicating hope (as above) *or* a non-specific reference (see 2.24). *esperar a que (to wait for/until)* and *en espera de que* are often followed by a SVE for the latter reason, but attention to the context is still essential for correct interpretation.

   ... y la verdad es que no me gusta permanecer quieto en la oscuridad con los ojos cerrados; ni revolverme en el lecho en espera de que finalmente me llegue el sueño. (R. Tamames)
   ... waiting for sleep to come.

2. A noun like *peligro* may be classified here or under qualified belief (2.12):

   ¿Y no existe el peligro de que se rompa esa unidad de nuestra lengua culta? (A. Rosenblat, *Arg.*)

Approval, indifference or irrelevance, and disapproval

2.9 Introductory clauses, etc. denoting approval, indifference or irrelevance, or disapproval indicate basic judgements that something is considered good, unimportant or irrelevant, or bad. The very wide range of expressions similar in content to the most explicit and familiar forms *me alegro de que, (no) me gusta que, (no) me importa que, está bien/mal que* and *siento que* includes expressions of satisfaction, pleasure, good fortune, acceptance, sorrow, anger, reproach, complaint and rejection, etc. A very small cross-section of such introductory elements, particularly of the less familiar ones, is offered below.

—A mí no me parece mal que los argentinos se traten de *vos* en la relación cordial... Tampoco me escandaliza que llamen *pollera* a la falda. (A. Rosenblat, *Arg.*)

—Nos parece, en cambio, perfectamente aceptable que sean gobernantes los que ya están cansados, sordos, encascarados. (C. Maggi, *Urug.*)

—¿Crees que el jefe aprobará que vayas a lamerle los pies? (J. Salom)

—Ha sido una gran suerte que Juan tuviera este trabajo esta noche, mamá. (Carmen Laforet)

—No me importa que lo diga.

—¿Yo qué me gano con que la revolución triunfe o no? (M. Azuela, *Mex.*)
What difference does it make to me whether the revolution succeeds or not?

—A diferencia de mis compañeros, yo continuaba leyendo y estudiando. Ninguno se preocupaba de que yo leyese ni de los libros que leía. (RPA)

—Procedo de un estrato burgués y sería estúpido que dijera que soy socialista... pero... (J. Ruiz-Giménez)

—Estoy cansado de que a cada rato me lo eches en cara. (V. Leñero, *Mex.*)

—Es inútil que suba y hable con el secretario. (A. López Salinas)

NOTES

1. Verbs like *agradecer, justificar* and *merecer* on the one hand, and, *perdonar* on the other, may also be loosely attached to this group of attitudes since they indicate an admission or suggestion that something is judged good or bad:

   Te agradezco que hayas venido.
   Merece que le castiguen.
   Perdona que te interrumpa.

2. Verbs, nouns and adjectives indicating support or agreement (or lack of them) contain a combination of (dis)approval and external involvement:

   —Además, yo fui partidario de que se los encarcelara. (MVL)
   Moreover, I was in favour of them being imprisoned.

Surprise

2.10 Introductory clauses, etc. denoting positive and negative surprise are by no means more important than the elements listed in the preceding section, but since they are generally less familiar to students, a greater number of illustrative examples is justified.

2.10.1 *Positive surprise:*

Me extraña que lo haya dicho.
Me extraña que lo diga.

Es raro que lo haya dicho.

Es increíble que diga eso.

—Parece mentira que seas hermana mía y que te haya educado la misma madre. (J. L. Martín Vigil)
It's hard to believe that you are my sister and that you were brought up by the same mother as me.

—Milagro hubiera sido que no me recibieras con una regañina. (J. Salom)
It would have been most surprising if you hadn't scolded me.

Surprise may also be stated or implied in other ways, including the not uncommon use of verbs of understanding (*comprender, entender, explicar,* etc.) used negatively or interrogatively with a following SVE:

—Lo que no comprendo es que tales males se achaquen al Turismo. (A. Palomino)
What I can't understand is that such evils should be blamed on tourism.

Tomás no acababa de comprender que Genaro tuviera que vivir llevando paquetes. (JLCP)
Tomás just could not understand why Genaro had to earn his living carrying parcels.

¿Cómo se explica que Lope de Vega, con su genio dramático original fecundísimo, no nos haya dejado una obra «acabada», como *Hamlet*? (AG)

Ahora bien, lo último que podía pasarle por la cabeza era que su hija se relacionara con un andaluz... (JMG)

Efectivamente, aquel verano era motivo de comentario que en el litoral catalán hubieran aparecido grupos de *beatniks*... (JMG)

NOTE

In the following example, the occurrence is presented as unexpected, but note also the possible influence of the subjective adjective *absurda:*

Sucedió (en alguno de esos encuentros imaginarios) que la entrevista se malograra por irritación absurda de mi parte... (E. Sábato, *Arg.*)
Sometimes (in these imaginary meetings) the interview was a failure because of my absurd irritation.

2.10.2 Negative surprise (or the denial of surprise) may also be indicated by a variety of introductory clauses, etc. ranging from the most obvious to others which are less familiar.

> No me extraña que lo diga.
>
> Es lógico que piense así.
> *It is natural that he should think that.*
>
> —Que unos te miren con malos ojos y que otros en cambio te den golpecitos en la espalda te parece normal, la cosa más normal del mundo, porque nunca llueve a gusto de todos. (A. M. de Lera)
> *It seems natural, the most natural thing in the world, for some people to look at you with disapproval and for others to pat you on the back, because you can never please everyone.*
>
> No es un azar que con la Restauración y la Regencia comience a producirse entre nosotros ciencia de calidad «europea» (P. Laín Entralgo)
>
> Es humano que se tienda a estar mejor vestido, mejor presentado, a medida que se sube en la escala social. (FDP)
> *It is only natural for one to tend to be better dressed, better turned out, as one moves up the social scale.*

Verbs denoting understanding and explanation (e. g. *comprender, explicar*) may also be used to introduce a statement which may be surprising in itself (for the speaker or the listener) but which is presented as understandable or non-surprising. Here, *que* will very often need to be translated by *why*.

> Es fácil comprender que en las actuales circunstancias no se lleve encima nada comprometedor. (GGM)
> *It is easy to understand why, in the present circumstances, people do not carry anything compromising on them.*
>
> Así se explica que todas las llanuras padezcan de esa escasez de lluvias y sean áridas. (Spaulding, 73)

By extension, the SVE is used after introductory words and expressions indicating what is *normal, usual* or *customary* — or what should be accepted as such. Sometimes other attitudes (e. g. disapproval) may also be implied.

> Es corriente que el uruguayo que viene del extranjero se traiga un cenicero, una toalla, una cucharita, en piadoso recuerdo de los hoteles de tránsito. (MB)
>
> —Aquí estamos acostumbrados a que cada uno pague lo suyo. (JLCP)
>
> —Te llevo más de diez años, me voy a casar contigo. Te tienes que acostumbrar a que te riña alguna vez. ¿No lo comprendes? (Carmen Martín Gaite)

Qualified belief

2.11 The SVE is extensively used following introductory clauses or elements which indicate that the speaker entertains reservations about the likelihood of an action or state. Such reservations may be examined in two groups: the expression of a possibility or a speculation (2.12) and the expression of doubt or uncertainty (2.13). In translation, care must be taken to choose the appropriate tense or auxiliary verb to fit the context and the form of the SVE. This will include the use, where suitable, of the auxiliaries *could*, *would*, *should*, *may* and *might*.

2.12 *Possibility and speculation*

2.12.1 Following a clause or a noun denoting possibility:

Es posible que vengan.

Es probable que vengan.

Pudo ocurrir que se produjese un accidente más grave. (Gili, 138)
There could have been a more serious accident.

... existía la posibilidad de que se le brindase un tratamiento más misericordioso. (H. A. Murena, *Arg.*)
There was the possibility that he would be given more compassionate treatment.

Cabía la hipótesis de que hubiera sido un hombre. (M. A. Asturias, *Guatemala*)
It is possible that it had been a man./It was reasonable to assume that a man had done it.

With the following example, the introductory clause may be seen as a variant for *no es imposible que* or *no está excluida la posibilidad de que:*

No está excluido que su acceso al trono, en 1964, mediante la evicción de su hermanastro Saud..., fuese una cuidadosa operación de la CIA. (*Triunfo*, 5-4-75)
It is not impossible that his accession was...

NOTE

A SVE may even be found occasionally after an expression of near certainty or of certainty if the speaker wishes to imply a small degree of uncertanty:

... puesto que es casi seguro que la American Airlines no compre los seis «Concorde» que, en un principio, había anunciado. (*A B C*, 23-2-73)

Previendo objeciones más o menos razonables, me atrevo a manifestar la certeza subjetiva —aunque no aislada— de que los más fecundos novelistas de esta órbita sean, luego de los ya comentados, Ignacio Aldecoa y Luis Goytisolo. (G. Sobejano)

2.12.2 Even though verbs and other introductory expressions of positive opinion are more usually associated with a following indicative verb form, they may be accompanied by a SVE if the intention is to imply a *qualified* belief. The principal verbs used in this way are verbs of thinking: *creer, pensar,* etc. The noun *idea* may also be used in this way. Translation will often need to include *may, might* or *probably.*

Al pronto, creí que este nombre fuese un pseudónimo literario. (Spaulding, 71)
At first, I thought that this name might be a literary pseudonym.

Se cree que su visita pueda indicar una mejora en la crisis francotunecina. (K. Togeby, 35)

Entró con cierto airecito culpable porque —según dijo— pensó que yo fuera a enojarme. (MB)

Pensé que haber trabajado en la juventud me aprovechase para en la vejez tener descanso... (C. Fuentes, *Mex.*)
I thought that having worked during my youth might enable me to rest in my old age.

NOTE

In addition to the expression of possibility in association with *pensar, idea* etc., other attitudes may be expressed in the same sentence:

Temblaba ante la idea de que la codicia tentase al dueño y los vendiese como solares. (K. Togeby, 46)

El enojo de las tías por el mentado Chus Najarro diluíase en la aflicción, en la congoja que les entraba de pensar que lo fueran a fusilar. (M. A. Asturias, *Guatemala*)

2.12.3 A combination of a SVE and an introductory verb (or equivalent expression) like *pensar, figurarse, imaginarse* and *suponer* may also indicate pure speculation on the part of the speaker. Translation of *que* will sometimes be by *if*

—Piensa que el niño fuera tuyo. (JLCP)
Just suppose the child were yours.

—Figúrate que llegase a saberlo. (Spaulding, 51)
Imagine if he were to find out about it.

—Imagínate que mañana me rapten a Alvarito. (S. Vodanović, *Chile*)
Suppose they (were to) kidnap my Alvarito tomorrow.

—Supongamos que sea usted quien tiene el poder y yo un enemigo del gobierno al que usted pertenece. (W. Cantón, *Mex.*)
Let us assume that.../Supposing you were...

—Vamos a ponernos en el caso de que todo eso exista y que si nosotros vamos a ese lugar lo encontramos. (A. Escobar, *Peru*)
(Note the use of both SVE and indicative)

2.12.4 The following participial forms of verbs which may be used to convey suppositions may also be followed by a SVE indicating speculative suppositions: *suponiendo, supuesto* (also *supuesto caso que* and *en el supuesto de que*), *admitiendo*. English translation will be by *assuming that*, etc., and sometimes simply by *if*.

—Me lo dirá, suponiendo que lo sepa. (R. Fente Gómez *et al.*, 1972*a*, 30)
He will tell me if he knows.

—Supuesto que usted haya dicho la verdad, conviene proceder de otra manera. (R. Lenz, 418)
Assuming that you have told the truth, it would be advisable to proceed differently.

—En el supuesto de que haya corregido su carácter, puede volver. (Lidia Contreras, 74)

—Yo lo apoyo, admitiendo que haya dicho la verdad. (R. Fente Gómez *et al.*, 1972*a*, 30)

NOTE

The stereotyped *dado que* (see 5.3.1) may occasionally be used with a similar meaning:

—Dado que sea verdad lo que me dices, cuenta con mi aprobación y mi ayuda. (Seco, 112)

—Dado que te interese la colocación, ven a verme el martes. (Moliner)
If you're interested in the job...

2.12.5 The verb *parecer*, which, when used positively, is most usually associated with a following indicative form, may also be followed, particularly in colloquial Spanish, by a SVE form to convey a speculative meaning similar to that conveyed by *parecer como si (to seem as if)*. Two further notes on this usage are pertinent:

a) *parece que*, although most often followed by an imperfect SVE form, may also be followed by a pluperfect, a perfect, or, very occasionally, a present tense form;

b) when followed by an imperfect form, the reference may occasionally be to a speculation regarding the *present* or 'generalised' time.

Parecía que su única obligación en aquellos momentos fuese atender y hacer feliz a aquella sufrida y modesta familia. (JLCP)
It seemed as if his only duty at that time was to look after that long-suffering and humble family and to bring some joy into their lives.

—Parece que hayas vivido en zona roja y no en un convento de monjas durante la guerra. (Carmen Laforet)

—Parece que nunca tuviera nada que hacer. Siempre está en el balcón. (C. Gorostiza, *Arg.*)
It seems as though she never has anything to do...

—Es extraño... Parece que sea ayer cuando nos reuníamos en el café de las Ramblas. (J. Goytisolo)

NOTE

An alternative construction is *parecer como que:*

—¿Os fijasteis... os fijasteis —preguntó de pronto— en la piel de la Mica? Parece como que la tuviera de seda. (MD)

2.13 *Doubt and disbelief*

2.13.1 The SVE may be used after introductory expressions indicating doubt and disbelief, of which the most common are *no creer* and *dudar*. A similar attitude may be conveyed by *creer* (etc.) used interrogatively. In translation of the latter, *may* or *might* will often be appropriate, especially to show the slight difference of attitude between a following indicative and a following SVE form.

No creo que sea suyo.

Dudo que lo haya hecho.

—¿Cree usted que haya podido extraviarse? (Spaulding, 71)
Do you think he may have got lost?

(Cf. ¿Cree usted que ha podido extraviarse?
Do you think he has got lost?)

An attitude of doubt or disbelief may be suggested by a SVE following verbs of thinking or imagining used negatively or when accompanied by expressions denoting difficulty. Such sentences may convey other subjective attitudes as well. In translation, *can, could, will* and *would* are especially useful.

Nunca se pudo pensar que el Max Aub de los años 30 se convirtiera en el Max Aub de los 40. (D. Pérez Minik)
No one would have thought that the Max Aub of the thirties could/would become the Max Aub of the forties.

—Viéndote de tan buen aspecto, me cuesta imaginarme que hayas tenido algo serio hace unas horas. (J. Calvo Sotelo)
Seeing you looking so well, I find it difficult to believe that you were/could have been seriously ill a few hours ago.

... se resisten a creer que un sistema político de corte fascista pudiera prolongarse... (JMG)

NOTES

1. Similarly, to emphasize a dilemma, doubt may also occasionally be expressed (particularly in colloquial Spanish) by a SVE rather than an indicative or an infinitive following *no saber si, no saber cuál/qué*, etc. Most often,

translation will be by an infinitive, but sometimes the nuance of meaning can be rendered by *can, will* or *may*:

—No sé si salga. (K. Togeby, 18)
I don't know whether to go out or not.

—¿Qué piensa usted, padre, de las voces?
—No sé qué te diga, pero no me parece nada importante. (FGP)

—No sé a qué otras circunstancias se refiera [*usted*]. (A. Yáñez, *Mex.*)
I don't know what other circumstances you can be referring to.

Nadie supo de cierto lo que fuese. (Spaulding, 79)

2. The following example shows both a SVE and an indicative following *preguntarse*:

No conviene preguntarse ahora cuál sea el origen de las creencias, de dónde nos vienen. (K. Togeby, 17)

2.13.2 An attitude of doubt or disbelief based on a lack of evidence may be indicated by an introductory clause containing a verb *(no parece que; no saber(se) que)* or a noun *(no hay indicios de que; no hay noticia de que)*. Often a useful translation of *no saber que* when followed by a SVE is *not to be aware.*

No parece que fuera él.

No sabía que estuviera allí.

Estaba segura de que, aparte de su familia, nadie más sabía que tocara el violín. (Carmen Laforet)

—Yo no sé que Fausto agradeciera al Diablo la juventud, el amor y el dinero que recibió de sus manos. (J. R. Romero, *Mex.*)
I am not aware that Faust thanked the Devil for...

—Tampoco se sabe que se haya emborrachado. (R. Fente Gómez, 1971, 192)
Neither is there any proof that he got drunk.

—Hace ya diez minutos que se fue y aún no hay indicios de que vuelva. (E. Solari Swayne, *Peru*)
He has been gone for ten minutes now and there is still no sign that he is coming back.

Paradójicamente, no había noticia de que en las últimas semanas se hubiera suicidado allí ningún campesino. (JMG)
Paradoxically, there was no evidence that any peasant had committed suicide there during the previous week.
(Note also the possible influence of *paradójicamente*, which denotes surprise.)

Denial

2.14 The most basic types of introductory clauses of denial are: *negar que, es imposible que, no es posible que, no es verdad que, no es que, no decir que, no querer decir que.* In the examples offered below, other forms of denial are present. (See 4.2 Notes 2 and 3 for the use of *suponer* and *tratarse de* as 'synonyms' of *ser*).

> Esto no supone, naturalmente, que todos sus fallos [=*los fallos del premio Nadal*] me hayan parecido acertados ni mucho menos. (MD)
> *Naturally, this does not mean for one moment that I have agreed with all the awards.*

> —Y no se trataba de que mis tíos y yo formáramos una familia particularmente perversa. (H. A. Murena, *Arg.*)
> *And it wasn't that my uncle and aunt and I formed...*

> No debe extraerse de ningún modo la consecuencia de que estos novelistas supongan casos aislados. (A. Amorós)
> *It must not be assumed for one moment that these novelists are isolated cases.*

> Apenas puede decirse que tengan estilo o, mejor dicho, que su estilo valga algo...
> (MU) [=a virtual denial]

In the following example, *no hay riesgo* conveys two attitudes: fear and denial:

> —Están en las jaulas del jardín zoológico... y no hay riesgo de que se los coman, míster. (M. A. Asturias, *Guatemala*)

NOTES

1. The use of *no admitir que* and a following SVE form may indicate denial *(not to believe/agree that) or* unwillingness to permit something (i. e. external involvement):

> —No admito que ésa sea su opinión. (D. L. Bolinger, 1974, 463)
> *I do not agree/believe that that is his opinion.*

> —No admito que me hables así.

2. In the following example, note the implication of negative belief, and the presence of factors indicating possibility and ridicule or disapproval:

> Alguno podría creer, efectivamente, que es descabellado imaginar la remota posibilidad de que un conocido mío fuera a la vez conocido de ella.
> (E. Sábato, *Arg.*)

3. Other types of denial and negation are dealt with in 2.16.3, 2.24.1 and 2.25.1.

2.15 In addition to those relators like *que* and *para que* which are closely associated with (or bound to) the sorts of introductory clauses, etc. described in sections 2.4-2.14, other combinations of a relator and a SVE form are used to convey similar subjective attitudes. Sections 2.15-2.25 describe these uses, as follows:

a) those relators whose meanings indicate or imply an attitude and with which the SVE is characteristically associated (whether obligatorily or optionally) ... 2.16-2.118;

b) other relators which are used with a following SVE form when the speaker needs or wishes to convey particular attitudes ... 2.19-2.25.

The relators dealt with in the first of these sub-divisions denote external involvement (2.16), speculation (2.17) and indifference or irrelevance (2.18). The clauses in which they occur may be considered as condensed versions of the sentence types illustrated in sections 2.5-2.7, 2.9 and 2.12.3 respectively.

2.16 *para que* and *sin que*

The main function of both these relators, after which the SVE is obligatory, is to convey the concept of external involvement in the production (or non-production) of an action or state.

2.16.1 *para que,* which, as we have seen, may also occur following verbs and nouns specifically denoting external involvement (e. g. *advertir para que, dar órdenes para que*), denotes purpose: *so that; in order that; in such a way that.* Also used with a following SVE to convey similar meanings are the relators *de manera que, de modo que, de suerte que, a que* (mainly *coll.*), *a fin de que, al objeto de que* and *con objeto de que.* For the occasional use of *porque* (or *por que*) with a similar meaning, see 2.25.2 and 5.15.1.

—Le digo todo para que usted me crea.

—La mesa de escribir está puesta de modo que recibas la luz por la izquierda. (BPG)

Llevaron a don Fermín a que le hicieran un examen. (MVL)
They took Don Fermín to be examined.

2.16.2 Certain recurring sentence patterns containing *para que* are of interest for translation:

a) *bastante/demasiado/suficiente* + noun + *para que* + SVE
bastante/demasiado/suficientemente + adj. + *para que* + SVE
lo bastante/suficientemente + adj. + *(como) para que* + SVE

—Es usted bastante inteligente para que haya necesidad de hacer el artículo. (K. Togeby, 27)

You're too intelligent for me to have to make a fuss.

—Bastantes preocupaciones tenemos ya para que nos caiga una enfermedad. (Moliner)

We've got too many worries already without (having to deal with) an illness as well.

—Esto es demasiado sabido para que haya que recalcarlo más. (A. Castro)

Según el presidente de la IATA, «la visibilidad no era lo suficientemente buena para que los dos aviones se pudieran ver y evitar el choque». (*Cambio 16*, 4-4-77)

b) *basta* + noun + *para que* + SVE
basta (con) que + SVE + *para que* + SVE
English versions:

All it needs is for ... to ...
It is sufficient for ... to ...
You only have to ... to ...
If .../Since ...

—Basta que venga usted conmigo para que no tenga necesidad de pagarla ahora. (BPG)

Since you're coming with me, there is no need to pay it now.

Bastaba que uno afirmara una cosa para que el otro tomara la posición con traria. (PB)

—Bastaba una palabra tuya para que aun los más acobardados y miserables te siguieran. (R. Marqués, *P. Rico*)

All it needed was a word from you for even the most subdued and wretched men to follow you. / If you had just said a word, the most... would have followed you.

c) *falta* + time expression + *para que* + SVE
There is + time expression + *(to go) before ...*
poco faltó para que + SVE
very nearly; almost

—¿Falta mucho para que termine el concierto? (Moliner)

Is it long before the end of the concert?

Poco faltó para que lo hiciera como lo decía. (BPG)

He very nearly did it as he said he would.

NOTE

The following idiomatic expressions, which include a SVE form, also mean *almost* or *nearly: estuvo en un tris que no; (Mex.) en nadita estuvo que:*

Estuvo en un tris que no se desmayara al oírme. (J. R. Romero, *Mex.*)

En nadita estuvo que le mataran. (W. Cantón, *Mex.*)

2.16.3 Basically, the relator *sin que* introduces a SVE which signals involvement of a negative kind (i. e. involvement in the non-production of an action or state). *sin que may* also suggest impossibility. In translation, it may sometimes be necessary to translate sentences containing *sin que* as coordinate sequences in which the second verb is negative (i. e. ... *and/but ... not* ...); another occasional translation is by *before.*

—Hágalo sin que se dé cuenta.

Además, nunca pasa un mes sin que le llegue alguna propuesta de las mejores firmas [*sic*] constructoras. (E. Solari Swayne, *Peru*)

Pasó más de una hora sin que Plinio recibiese aviso alguno. (FGP)

Desde entonces, el asunto ha estado en los tribunales, sin que, pese a las acciones incoadas por la parte española, se resolviese la cuestión. (*A B C sem.*, 23-3-72)
Since then the matter has been taken to court, but, in spite of the actions initiated by the Spanish side, it is still unresolved.

No pasaría mucho tiempo sin que se advirtiera el choque de su ideario con la cruda realidad argentina. (F. Luna, *Arg.*)
It would not be long before the discrepancy between his ideology and the brutal facts of Argentinian life would be noticed. / It was not long before... was noticed. (See 1.4)

2.17 In addition to the sorts of speculative introductory clauses, verbs, and nouns which may be followed by a SVE form (2.12.3-2.12.5), there are a number of relators which may introduce speculative subordinate clauses.

2.17.1 The relator most frequently associated with speculation is, of course, *si*, whose use with an accompanying SVE form we may consider basic. (Note, however, that, in certain circumstances, *si* is followed by an indicative form: *Si viene, dile que no quiero verle; Dijo que si venía más tarde no quería verle.*)

Other relators which may introduce speculations are:

if: como (coll.)
if not/unless: como no (coll.), a(l) menos que, a no ser que, salvo que, so pena de que
provided that/on condition that/as long as: con tal (de) que, con (sólo) que, siempre que, siempre y cuando, a condición de que, a cambio de que, a reserva de que, en tanto no
in case/assuming that/if: por si (frequently with indicative), *en (el) caso (de) que/caso que.*

—Como digas que me viste salir, me las vas a pagar. (C. Gorostiza, *Mex.*)
If you say that you saw me leave, I'll get you.

—No te lo dará a menos que se lo pagues.

Por las noches, no cenaba, a no ser que la madre de Ena insistiese en que me quedase en su casa... (Carmen Laforet)

—... ahora no hay mucha demanda, señorita, salvo que usted quiera trabajar fuera de Madrid. (J. de Bruyne, 1972, 45)

—No puedes dormir aquí, so pena de que te resignes a dormir en el suelo. (Moliner)

—Puedes venir con tal que no digas nada.

—Todo evita con que mis hermanos no vuelvan a esta casa. (K. Togeby, 27)

Los sargentos no se oponen a colaborar en el movimiento, siempre que sus pretensiones sean atendidas. (K. Togeby, 141)
... as long as their conditions are agreed to.

Le prometí darle los quinientos francos que me pedía a cambio de que buscara dónde vivir... (E. Caballero Calderón, *Colom.*)

—Piden los derechos de traducción de *Historia secreta...*, y como la Editora ya no existe, se dirigen a vosotros por si los tuvierais. (A. Buero Vallejo)

—Caso de que venga, no dejes de telefonearme. (E. Prado, 36)

NOTES

1. When *como no (unless)* is followed by *sea/fuera/fuese*, English translation will be by *except* or *except perhaps:*

...y nadie, como no sea Ortega y Gasset, le ha superado... (K. Togeby, 22)

...y le prohibió decir misa y tocar las campanas como no fuera para celebrar las victorias liberales. (GGM)

Susana casi nunca salía con la criada como no fuese para alguna compra. (Spaulding, 83)

2. The future and future perfect tenses of the SVE, although relatively infrequent, are most likely to occur after relators like those listed above, following a non-specific relator like those listed in 2.20-2.22, and in certain formulaic clauses described in 2.34. In all cases, the effect of these tenses is to emphasize the remoteness of the speculation.

Si esto te dijere, lector amigo, te engañaría miserablemente. (Spaulding, 60)
If I were to tell you that...

3. The use of *con que* and a SVE form is most usually dependent on an accompanying subjective verb, etc. (especially those indicating approval or disapproval):

—Con que me pagasen la mitad, estaría satisfecho. (Gili, 322)

4. For *dado que* as a stereotyped relator with occasional speculative meaning, see 2.12.4 Note. Also infrequently used to convey a speculation is *ya que* (see 2.25.3).

5. *en previsión de que* conveys both speculation *(in case)* and an idea of external involvement *(to avoid):*

   Era preciso pasar de noche por Cáqueza, en previsión de que nos detuvieran las autoridades. (J. E. Rivera, *Colom.*)
   It was necessary to pass through Cáqueza by night, to avoid being arrested/detained by the authorities.

6. For *a poco que* + SVE, see 2.22.2.

2.17.2 Speculative comparisons, corresponding to English *as if ...*, may be introduced by *como si* or one of the following:

cual si (in literary and sophisticated styles)
lo mismo que si } (especially in *coll.* Spanish)
igual que si }
con el mismo + noun *que si*
con igual + noun *que si*

Lo dice como si lo creyera.

El caballo de Macías, cual si en vez de pezuñas hubiese tenido garras de águila, trepó sobre estos peñascos. (M. Azuela, *Mex.*)

Hubo una larga pausa, durante la cual los dos estuvieron mirándose atentamente, cual si la cara de cada uno fuere para el contrario la más perfecta obra de arte. (BPG)

Es igual que si lo hubiera robado.

En mi vagón, muchos pasajeros habían acampado a lo largo del pasillo con igual libertad que si anduvieran por el monte. (M. L. Guzmán, *Mex.*)

NOTE

After *parecer*, *como si* may be replaced by *como que* or *que*. See 2.12.5.

2.18 Whereas subordinate clauses of concession containing an indicative form can be seen as variants for a coordinate clause preceding *pero* (e. g. Aunque estoy cansado iré al cine = Estoy cansado pero iré al cine), those containing a SVE form are variants of sentences containing an introductory clause denoting indifference or irrelevance (e. g. Aunque esté cansado ahora, iré al cine = No importa que esté cansado. Iré al cine). Such clauses may *also* convey a speculation: Aunque esté cansado mañana, iré al cine. (= No importa que esté cansado mañana. Iré al cine). Where possible, the expression of such nuances by means of the SVE should be reflected in translation, mainly by *even if*, *even though* or *even if it is true that.* In addition to *aunque*, the following relators may be accompanied by a SVE form to indicate indifference or irrelevance:

aun cuando	*siquiera* (usually followed by *sea/fuera/fuese*)
pese a que	
así (coll)	*(aun) a riesgo de que*
bien que	

—Yo tengo que matarlo, aunque sea mi hermano y a mí me maten después. (E. Caballero Calderón, *Colom.*)
I have to kill him, even if he IS *my brother and even if I am killed afterwards.*

—Aun cuando lo supiese, no lo diría. (Moliner)

... pese a que el calendario anunciara dos semanas antes la primavera. (MD)

—... encontraré la manera de impedir que te cases, así tenga que matarte. (GGM)

Cualquier contacto con el pueblo mexicano, así sea fugaz, muestra que bajo las formas occidentales laten todavía las antiguas creencias y costumbres. (O. Paz, *Mex.*)

Para poder, pues, dar una imagen, siquiera sea incompleta, de la lengua de España, habría que tener en cuenta factores geográficos... (E. Lorenzo)

Quería estar lo más posible a su lado, aun a riesgo de que la confundieran con un animalito. (JMG)

NOTES

1. For *así* + SVE in independent clauses, see 2.32.2; for *ni aunque* and *ni que*, see *Manual.*
2. Other relators which may introduce concessive clauses are dealt with in 2.22.2 and 2.25.5.

2.19 To a certain extent, most of the relators described in sections 2.16-2.18 have primary meanings and functions explicitly denoting subjective attitudes. Many other relators have more 'neutral' meanings and more flexible sentence functions; where they are followed by a SVE verb form, it is because of particular sentence environments, or the speaker's need or decision to convey an attitude similar to those already illustrated in this chapter. In a few cases, the use of a SVE form is not to convey attitude but to act as a variant for an indicative form. The various uses of these other relators will be described in sections 2.20-2.25.

2.20 In certain types of subordinate clauses involving a wide variety of relators, the choice of indicative or SVE serves to distinguish between a *specific reference* and a *non-specific* one (i. e. a reference that contains an element of doubt, uncertainty, speculation or imagination). For instance, in the first example below, the reference is to specific persons (or persons taken to be specific), whereas in the second example, the reference is to non-specific persons (or identities):

> Los que quieren decir algo, lo dirán.
> *Those who want to say something will say it.*
>
> Los que quieran decir algo, que lo digan.
> *All those who (may) want to say something should speak up.*

In the following examples, we again see a difference between a specific reference in the first sentence and non-specific references in the other two:

> Tiene un profesor que le enseña gratis.
> Busca un profesor que le enseñe gratis.
> Quiere tener un profesor que le enseñe gratis.

(Note that in translation of these non-specific references, English *will, can,* or an infinitive may be needed.)

In similar ways, the use of a SVE form following many relators may signal not only non-specific identities and characteristics (as with the SVE forms given above), but also non-specific references to manner, time, place, action, degree, amount and intensity. The evidence for the specific or non-specific nature of the reference may reside entirely in the combination of relator and SVE form (as with *Los que quieran* above) or, quite often, it may be present elsewhere in the sentence in the form of expressions denoting external involvement (e. g. *Quiere tener un ... que ...*), indifference, speculation, doubt or denial. The fact that English does not make this distinction in a systematic way makes description difficult but if the principle is grasped and all the contextual clues are recognised, an acceptable rendering will usually suggest itself in those cases where it is possible or necessary in English to distinguish between specific and non-specific references.

2.21 Non-specific identity and characteristics are signalled in a wide variety of ways which are listed below.

2.21.1 Where a SVE form occurs in a clause preceded by one of the following forms or combinations, it usually signals a non-specific identity or characteristic.

el que/la que/los que/las que	*algo que*
el/la/los/las + noun + *que*	*quien/quienes*
un/una/unos/unas + noun + *que/cuyo/donde*	*lo que*
algún/alguna + noun + *que*	
todos los/todas las (+noun) + *que*	*todo lo que*
todo/toda + noun + *que*	*cuanto*
cualquier/cualesquier + noun + *que*	*cualquiera que*

In translation, it will often be impossible (or pedantic) to signal such non-specific references by a separate form, but *any, anyone* and *anything* and adjectives and pronouns ending in *-ever* may be useful.

Por otra parte, el que quiera dejar de leer esta narración en este punto no tiene más que hacerlo. (E. Sábato, *Arg.*)
Besides, anyone who wishes to stop reading this story at this point can do just that.

También son amnistiados los que por objeción de conciencia se hubieren negado a prestar el servicio militar. (*Boletín Oficial del Estado,* 4-8-76)
An amnesty is also granted to anyone/those who refused to do military service for conscientious reasons.

—Oiga, compañero: a los que estén borrachos no les dé más de beber. (L. Spota, *Mex.*)

—Escoja los que quiera.

Triunfará el enemigo que consiga dominar las comunicaciones del enemigo. (A. Roa Bastos, *Parag.*)
Whichever enemy manages to gain control over the other's movements will win.

En principio puede afirmarse que un restaurante que coloque una batería de especias (mostaza, pimienta, salsa de tomate) frente al plato, es un restaurante de platos insípidos. (FDP)

Vamos a estudiar alternativas que eviten este resultado.
... which will avoid this result.

Como todo movimiento literario que se respete, éste también está expuesto a la caricatura... (E. Rodríguez Monegal, *Urug.*)

... se trata de una auténtica obra maestra, desde cualquier punto que se la considere. (A. Amorós)
... whatever one's point of view may be.

Quien juzgue al vascongado supersticioso se engaña de medio a medio. (MU)
Anyone who considers the Basques superstitious is completely mistaken.

He aquí un episodio casi increíble para quien no sea un cazador. (K. Togeby, 121)
Here is an episode which is almost unbelievable for anyone who is not a hunter.

Lo que haya de cierto en todo eso es muy difícil de averiguar. (CJC)

—Yo trabajaría en lo que fuera. (JLCP)
I would do ANY *sort of work.*

—Debemos hacer cuanto esté de nuestra parte para... (Ramsey, 420)
We must do all we can to...

Notes

1. Following *haber* and *no faltar, quien* may refer to a non-specific individual or group of people:

No faltará quien crea que el dilema tiene una tercera salida. (AG)
There will (even) be some who (will) think that there is a third solution.

España cometió ese error, y cuando lo cometió hubo quien comprendiera, bien que vaga e indistintamente, los riesgos a que nos exponía; hubo muchos que lo comprendieron. (AG)

2. Sometimes the non-specific nature of the reference may be signalled by other indicators like *según (according to/depending on)* and *depender de depending on):*

—Lo decidiremos según lo que diga él.
—Eso depende de lo que llames tú ganar la vida. (J. Goytisolo)

3. In the following example there is both a non-specific reference and a suggestion of possibility:

Con los tres mil ochocientos reales tendría bastante para su objeto, y aún le sobrarían unos seis duros para algo imprevisto que ocurriese. (BPG)
... and he would still have thirty pesetas left over for anything unexpected which might crop up.

2.21.2 When dependent on or associated with clauses, etc. denoting attitudes like external involvement, necessity, speculation, etc., some of the relators listed in the preceding section introduce non-specific descriptions which often need special care in translation, particularly the use of a future or conditional tense *(will, would)*. Most frequently found in such sentences are: *quien; un/una/unos/unas* + noun + *que/cuyo/donde; algún/alguna* + noun + *que.*

... se pasaba el día buscando quien le convidase a beber. (Coste, 283)
... he used to spend the whole day looking for someone who would invite him to have a drink. / ... to invite him to...

—Usted quiere una colección de hechos que le demuestren que los Estados Unidos... es el país más antidemocrático que existe. (R. Arlt, *Arg.*)
You want a collection of facts which will prove to you that...

... el gobierno no quería dialogar con una oposición en la que esté incluido ni un solo comunista... (*Visión, Mex.*, 11-2-77)

Un verano tan caluroso y fuerte como el que estamos padeciendo los que no abandonamos la ciudad, forzosamente había de tener alguna ventaja que lo hiciera más llevadero. (*Tele/Exprés*, Barcelona, 18-8-73)

Podemos organizar un centro donde la juventud se distraiga sin ofender al Señor. (MD)
We can set up a Centre where young people will be able to enjoy themselves without offending the Lord.

NOTE

Particularly in creative literature, the following non-specific patterns indicate metaphorical (speculative) comparisons: *como (un)* + noun + que + SVE; *como* + plural noun + *que* + SVE; *parecer* + noun + *que* + SVE.

Translation into English may often need a participle rather than a full relative clause, thus: (*a*) + noun + -ING or *a* + -D + noun:

> Era como una bruma fría y gris que se interpusiera entre ellos y el mundo real y a través de la cual sólo veía una cosa amable... (R. Gallegos, *Venez.*)
> *It was like a cold grey mist separating them...*

> Las cejas... pendían sobre los ojos, como enredaderas que rebosasen de un muro. (K. Togeby, 57)
> *...like creepers growing all over a wall.*

> Parecía una casa en la que se hubiesen muerto todos a la vez. (FGP)

> Parecía un domicilio cuyos dueños estuvieran ausentes. (Spaulding, 77)

2.22 The use of the SVE to signal a non-specific reference is by no means limited to identities and characteristics, as will be seen in the following sections.

2.22.1 Non-specific references can also be made to manner, place, time, and even to the action or state itself by sequences of the following (or equivalent) relators and a SVE form.

manner:	*como; comoquiera que;*
place:	*(a)donde; dondequiera que;*
time:	*cuando; en cuanto; así que; apenas (esp. Am. Sp.) (as soon as); hasta que; antes de que; después (de) que; mientras (no); en tanto no; a que* (following *esperar* and its synonyms);
action or state:	*según (que)* (Particularly in responses: *Depending on whether ...*)

Although most of these relators are basic and familiar to students, examples are included here in order to give a full description of non-specific references, which are among the most difficult for English-speaking students to grasp.

> —Hágalo como quiera.
> *Do it however you like.*

> —Dame el aparato o como se llame.
> *Give me the machine or whatever you call it.*

> —Lo haremos como sea.
> *We'll do it one way or another. / ... in whatever way we can.*

> —Vamos a donde quieras.

> —Dondequiera que vayas, te encontrarán.

> —Lo haré en cuanto vengas.

> Apenas llegue Luis, lo primero que voy a hacer es hablarle de esta situación. (C. Gorostiza, *Arg.*)

Detrás... otra mujer... aguardaba a que hirviera el café. (GGM)

Según haga frío o calor. (Moliner)
Depending on whether it's cold or hot. / It depends on whether...

Según y como me encuentre. (Moliner)
Depending on how I feel.

NOTES

1. A Mexican or Central American Spanish variant of *como sea/fuera* (etc.) *(in whatever way possible)* is *a como dé/diera lugar:*

   En esta época, de lo que se trata es de vender el mal paño a como dé lugar. (C. Gorostiza, *Mex.*)
   At this time, what we have to do is to sell the shoddy goods as best we can.

2. *comoquiera que sea/fuera/fuese/fuere* and *como sea/fuera/fuese/fuere* (which are elliptical forms of *sea como sea*, etc.: see 2.34.1) may also be used as stereotyped sentence links equivalent to *nevertheless* or *despite this* (and sometimes to *as it is/was*):

   Comoquiera que sea, en nuestro afán por elucidar este misterio sólo hay un indicio que nos puede ayudar... (S. Elizondo, *Mex.*)

   Comoquiera que fuese, la Casa del Pueblo no hizo efectivo el paro. (K. Togeby, 22)

   For other uses of *como*, see 2.17.1 and 2.23.1; for *como quiera que*, see 2.25.4 Note 1.

3. It should be remembered that, since *esperar* may mean either *to hope, to expect* or *to wait for,* it may be accompanied by a SVE form with three different meanings in English: *to hope that, to expect to* and *to wait for* (i. e. a non-specific reference to time):

   Había a la puerta del cine un grupo de gente... esperando que empezara la proyección. (A. Ferres)

4. The infrequent *a falta de que* may be loosely attached to the group of relators which may introduce a non-specific time reference. Two translations are possible for this: *until such time as* or *since ... not:*

   A falta de que se completen estas operaciones complementarias del gesto de la moneda norteamericana... falta también por comprobar si los reajustes monetarios van a ser completos. (*Informaciones*, 13-2-73)
   Until such time as these complementary arrangements concerning the American dollar are completed... it remains to be seen whether a complete monetary readjustment is to take place.

2.22.2 A series of formulaic relators, listed below, are most usually accompanied by SVE forms in clauses referring to the non-specific nature of the *degree* of a quality, the *amount* of an entity or the *intensity* of an action.

Also discernible in such clauses is the concept of indifference or irrelevance. Translation in most cases will be by *however* (*little/much,* etc.) or by *although.* (If the degree, amount or intensity is presented as specific, an indicative verb form will be used. Where *por más* (+noun)+*que* is followed by an indicative form, the translation will often be by a simple concessive clause *(although)*:

por más/mucho que
por más/mucho+noun+*que*
por poco que
por poco+noun+*que*
por (más/muy) adj./adverb+*que*
por poco adj./adverb+*que*
a poco+adj./noun+*que*
a poco que: More often equivalent to *if; if only ... (a little).*

Por muy feo que sea, es simpatiquísimo.

Por más que Silvestre se los pidió, ella se hizo la sorda... (PB)
Although Silvestre kept asking her for it, she paid no attention. / ... she pretended not to hear.

A poco inteligente que sea, tiene que comprenderlo. (Moliner)
However unintelligent/lacking in intelligence he may be/he is, he must understand it.

«Ahora, a poca suerte que tenga, sí que podrá llevar a cabo su política de renovación», decían los partidarios de Bosque. (R. Tamames)

A poco que recapacite, lo verá. (*Ya,* 16-4-70)
If only you will think about it for a moment, you will see it is true.

—Quiero decir que tú podrías ser un señor a poco que pusieras de tu parte. (MD)
I mean that you could be a gentleman if only you would make a little effort.

NOTES

1. The following stereotyped idiomatic clause patterns are derived from this usage: *mal que os/les* (etc.) *pese: whether you/they* (etc.) *like it or not; willy-nilly; (por) mil años que viva/viviera/viviese: even if I live(d) to be a hundred:*

   —Esto no podría perdonárselo por mil años que viviera. (MD)

2. Where an indication of non-specific degree, amount or intensity is required for adjectives, adverbs, nouns or verbs accompanying the following, a SVE form will be used:

   cuanto más/mientras más: the more; cuanto menos: the less; tanto más (+adj./adverb)+*cuanto (mayor/menos/que): all the more ... depending on how ...* —see also 5.2 Note 1:

—Cuanto más trabajes, más cansado te pondrás.
(Cf. Cuanto más trabajas, más cansado te pones.)

Naturalmente, la apelación a la opinión pública será tanto más eficaz cuanto se organice la modernización. (*A B C sem.*, 7-9-72)

2.23 Some of the relators described in 2.21 and 2.22 may also be found with a following SVE form even when the reference is specific. Such occasional uses, which are mainly restricted to literary and journalistic styles, depend more on a deliberate choice of the SVE as a variant for the (expected) indicative than on an attitude of the speaker. These uses are described here because their *formal* similarity with usage dealt with in preceding sections may cause miscomprehension.

2.23.1 An imperfect SVE (usually, the *-ra* form, much less frequently the *-se* form) may be used following the relative pronouns *que, quien, el que, lo que* and the relators *(tal) como, donde* and *cuando* as a stylistic variant for the preterite or pluperfect *indicative.* Such usage (which may still be met in some regional dialects) is a revival of an older use of the SVE which has become relatively frequent in literary and journalistic styles. Translation will be by an English simple past or a pluperfect tense according to the context.

-ra:

Es el mismo viejo que al final del cuadro anterior entregara a los jóvenes los papelitos... (O. Dragún, *Arg.*)

Estas palabras que anteayer dijera Monseñor Riberi... (*A B C*, 7-7-67)

El hombre que llamara su atención se inclinaba sobre el mostrador. (A. M. de Lera)

The man he had noticed was leaning on the counter.

... Willy Brandt, canciller de la República Federal Alemana, parece haber superado la crisis que físicamente le sobrecogiera al término de su intensa campaña electoral. (*A B C*, 9-1-73)

Sergio Eisenstein, quien fuera mi amigo, me decía que... (A. Carpentier, *Cuba*)

... a la vuelta había encontrado a Inés como la dejara: durmiendo... (JFS)

La novela concluye allí donde se iniciara. (*La Estafeta Literaria*, núm. 393)

-se:

Se encontró con la nueva casa, que hiciese construir su amoroso padre. (C. E. Kany, 1951, 174)

Sebastián apreciaba que aquel cambio que durante veinte años anhelase cada mañana al despertar se había producido en su interior casi sin darse cuenta. (MD)

NOTE

This SVE usage must be distinguished, where possible, from the more general use of the imperfect SVE as a variant for the *conditional indicative.* This latter usage is common in both independent clauses (see 2.35) and subordinate ones, particularly with the imperfect (in *-ra*) of *querer, poder* and *deber:*

> El Estado y la sociedad gastan en la Universidad mucho menos de lo que debieran. (P. Laín Entralgo)

> No me refiero a las diferencias que pudiéramos llamar «externas».
> (M. Bermejo Marcos)

> Pero las buenas maneras y el aspecto distinguido de doña Matilde, no la [*sic*] permiten dar el escándalo que ella deseara. (M. Mihura)

The pluperfect SVE is also in *general* use as a variant for the conditional perfect indicative in independent clauses (see 2.35) and in subordinate ones:

> A Petrone le gustó el hotel Cervantes por razones que hubieran desagradado a otros. Era un hotel sombrío, tranquilo, casi desierto. (J. Cortázar, *Arg.*)

2.23.2 Following a superlative adjective and *primero, último* and *único,* the relative pronoun *que* may combine with a SVE form to convey a nonspecific reference similar to those described in 2.21 and 2.22:

> Entonces lo mejor será coger el primer tren que salga para España.
> (L. Carlsson, 1969,11)

> Me juro a mí mismo aprovechar la más pequeña ocasión que me ofrezca esta crisis para retirarme de la política. (K. Togeby, 51)

But where the reference is specific, the occasional use of a SVE form instead of an indicative one may usually be regarded as a further type of stylistic choice, again mainly restricted to written styles. The SVE tenses most frequently found are the present (particularly of *poder*), the perfect and the pluperfect.

> La experiencia norteamericana, en mi caso, era importante por la razón de que el pecado de la Pereza está considerado como el más grave que un hombre pueda tener. (FDP)

> Ésta es la mejor presentación del asunto que yo haya visto. (Ramsey, 423)

> Escribí la carta más disparatada que se haya escrito en la segunda mitad del siglo XIX. (Spaulding, 78)

> En la opinión de muchos, ese pabellón es el edificio moderno más bello que jamás se haya construido. (L. Carlsson, 1969, 18)

> —¡Si os digo que será lo único bueno que haya hecho en su vida!
> (J. Benavente)

Este fue el mayor espolazo que haya recibido mi ambición. (R. J. Payró. *Arg.*)

El río era ancho. El más grande que hubiese visto nunca.
(G. Cabrera Infante, *Cuba*)

Where the imperfect tense is used, the variation may be associated with the superlative or with the replacement of the preterite or pluperfect indicative tenses by the *-ra* and *-se* forms (2.23.1):

Italia ha sido la primera gran potencia que reconociera a los Soviets.
(Keniston, 168-169)

A la luz del farolillo de la esquina brillaron los más rubios cabellos que viera en su vida. (L. Carlsson, 1969, 15)

NOTES

1. A stylistic use of this sort may also occur with a 'near superlative' ((e. g. *uno de los más ...*):

... se le llegó a considerar como «uno de los gobernadores más eficaces» que haya tenido esa Provincia. (*Visión, Mex.*, 11-2-77)

2. In the following example, the SVE following *el único que* is due to the more general use of the imperfect and pluperfect SVE tenses as variants for the conditional and conditional perfect indicative referred to in 2.23.1 Note:

Era el único que hubiera [=*habría*] podido salvarla y la muerte lo había arrebatado. (L. Carlsson, 1969, 15)

2.23.3 With the time relators *antes de que* and *después (de) que,* the following usage applies: *antes de que* always denotes a non-specific action or state (at the time of reference) and therefore is *always* accompanied by a SVE form; with *después (de) que,* both non-specific and specific references are possible:

—Después que te escribí no he vuelto a verle. (Moliner)

—Después de que vengan hablaremos.

However, either by analogy with *antes de que* or, possibly, by analogy with the increasing use of the imperfect SVE following *que,* etc. (2.23.1), a stylistic use of the SVE as a variant for the preterite or pluperfect —or even in place of the declining past anterior— indicative may sometimes be found in journalistic and literary styles even when the reference is to a specific time. By further analogy, a stylistic SVE may occasionally be found nowadays to convey a *specific* reference after *desde que.*

Pero todo esto ocurría después de que Jacinto se mareara en la oficina. (MD)
But all this took place after Jacinto fainted in the office.

... y después que Noemí besara a la pequeña, ésta pidió montar en el trillo. (A. M. de Lera)

Desde que se sentara no había pronunciado una sola palabra. (C. E. Kany, 1951, 172)

Desde que José María Iñigo comenzara a presentar *Estudio Abierto*, muchos guionistas han pasado por el espacio. (*Cambio 16*, 19-1-76)
Since J. M. I. first presented Estudio Abierto, there has been a large turnover of scriptwriters.

Vivía... en un hotelito de Bolonia, ciudad que amaba intensamente desde que realizara en ella parte de sus estudios. (J. Torbado)

2.24 The most non-specific of references are those of a negative kind. Various types of negative antecedents which are followed by a SVE form are illustrated below.

2.24.1 Non-specific relative clauses following a negative, *sin* or an *implied* negative do not present many comprehension problems.

No he visto jamás un hombre que tuviera mayor atractivo. (Harmer, 203)

Yo no podría escribir una historia que no sea basada exclusivamente en experiencias personales. (MVL)
... which was not based...

No hay nada que le guste.

Nadie que haya visto aquello podrá olvidarlo.

No era Pío Cid hombre que se rigiera por pautas establecidas. (AG)

Como era de esperar, nada dicen que revista un interés especial. (B. Subercaseaux, *Chile*)
As was to be expected, they tell us nothing of particular interest.

No hubo quien apease a Nucha de su caritativo propósito. (EPB)
Nobody could deflect Nucha from her charitable aim.

Sin amigos que le apoyen, fracasará.
Without friends to support him, he will fail.

Seguí leyendo, sin tener quien me aconsejara sobre lo que debería leer y sin más interés que el placer que me proporcionaba la lectura. (M. Rojas, *Chile*)

In examples like the following, a negative may be implied, either in questions or in statements containing modifying words like *apenas, acaso, poco(s), no ... muchos,* etc.:

¿Puede Dios ejecutar actos que no sean la perfección misma? (A. Castro Leal, *Mex.*)

—¡Pero qué voy a decirte que no sepas! (M. Gómez-Santos)

—Pero ¿adónde iré yo que él no venga tras de mí? (BPG)

Apenas hubo quien tomara en serio sus trabajos. (BPG)

Pocas son las manifestaciones de la actividad intelectual a que no haya unido su nombre. (K. Togeby, 50)

2.24.2 The verb of a result clause following a negative or interrogative clause containing *tan* + adj./adverb + *que* or *tanto que* will also normally be SVE since it indicates a denial or an expression of disapproval.

No es tan tonto que diga eso.
He is not so silly as to say that.

—Todos habéis visto lo que ha pasado y no creo que seáis tan tontos que no hayáis visto lo que podría haber pasado. (A. Barea)

La finura de sus modales era otra reminiscencia que la hacía tolerable, y a veces agradable, si bien no tanto que me hiciera desear sus visitas. (BPG)
... although not enough to make me look forward to her visits.

—¿Me creéis tan ciego que no vea lo que pasa? (Harmer, 217)

—¿Por qué seremos tan tontas las mujeres que les hagamos caso? (Spaulding, 90)

2.25 A small number of relators most frequently used with an accompanying *indicative* form in subordinate clauses of reason may also be used with a following SVE form to express attitudes similar to some of those described in previous sections but in a variety of ways that justifies their separate treatment here.

2.25.1 When accompanied by a negative, an implied negative or an interrogative introductory clause, a SVE form following *porque* shows that the speaker is adopting an attitude: rejection of the reason as insufficient or irrelevant, or disapproval of what it expresses. In English, these inferences may be made by adding words like *just, merely* or *simply* before *because.*

... hasta cierto punto, los criminales son gente más limpia, más inofensiva; esta afirmación no la hago porque yo mismo haya matado a un ser humano: es una honesta y profunda convicción. (E. Sábato, *Arg.*)

¿Pierde mérito artístico porque la pintura del marco esté arañada? (K. Togeby, 31)
It its artistic merit diminished simply because the paint on the frame is scratched?

—¿Pero cómo podéis tener miedo porque salga al jardín y se aleje...? (M. Mihura)

—Me guardaré muy bien de vituperarte porque creas que no nos creó a su imagen y semejanza. (BPG)
I shall refrain from condemning you (just) because you do not believe that He created us in His own image and likeness.

NOTE

In the first example below, the SVE seems to reflect the attitude already expressed in the introductory clause by the word *enojo;* in the second example, both SVE forms are influenced by the presence of *quiero que* in the accompanying clause, but the second SVE also reflects a rejected reason:

> [*El juez*] Dábase no poca importancia y hablando de sí mismo y de su juvenil toga, parecía manifestar enojo porque no le hubieran hecho de golpe y porrazo presidente del Tribunal Supremo. (BPG)
>
> —Quiero que lo haga porque salga de ella, no porque se lo manden. (R. Fente Gómez, 1971, 204)
> *I want her to do it of her own free will, not just because she is ordered to do it.*

2.25.2 Quite different is the use of *porque* (or *por que*) and a SVE form as a variant for *para que* (=external involvement: *in order that,* etc., see 5.15.1 and 2.16.1). Such clauses are particularly likely to be used after verbs, nouns and adjectives which indicate effort, exchange or desire and which are often followed by *por* (e. g. *luchar, cambiar, dar, ansioso*). Translation will often include *for.*

> —¡Lucho porque no haya más hambre! (S. Salazar Bondy, *Peru*)
> *I am striving to do away with hunger!*
>
> ... daba cinco duros al día porque le trabajaran la finca. (A. López Salinas)
> *... he paid twenty five pesetas a day for his land to be worked.*
>
> Era evidente que el arquitecto estaba ansioso porque su amigo le pusiera al corriente de la situación. (JMG)

NOTE

In the following example, quoted by K. Togeby (p. 30), the SVE is a variant for the conditional perfect indicative, already commented on in 2.23.1 Note:

> Suspiraba aliviado al decirlo, porque mi negativa le hubiese puesto en un brete.
> *He sighed with relief as he said it, since my refusal would have made things very awkward for him.*

2.25.3 The use of a SVE form in one or both of two clauses introduced by *porque* and indicating alternative reasons may be due either to the speaker's desire to show that the reason is tentatively offered as a speculation, to some other attitude expressed in the accompanying main clause, or, even, to a deliberate stylistic choice of a variant for the indicative. Such clauses are most characteristically preceded by *o, bien* or *ya,* as in the following patterns: *o porque ... o porque ...; bien porque ... bien porque ...; ya porque ... ya* *porque* ... (See also 2.34.2 for similar uses of the SVE in independent clauses). Where the context implies that the reason is offered tentatively, the addition of *possibly* may be warranted in translation.

> Al cabo mi compañero, o porque no tuviese ya que decir o porque recordase que no estaba procediendo con sobrada cortesía, comenzó de nuevo a hablar de mis asuntos... (APV)

> Como meros ejemplos, cito algunos títulos importantes para el español hablado, bien porque estudien aspectos del mismo, bien porque ofrezcan posibilidades de comparación con él... (A. Carballo Picazo)

> Le he oído decir que, ya porque la noche fuese suave, ya porque los aperitivos hubiesen influido bondadosamente en su ánimo, iba [*conduciendo*] con lentitud, invadido de un sentimiento de euforia y tarareando una cancioncilla. (W. Fernández Flórez)

2.25.4 Particularly in literary narrative, the relator *como* may be followed by an imperfect SVE (*-ra* or *-se*). The reason for this usage may either be as a stylistic device (to vary the past tenses of a narrative) or to indicate that what is put forward as a reason is merely a speculation (rather than a categorical statement by the omniscient narrator). These clauses seem particularly frequent in the work of some authors in sentence patterns used to introduce or resume direct speech, thus:

> Y como no contestaran, dijo/añadió...
> *Seeing that there was no reply, he said/added...*

Depending on the context, either a reason clause *or* a time clause may be needed in translation.

> Como fueran amigos particulares, se sentaron con él a leer el periódico. (G. T. Fish, 1963*b*, 376)

> Y como su interlocutor callara..., el viejo continuó... (G. Marañón)

> Como un escritor le pidiese un retrato con dedicatoria, le regaló el retrato. (E. Gamillscheg, 227)

> Como tardase en contestarle, volvió a escribirme reiterándome su ruego. (MU)

> Y allí, como oyese el martilleo del corazón de éste, se alarmó. (W. Moellering, 271)

NOTES

1. Perhaps by analogy with the above usage, the less frequent stereotyped relator *como quiera que* (also written *comoquiera que*), which may also mean *since*, may sometimes be followed by a SVE verb form, particularly in journalistic styles:

> Comoquiera que el individuo persistiera en su actitud, el inspector de Policía hizo un nuevo disparo. (*Ya*, 6-5-73)

A very different stereotyped use of *comoquiera que* has been described in 2.22.1 Note 2.

2. For more common uses of a SVE form following *como,* see 2.17.1 and 2.22.1.

2.25.5 The basic contemporary use of *ya que* is as a relator meaning *since* and followed by an indicative form. In older Spanish, when followed by the SVE, *ya que* had a conditional or concessive meaning *(if; although).* In modern Spanish, such uses have largely disappeared except in the verbless expression *ya que no*+adj./noun, which is described in 5.3.1 Note 2. Where *ya que*+SVE is found in contemporary Spanish, one may detect a survival of all or part of the original concessive meaning and, possibly, a suggestion of implied disapproval, giving as most likely translations, *since, if,* or *if ... must,* as illustrated below. Occasionally, *although* may still be needed.

—Ya que se case usted, quiero tener la seguridad de que, a lo menos, puede usted ser dichoso. (K. Togeby, 16)
Since you are getting married / If you must get married, I want to be sure that you'll be happy at least.

—El jornal es escaso, y el día menos pensado la vas a diñar aplastado como una rata. Ya que te la juegues, que sea por ti y no por otro. (A. M. de Lera)
The wages are low and one of these days you'll get yourself crushed to death. If you're determined to risk your neck, make sure it's for your own benefit and not for other people.

Ya que no pueda ofrecerles el sistema de las virtudes actuales, les hablaré... de una de ellas. (J. Ortega y Gasset)
Although I cannot offer you a systematic treatment of current virtues, I will speak about one of them.

NOTES

1. In the following example from *Don Quijote,* both the concessive *(even if)* and the *'if ... must'* meanings are visible:

—¡Qué mal lo entiendes! —respondió don Quijote—; hágote saber, Sancho, que es honra de los caballeros andantes no comer en un mes, y, ya que coman, sea de aquello que hallaren más a mano.
... if they do eat/if they must eat...

2. Although a truly conditional meaning may be considered obsolete nowadays, note the following example from a nineteenth century novel, where *ya que no* means *unless:*

—... y si llega a oídos de su hija de usted..., será capaz de venir... y nos pelará o nos desollará a ambos, ya que no envíe por aquí al señor cura... (JV)

Special sentence patterns

2.26 Certain important sentence patterns may also be used to express *several* of the attitudes already illustrated. The following patterns will be examined:

lo + adj. (denoting a judgement, etc.) + *es que* ... 2.27;
el hecho de que
el que } ... 2.28;
que
parallel clauses ... 2.29.

2.27 Attitudes and judgements may be expressed in the emphatic sentence pattern *lo* + adj. + *es que* + verb. Particularly common in this pattern are adjectives which denote disapproval (e. g. *lo malo*), surprise (e. g. *lo raro, lo curioso*) and involvement, necessity, etc. (e. g. *lo importante, lo principal*).

Such patterns do not pose serious translation problems, because they are equivalent to the emphatic English pattern *the* + adj. + *thing is that* ... However, the following features may be noted:

a) unless *ser* is in the future or conditional tense (indicating that what follows is a speculation or a non-specific reference), these emphatic patterns may often be followed by an *indicative* verb form;

b) superlative or more emphatic replacements of judgement adjectives may be used, e. g. *lo peor, lo más importante, lo principal, lo más grave, lo más seguro.*

...Lo malo es que necesito diez mil para empezar. (A. Buero Vallejo)
The trouble is that I need ten thousand to start.

—Lo mejor es que nos vayamos juntos. (Spaulding, 74)
The best plan would be for us to go together.

—Lo mejor será que cuando vea a Juan Manuel en el teatro o en la calle me haga la distraída y no le salude. (K. Togeby, 50)

Lo curioso es que la idea de encarcelarlo no fue del Serrano. (MVL)
The funny/strange thing is that...

Lo curioso era que fuese verdad. (Mercedes Salisachs)

—Lo extraño es que todavía no me hayas engañado, sin embargo. (R. Arlt, *Arg.*)

Lo incomprensible era que arriesgase tanto. (JMG)

Lo más frecuente es que le lleve más energías que el empleo del Estado. (MB)
More often than not, this takes more of his energy than his State employment.

Si entra alguien y les sorprende de esta manera, lo más seguro es que no me dejen volver a la biblioteca. (GTB)
If someone comes in and catches them like that, it is more than likely that they will not let me go back to the library.

—Y no te preocupes. Lo interesante es que Celia se decida, y ya parece que se está decidiendo. (J. M. Pemán)

NOTES

1. Where verbs of attitude occur in the general emphatic sentence pattern *lo que*+verb+*es que* (see 6.13.3), the accompanying verb may be indicative or SVE, although the SVE seems to be more frequent:

   —Lo que más me molesta en nuestras conversaciones mundanas —dijo— es que están compuestas sólo de alusiones y referencias... (E. Mallea, *Arg.*)

   Lo que me extraña es que lo haya dicho.

2. The following example shows how important in the choice of a SVE form is the speaker's decision to project the attitudes we have examined: (The context is that a detective is giving his *theory* of how a crime was committed):

   —Ahora, un día, Antonia podía decírselo a doña Carmen. Y en ese caso, lo seguro es que doña Carmen le rogase a usted que despidiese a Joaquinita.
   —Es posible. (FGP)

2.28 In English, clauses containing *the fact that* may occur in a variety of sentence functions:

a) as the subject of another verb: *The fact that he is jealous amuses her.* Also: *That he is jealous ...*)

b) as the object of another verb: *She deplores the fact that he is jealous.*

c) as the complement of another verb: *The obstacle is the fact that he is jealous.*

d) following a preposition: *She based her opinion on the fact that he was jealous.*

The Spanish counterparts of *the fact that* are *el hecho de que, el que* and (when its clause precedes the accompanying clause) *que*. These are used particularly in emphatic or rhetorical sentences instead of other simpler patterns to highlight a fact that impresses the speaker in some way or which is meant to impress the listener (or reader). Most often, the verb following *el hecho de que,* etc. is SVE, either because one of the attitudes already examined in this chapter is explicitly expressed in the accompanying clause *or* because the speaker's choice of these structures indicates that he is viewing something in a subjective way. At this stage of our examination of the SVE, readers should be able to form their own conclusions about the sorts of attitudes —explicit or implicit— in the examples offered below. In translation, the attitude may sometimes need to be rendered by *can, could, should,* etc.

2.28.1 *el hecho de que*

The most versatile of these Spanish forms is *el hecho de que,* which can be used in the same four ways as *the fact that.* An accompanying indicative form is rare, except when the clause follows a preposition. Moreover, adjectives denoting attitudes or judgements may qualify *hecho* (e. g. *el hecho escandaloso/sorprendente de que*).

as subject:

El hecho de que uno de los protagonistas sea escritor permite a Fuentes muy brillantes digresiones. (A. Amorós)

El hecho de que viera la vida «a su manera» no significa que se apartara de ella. (S. Vilas)

El hecho de que hubiera varias personas facilitó mi trabajo. (E. Sábato, *Arg.*)

Creemos... que el hecho de que el enemigo esté enterado de esto es la mejor forma de conservar la seguridad. (K. Togeby, 47)

as object:

Cualquier español desapasionado debe aceptar el hecho de que Franco utilizara poderes excepcionales durante aquellos difíciles años. (J. M. de Areilza)

as complement:

Otra de las cosas que me sorprenden es el hecho de que se haya dicho abiertamente la altitud a que volaba el Convair, pero no la del DC-9. (*Pueblo,* 8-3-73)

following a preposition:

Especuló sobre la falta de investigación, sobre el individualismo, sobre el hecho de que todo el mundo se considerase sabio sin haber hecho nada, etc. (JMG)

El embajador español hizo hincapié en el hecho de que la Universidad beneficiará sensiblemente a los países en vías de desarrollo. (*A B C sem.,* 29-6-72)

NOTE

For similar colloquial uses of *esto/eso/aquello de que,* see *Manual.*

2.28.2 *el que*

Clauses containing *el que* may function as subject or object of an accompanying verb. A SVE verb form is usual unless there is a specific indication in the sentence that what is asserted is true or proven, as in the last example below. In general, more care will be needed in translating sentences containing *el que*, particularly because of the range of sentence word order patterns that are possible.

as subject:

El que yo no le haya pagado no es motivo para que se enfríe nuestra amistad. (Spaulding, 74)

The fact that I haven't paid you is no cause for our friendship to diminish.

En sus manos está el que se venga abajo y nos aplaste a los dos. (Keniston, 62)

Whether it collapses and crushes us both depends on you.

—... y de una palabra de ella o mía dependería el que fueras a la cárcel. (R. J. Sender)

El que Picasso pinte todavía, demuestra que el genio no tiene edad. (R. Fente Gómez *et al.*, 1972*b*, 54)

Fue una auténtica revolución el que un rey de Castilla se lanzase a dirigir una nutrida serie de obras. (M. Seco)

Nunca se ha puesto en duda el que Galicia sea algo más que el mero escenario de la obra. (M. Bermejo Marcos)

as object:

—Me tiene usted que perdonar el que yo le [*you*] haya traído aquí. (A. Barea)

followed by indicative:

Esto lo demuestra además el que las características que señalo se corresponden exactamente con las expuestas por E. Dale... (S. Sanz Villanueva)

NOTE

This use of *el que* must be distinguished from that described in 2.21 (non-specific reference). Normally, the context will make clear which is intended:

El que venga no me importa.
El que venga se arrepentirá.

2.28.3 *que*

A *que* clause preceding the verb of which it functions as subject or (less frequently) object may contain a SVE or an indicative verb form, usually depending on the content of the accompanying clause. Where the latter refers to certainty, truth, proof, etc., the verb in the *que* clause will usually be indicative. (For example, *Que ... lo demuestra ...*; *Que ... es verdad/cierto/evidente*). It will be noticed that most often the sentence pattern, whether containing an indicative or a SVE form, is a more composed or stylized version of the pattern 'main clause + *que* clause'.

Que esté amable con el Príncipe nada tiene de particular. (Ramsey, 446)

—Que yo como buena hermana lo parta contigo, no quiere decir que tengas derecho... (Spaulding, 74)

Que aquel peligro existe, demuéstralo con evidencia el curso de la historia contemporánea. (P. Laín Entralgo)

Que el mundo es horrible, es una verdad que no necesita demostrarse...

(E. Sábato, *Arg.*)

—Que no nos entenderías, lo comprendí desde el primer instante.

(K. Togeby, 47-48)

NOTE

As D. L. Bolinger has pointed out (1974, 468), the choice of an initial *que* clause of this type usually indicates that the speaker is adopting or about to adopt some sort of attitude toward its content. If, having used a SVE form in the *que* clause, the speaker subsequently completes the sentence with an attitude not usually associated with the SVE, it may be that he has changed his mind in mid-sentence or that he was not sure initially *which* attitude he was going to adopt. This observation enables us to understand examples which might otherwise seem puzzling:

Que Juan sea el mejor alumno, no cabe la menor duda.

(D. L. Bolinger, 1974, 468)

2.29 Another general type of sentence pattern in which the SVE may be used (and often contrasted with an indicative form) is in parallel or balanced clauses or sentences (particularly in rhetorical, emotional or very carefully composed language) which express or imply a pair or series of contrasting judgements or attitudes (e. g. approval-disapproval; irrelevance-relevance; certainty-doubt). Most likely to be met are patterns like the following:

una cosa es que ..., y otra que ...;
que ..., que ...;
es ... que ... pero es ... que ...;
lo ... no es que... lo ... es que ...;

Cf. *It's one thing (for you to come home late), but it's quite another to (be drunk).*

—Una cosa es que no te acuerdes de detalles y otra que te hagas de nuevas. No estabas tan borracho. (A. Sastre)
Not remembering details is one thing, but pretending not to know anything about it is quite another. You weren't that drunk.

—... porque una cosa es que escribas esos rollos para el que los quiera leer y otra que me los sueltes a mí... (MD)
... because I didn't mind you writing that rubbish for anyone who was willing to read it, but I did object to you reading it to me.

Que la reciente declaración política del nuevo Gabinete ha despertado interés en la clase política, es cierto... Que tales acontecimientos hayan calado hondo en la masa del pueblo español, nos tememos que eso es más dudoso.

(*Ya*, 23-6-73)

(Note that in this example *nos tememos* is more assertive than emotional.)

Lo indecoroso no es estafar al Estado eludiendo el pago de impuestos, lo indecoroso sería que una sociedad anónima no llevase contabilidad doble [=*two sets of ledgers*]. (MB)

Lo grave no es que algo sea malo, sino que así lo considere el vecino... (FDP)

NOTE

For other sets of parallel clauses involving SVE forms, see 2.25.3 and 2.34.

SVE IN SYNTACTICALLY INDEPENDENT CLAUSES

2.30 Most uses of the SVE as a syntactically independent verb serve to convey the same types of attitudes which are expressed more explicitly in the preceding sections of this chapter, namely external involvement, hope, fear, and so on. Because these attitudes are not explicitly represented other than in the use of the independent SVE (and sometimes by a relator like *que*), treatment of the SVE in syntactically independent clauses, although normally dealt with at the beginning of descriptions of the SVE has been placed at the end of this classification. Now that the use of the SVE either to convey attitude or as a variant for an indicative form is well understood, the reasons for such independent uses will be easier to accept.

The major use of the SVE in syntactically independent clauses is as a direct imperative (e. g. *Hable; No hablen; Hablemos*). Such usage is so basic that no further illustration is required here. Nevertheless, it may be noted that the direct imperative is the prime example of the use of the SVE to convey the concept of external involvement in the production of an action or state.

The SVE may also be used in other syntactically independent clauses to convey other types of external involvement, hope, fear, and other attitudes. Such clauses may contain vestigial relators or other words indicating attitude (2.31-2.33). Other formulaic uses of the SVE occur in clauses which, although syntactically independent, are *semantically* dependent on other clauses (2.34). Finally, SVE forms may be used in syntactically independent clauses as variants for certain indicative tenses (2.35).

NOTES

1. The following are stereotyped uses of the first person plural imperative: *pongamos por caso (for example); o digamos (or rather); y no digamos (not to mention/especially):*

...agitaba la falda roja y llamaba más al toro, o digamos a la vaca, que se le venía encima. (JV)

La televisión ha re-popularizado incluso los toros, y no digamos el fútbol. (A. de Miguel)

2. For the many colloquial uses of the SVE in syntactically independent clauses (particularly emotional uses and idiomatic uses of the imperative forms of certain common verbs), see *Manual.*

2.31 A further use of the SVE in independent clauses to express external involvement is as an indirect imperative. In addition to examples like *Que pase (Let him come in; Show him in; Have him come in)* and *Que lo hagan en seguida (Make them do it immediately)*, the following types of indirect imperative should be noted:

general (usually written) instructions, often accompanied by *se* (2.31.1);
introductory statements and observations (2.31.2);
parentheses (2.31.3);
other stereotyped uses (2.31.4).

Most of these uses, which may need a free translation, occur without an introductory *que.*

2.31.1

Véase la página 26.
See page 26.

Conteste cada cual por sí mismo. (P. Laín Entralgo)

Y no se crea que Juana sabía sólo hacer los guisos locales... (JV)
And let it not be thought that Juana could only prepare local dishes.

—¡Sálvese quien pueda!
Every man for himself!

2.31.2

baste decir que	:	*let it suffice to say that .../suffice it to say that ...;*
(que) conste que	:	*it should be pointed out that ...;* *I should point out that ...;* *let it be clearly understood that ...;*
permítaseme (decir que)	:	*if I may be allowed to (say that) ...;*
valga como ejemplo	:	*let me give as an example ...;*
vaya por delante que	:	*let it be stated at the outset that ...;*
vaya por delante + noun	:	*let me express first of all my* + noun.

2.31.3 Although any type of syntactically independent SVE may be chosen to serve as a parenthesis, the following examples of stereotyped parentheses may be noted here:

dicho sea (con la debida modestia)	:	*be it said (with all due modesty); may it be said ...; let it be said ...;*

dicho sea de paso	:	*by the way; moreover; may I say in passing;*
la verdad sea dicha	:	*to tell the truth;*
valga la palabra	:	*so to speak.*

Los obreros volvieron a su trabajo y alguno, dicho sea de paso..., contento del rapto [*theft*] de los jamones. (FGP)

2.31.4 Also worth noting are the following stereotyped SVE forms used to introduce different types of *adjuncts:*

pese a (que) (2.18)	:	*in spite of (the fact that)*
o sea (que)	:	*that is*
y no se diga / *ya no se diga* } *(esp. Am. Sp.)*	:	*not to mention; especially*
(Cf. 2.30 Note 1)		

El presidente, pese a lo estrecho de su victoria en New Hampshire, estaba seguro de sí mismo. (*Cambio 16*, 17-5-76)

Semmelweis acabó en un manicomio, y en los libros se le cita hoy como un mártir de la ciencia —o sea, de la obstinación de los sabios. (A. Castro)

—Mi esposa es muy sensible y en su estado actual, si descubre esto, le haría una impresión tremenda. Y no se diga a mi madre. (MVL)
... Not to mention the effect on my mother!

... creo que hay langosta y langostinos, pescado frito y al horno, pollo... y todo lo demás; frutas, ya no se diga... [followed by a list of fruits]
(A. Yáñez, *Mex.*)

2.32 In addition to external involvement, other subjective attitudes may be expressed by means of a SVE form in independent clauses. Such clauses are frequently exclamatory and/or colloquial.

2.32.1 In stereotyped exclamatory wishes, hopes and curses involving a mention of a religious concept, the *que* is frequently omitted.

¡Dios se lo pague!	*May God repay you!/Thank you!*
No lo quiera Dios / *No lo permita Dios*	*God forbid!*
Dios me libre de + infin.	*God forbid that I should ...* / *I only hope that I don't ...*
¡Dios nos coja confesados!	*May we be ready (for God's judgement).*
¡Alabado sea el Señor!	*God/The Lord be praised!*
¡Bendito sea + noun!	*Thank heaven for ...! Blessed be ...!*
¡Maldito sea + noun!	*Damn the .../A curse on ...!*
¡Maldito sea!	*Damn! Blast!*
¡El Diablo se lo lleve! / *¡Mal rayo lo/le parta!*	*Damn him!/A curse on him!*

NOTE

Wishes like the following, in the perfect tense SVE, may accompany the mention of a dead person's name:

—¡Dios le haya perdonado (sus pecados)!
—¡Dios lo haya acogido en su seno!

2.32.2 Wishes and hopes may also be introduced by *que, ojalá, así* and *quién. ojalá* and *así* may be followed by any tense of the SVE; *quién* is normally followed by an imperfect or pluperfect tense.

—Que te mejores.

—Que tengáis suerte.

Que mi fracaso me sirva de escarmiento para evitar a mi hijo la misma desgracia. (RPA)
May my failure help me to prevent the same misfortune from happening to my son.

¡Ojalá llegue pronto!
I hope he arrives soon!

¡Ojalá llegara pronto!
I wish he would arrive soon! / If only...

¡Así Dios me castigue si le miento! (Ramsey, 443)
May God strike me down if I am lying!

¡Quién tuviese esa suerte!
I wish I had that/such luck!

NOTES

1. Exclamatory wishes introduced by *si* and not accompanied by a main clause are similar in meaning:

   ¡Si tuviera esa suerte!

   Particularly in exclamatory colloquial sentences, the use of an independent imperfect or pluperfect SVE may indicate a wish, a regret or a rebuke, even when no *si* is expressed:

   —Vieras cómo impresioné a los de Ovando... (C. Fuentes, *Mex.*)
   If only you had seen... / I wish you had seen... / You should have seen...

   —¡Nunca lo hubiera dicho! (Spaulding, 62)

   —No podía venirme con las manos vacías.
   —Hubieras cogido cualquier otra cosa. (GGM)

2. Note the idiomatic form *¡Acabáramos! (That's enough!)*.

2.32.3 A SVE form conveying a negative desire, wish, hope or a fear may also be found in the following stereotyped clause patterns:

no sea que + SVE
no vaya (etc.) *a* + infin.
no vaya a ser que + SVE

Such patterns may occur as separate sentences or as additions to grammatically independent clauses. In both cases, the SVE clause conveys an explanation of the preceding clause. These patterns are basically colloquial features but they may also occur in written versions of direct speech or thought, in the forms

no fuera/fuese que + SVE
no fuera/fuese (etc.) *a* + infin.
no fuera/fuese a ser que + SVE

Although other translations may occasionally be necessary, such patterns will normally be translated adequately by an English clause beginning with *in case*. Where the style is more archaic, *lest* may also be possible.

—Pero démelo, no sea que la registren [*a usted*] a la salida. (GGM)
Give it to me in case they search you at the exit.

Sin embargo, convenía no despertase la chiquilla, no fuese a alborotar la casa lloriqueando. (EPB)
Nevertheless, it would be better if the girl didn't wake up, in case she disturbed the whole household with her crying.

... cuando en verdad lo que venían haciendo algunos en voz baja, no se les fuera a tomar por miedosos, era protestar contra la velocidad alucinante que traían
(M. A. Asturias, *Guatemala*)

2.33 The SVE may also be used in independent clauses when preceded by adverbs and other expressions equivalent in meaning to introductory clauses of attitude. Illustrated below are:

— the use of the SVE following adverbs indicating qualified belief (e.g. *quizá=Es posible que*) ... 2.33.1;

— the use of the SVE following *de ahí que, de aquí que* and, less frequently, *de allí que* to denote a reason due to external involvement and also sometimes conveying other attitudes (like disapproval or surprise) ... 2.33.2.

2.33.1

Quizá vengan mañana.

Acaso haga falta un poco de locura para ciertos empeños. (A. Reyes, *Mex.*)

Las preguntas que todos nos hacemos probablemente resulten incomprensibles dentro de cincuenta años. (O. Paz, *Mex.*)
... will probably be incomprehensible... / will probably not make sense...

NOTE

The following SVE clauses are used as stereotyped adjuncts denoting qualified assertions and beliefs. All except the last one are more frequently met in colloquial Spanish: *que yo sepa/que sepamos (as far as I/we know, to the best of my/our knowledge); que yo recuerde (as far as I remember); que se sepa (as far as is known).* (In reported speech and thought, the imperfect SVE may also be found: ***que él supiera/recordara,*** etc.).

Que se sepa, Mario Soares, primer ministro portugués, nunca se destacó poi su modestia. (*Cambio 16,* 24-10-77)

2.33.2

English translations: *that is why; this/that explains why.*

De ahí que no le gusten las mujeres.

No lograba persuadirse que la sociedad fuese tan mala. De aquí que no tuviese la menor inclinación a la vida monástica. (Spaulding, 54)

De allí que me indigne cuando se dice de un hombre que ha vencido: «tiene suerte». (R. Arlt., *Arg.*)
That is why it annoys me when people say about a person who has been successful: «He is lucky».

2.34 In two sets of formulaic uses, a syntactically independent SVE form may occur in clauses which are *semantically dependent* on another clause.

2.34.1 The first of these uses consists of an unaccompanied SVE followed by a non-specific clause like those described in 2.21 and 2.22 *(whoever, whatever,* etc.). The most stereotyped of these clauses have analogous English stereotypes, e. g.

Pase lo que pase *Venga lo que viniese/viniere*	*Come what may.*
Sea como sea/fuese/fuere/fuera	*Be that as it may* (Also: *Nevertheless*)

However, the pattern is much more productive in Spanish, and translation will normally be with a clause beginning with *whatever, whoever, wherever, however,* etc. (This sort of translation may also be needed at times for the stereotyped clauses offered above.)

Sea cual fuese/fuere/fuera+noun.
Whatever the... may be.

—Gane quien gane —decía Alvaro—, el resultado será el mismo. (J. Goytisolo)
Whoever wins...

—Hay que ir por el obispo, se encuentre donde se encuentre —continuó el ex seminarista— y pese a quien pese. (JLCP)
The Bishop must be fetched, wherever he may be... and no matter who is annoyed by it.

—Tío Javier..., si una se muere desnuda, ¿se puede entrar en el cielo?
—Naturalmente que sí. Te mueras como te mueras, puedes ir al cielo. Si has sido buena antes. (J. García Hortelano)

La demografía indígena es algo imprecisa aún... Sea cual fuere la población indígena, hemos de anotar que ella disminuyó notablemente por el trato recibido y por el efecto de ciertas enfermedades que ellos desconocían.
(F. Morales Padrón)

2.34.2 Syntactically independent SVE forms are also found (singly or in balanced pairs) in a variety of formulae to denote alternatives which are semantically subordinate to another main clause. The usual translation pattern for such uses is by *whether ... or (whether) ...* The following variety of Spanish patterns is found:

(ya) + SVE *o* + *(ya)* + SVE
(ya) + SVE *o no*
ya + SVE + noun + *o* + noun

The following sub-types involving *ser* are also common:

(ya) sea/fuera/fuese + { *porque ...* / *que* } { *sea/fuese/fuera* { *porque* / *que* } / *o porque* / *o que* }

Pisemos la formidable Piazza del Campo, en Siena, o nos detengamos a contemplar los viejos muñecos del Ayuntamiento de Munich, siempre nos sentiremos un poco intrusos. (MB)

Tengo la obligación de predicar la palabra de Dios, me oigan o no. (A. Gala)

—... porque yo, quiero que lo sepas desde ahora, me case contigo o con otro, yo no dejaré por eso el trabajo de mi oficina. (J. A. de Zunzunegui)

Queramos o no, estos seres son mexicanos, uno de los extremos a que puede llegar el mexicano. (O. Paz, *Mex.*)

Sea por caridad, sea por otra razón, cada semana visitaba a la viuda.
Whether out of charity or for some other reason...

Ya estuviesen hablando, ya estuviesen jugando al tute, Juanita rara vez suspendía su costura. (Spaulding, 64)

Ya se lo considere acto de locura o de cobardía, las doctrinas religiosas y éticas han llegado a condenar generalmente el suicidio... (A. Reyes, *Mex.*)

En lo sucesivo, nuestro país usará recursos naturales para estimular su desarrollo, ya sea abasteciendo la demanda interna o fomentando las exportaciones... (L. Echeverría Alvarez, *Mex.*)

Ya sea que obren o que se abstengan, los Estados Unidos serán siempre... la influencia exterior más grande de cuantas pesen en el destino de México. (M. L. Guzmán, *Mex.*)

NOTES

1. The formulaic *bien porque ... bien porque,* etc., described in 2.25.3, is the grammatically subordinated form of these patterns.

2. *quiera(s) que no* is a variant of *quiera o no (quiera)/quieras o no (quieras):*

—Quieras que no, me voy en seguida.
Whether you like it or not, I'm going right now.

2.35 Since the main function of the conditional and the conditional perfect indicative tenses is to present an action or a state in a subjective light (mainly a speculative one), it is not surprising that the imperfect and pluperfect SVE tenses may be used as variants for these two tenses. (See also 2.23.1 Note and 2.32.2 Note 1.)

2.35.1 In contemporary Spanish, the most widespread of these uses is that of the imperfect SVE of *querer, deber* and *poder,* which are either more common *(querer)* than or as common *(deber* and *poder)* as the conditional indicative. Also frequently used with this function is the imperfect SVE of common verbs of saying and thinking, when accompanied by *se:*

dijérase
creyérase
{ *one would/might say/think;*
you would think;
one/you would have said/thought;
one/you might have said/thought.

(Cf. 1.4.2: *se diría*)

—Quisiera hablar con su hijo.

—Es una maravilla... Esta obra debiera ir a un Museo. (BPG)

—Más que profesionalmente, pudiéramos decir que vengo en visita de cortesía. (M. Mihura)

You might say that I have come on a courtesy visit rather than on a professional one.

Dijérase que todo había concluido por aquel día. (Spaulding, 49)

Creyérase que Mauricio la había olido, porque de improviso alzó la cabeza. (BPG)

Había gran aseo y austeridad en la estancia. Tomárase, a primera vista, por un refectorio conventual. (Harmer, 377)
... At first sight, you would/might have taken it for a monastery refectory.

NOTE

In the following example, *pareciera* is a variant for the speculative use of *parecería* (1.4.2). The meaning is similar to that of the verbs listed above:

> Al igual que Colombia, Venezuela pareciera haber iniciado en los años más recientes lo que otros países han logrado desde antes de 1970: convertir al turismo en una industria. (*Visión, Mex.*, 26-8-77)

2.35.2 With the exception of the verbs just mentioned, the imperfect SVE is no longer common as a variant for the conditional indicative, except as a regional or stylistic preference. It is more common in older literature, where it may *also* be a variant for the conditional perfect indicative.

> —Mejor fuera que consideraras que no tiene ella toda la culpa. (Spaulding, 49)

> —Diera cuanto poseo por lograr de Amalia lo que usted. (Keniston, 51)
> *I would give all I have...*

> Los de Santa Cruz vivían en su casa propia... Ocupaban los dueños el principal. No lo cambiara Barbarita por ninguno de los modernos hoteles. (BPG)
> *The Santa Cruz's lived in their own house... The owners occupied the first floor. Barbarita would not have exchanged it for any of the modern town houses.*

NOTES

1. The following colloquial stereotyped clauses need to be translated as *things would have been different/it would have been a diferent story*, etc.:

   otro gallo me/le (etc.) *cantara/hubiera cantado;*
   otro gallo me (etc.) *cantaría/habría cantado:*

   > —... si yo hubiese sido más dura, otro gallo me cantara. (MD)

2. The use of the imperfect SVE as a variant for the pluperfect or preterite indicative, although common in certain types of subordinate clauses in certain styles of Spanish (see 2.23.1), is unlikely to be met in independent clauses, except in regional usage and in older literature:

   > Una mañana se sorprendiera por el saludo frío de Eusebio. (C. E. Kany, 1951, 173)
   > *One morning he had been surprised by Eusebio's unfriendly greeting.*

   > Su madre, viuda, vivía en Barcelona... en una casa de oscura escalera... En aquella casa naciera él. (T. Salvador)

2.35.3 By contrast, the pluperfect SVE is still in general use as a variant for the conditional perfect indicative tense, particularly in the main clause of '*if*-sequences' or in sentences where *if* is implied.

> —Si me llego a casar en Madrid, la cosa hubiera sido peor. (CJC)
> *If I had actually got married in Madrid, things would have been worse.*

De saberlo, lo seguro era que hubiera obligado a Herminia a responderle que sí. (RPA)

If he had known it, he would probably have made Herminia say yes to him.

Se hubiera dicho que bordaba [*su mortaja*] durante el día y desbordaba en la noche... (GGM)

Lo que hace Jorge lo hubiera hecho cualquier joven de su edad. (C. Gorostiza, *Mex.*)

Cualquier otro hubiese sido igual. (K. Togeby, 112)

Hubiese explotado la información si malo fuera o ambicioso. (Elena Quiroga)

Nada de lo logrado hubiese sido posible dentro del marco del capitalismo clásico. (O. Paz, *Mex.*)

SUPPLEMENTARY EXAMPLES FOR STUDY AND TRANSLATION

Exercise 1. Sections 2.0-2.14

1. ... el señor don Romualdo Cañaveral ha dado orden a su administrador para que distribuya abundantes limosnas entre los más necesitados. (AG)
2. Entre tanto, ella se las arregló para que su madre se fuera. (J. Marsé)
3. Su cuerpo era ostentosamente atractivo, y a que así les pareciera a Flavio, a Amador y aun al señor Parra, contribuía su modo de vestir ... (L. Spota, *Mex.*)
4. Lo cual no es obstáculo para que la ampliación del Mercado Común haya constituido un serio revés para esos tecnócratas y diplomáticos. (*Ibérica*, New York, 15-2-72)
5. "Yo no creo que el Presidente Nixon haya estado mezclado en el asunto del Watergate", ha señalado. Pero no es óbice... para que lo hayan estado sus más íntimos colaboradores... (*Informaciones*, 7-5-73)
6. Esta y no otra es la razón de que hayamos concedido cierta amplitud a la parte descriptiva de las novelas estudiadas... (J. L. Alborg)
7. Pero no es culpa nuestra que la ciencia esté derribando a martillazos, un día y otro, tanto ídolo vano... (BPG)
8. —Es hora de que oigamos algo divertido. (A. Sastre)
9. —Déjalo, mujer; el caso es que ganemos en el Juzgado. (L. Romero)
10. —La cuestión es que no le hagas demasiadas preguntas, ¿comprendes? (JMG)

11. La idea es que los narradores no solamente nos cuenten y nos aclaren las técnicas narrativas que usaron, sino que incidan específicamente en sus problemas... (T. Escajadillo, *Perú*)

12. El presidente Carter confiaba que así se demostrase en las elecciones, pero no estaba muy seguro de ello. (J. Torbado)

13. ... y entonces apretó el puño fortísimamente, con la intensidad propia de los niños que temen siempre se les escape la dicha por la mano abierta. (EPB)

14. Mucho me temo que, a pesar de mi buena voluntad, el malaventurado Pío Cid tenga que sufrir la pena póstuma de no ser comprendido o de que le tomen por engendro fantástico y absurdo. (AG)

15. La idea de que los demás hablasen de él le aterrorizaba. (J. Goytisolo)

16. Centenares de hombres se acercaban... al cadáver. Lo veían como se ve a un tigre recién cazado, todavía caliente, y algunos lo movían con el pie, temerosos de que fuera a levantarse. (F. Benítez, *Mex.*)

17. Paco, el herrero, no aspiraba a que su hijo progresase; se conformaba con que fuera herrero como él... (MD)

18. Pensaba que valdría más que arreglaran las carreteras en vez de gastar dinero en construir casas para aquella riada de individuos que llegaban cada día a Barcelona desde todos los rincones del país. (J. Vidal Cadellans)

19. La Jerónima lloraba... y decía que merecía que la mataran a pedradas, como a una culebra. (R. J. Sender)

20. —Hubiera sido una traición que nuestro hijo naciera estando vosotros fuera. (JMG)

21. Le pareció una exageración que su suegro se hiciera enviar para las elecciones seis soldados armados con fusiles, al mando de un sargento, en un pueblo sin pasiones políticas. (GGM)

22. La hija de Luciano se había escurrido tras las zahúrdas y Mara explicó que le daba vergüenza de que la viéramos así, vestida con las ropas de cada día. (J. Goytisolo)

23. Pero en ese caso sería absurdo, pues ¿cómo puede encontrarse razonable que un pintor mediocre dé consejos a uno bueno? (E. Sábato, *Arg.*)

24. Y es que el arquitecto no conseguía hacerse a la idea de que *el Mujeriego*, con el que corrió aventuras de todos los calibres, vistiera ahora sotana y hubiera hecho voto de castidad. (JMG)

25. *El Camino* salió muy bien en Alemania (25.000 ejemplares del primer golpe), porque tuve la suerte de que lo adoptara un club de libro. (MD)

26. No es azaroso que buena parte de personas y equipos claves de nuestra "Inteligencia", en los más diversos campos, funcionen al margen del mundo académico. (*Triunfo,* 12-4-75)

27. —Y comprendo muy bien que, como es una chica mona, resulte interesante en cualquier reunión, y que los hombres, incluido tú, pues os la comáis con los ojos. (J. Marsé)

28. La gente estaba acostumbrada a que el nuevo gobernante, el día en que se montaba en el poder, o al siguiente, la reuniera en la plaza principal y le ladrase el consabido discurso. (H. A. Murena,. *Arg.*)

29. Una casa organizada es la que está dispuesta para cualquier eventualidad: que se queden a cenar ocho personas que no estaban invitadas; que alguien necesite, de pronto, unos patines... (J. López Rubio)

30. Durante la estancia del presidente argentino en España no se excluye que haga una visita turística a Toledo. (*A B C,* 14-2-73)

31. Recordé muchas veces esa escena inicial, quise descubrir por qué me había enamorado de él tan de repente, y pensé que fuese porque yo tuviera... la sensación infalible de haber encontrado lo que quería... (C. Martínez Moreno, *Urug.*)

32. ... y sentíamos una súbita vergüenza al pensar que alguien llegara, nos viera y preguntara: "¿Qué hacéis aquí?" Porque, ¿qué hubiéramos podido contestar? (Ana María Matute)

33. Su mirada se clavó en la mía, y sentí el odio en aquellos ojos redondos y vibrantes como los de las serpientes. Un momento creí que llamase a sus criados para que me arrojasen del Palacio, pero temió hacerme tal afrenta, y, desdeñosa, siguió hasta la puerta, donde se volvió lentamente. (RVI)

34. Además, al tocarle, al cerciorarme por mis propios sentidos de que era cuerpo humano, desapareció de mi pensamiento la creencia de que fuese una sombra, un ente de razón... (BPG)

35. Supongamos que yo pudiera convertirme en Dios. ¿Qué haría yo? (R. Arlt, *Arg.*)

36. No tenía por qué calentarme la cabeza pensando en un individuo que era lo que era a pesar de los innegables esfuerzos que había hecho José Antonio para evitarlo. Incluso admitiendo que no los hubiera hecho. ¿A él qué le iba? [=*importaba*] (J. Vidal Cadellans)

37. Por fortuna mía, la amistad que, andando el tiempo, llegó a unirme con Pío Cid fue tan íntima, tan desinteresada y tan fraternal que, aun supuesto que yo no me hubiera arrepentido de mi deseo de ser escritor a la moderna, nunca hubiera tenido la avilantez de emplear en esta

historia de mi desgraciado amigo los procedimientos literarios que las escuelas en boga preconizaban. (AG)

38. Fingíme muy malo, y creo que lo estaba, dado que de susto también se enferma un hombre. (Harmer, 235)

39. En todo caso parece que ignoran cómo lo hacen y que no tuvieran la menor idea de la finalidad que persiguen al hacerlo. (B. Subercaseaux, *Chile*)

40. Comieron un rato en silencio mojando el pan en el quemado aceitillo que parecía que tuviera briznas de tabaco. (JLCP)

41. —No me conoces, no creo que llegues a conocerme nunca. (J. Marsé)

42. Con Méjico, como con Moscú, existe el contencioso [*dispute*] del oro, pero nadie cree a estas horas que fuera un obstáculo insuperable. (*Ya*. 6-4-73)

43. A Carmela le costaba trabajo creer que estuviera muerto; no podía hacerse a la idea. (A. López Salinas)

44. Una sola llamada en cuatro meses. ¿Te parece bien? No sé si un padre deba portarse así. (G. Sainz, *Mex.*)

45. No: el doctor Anselmo no era literato, ni sabemos que de su pluma saliera nunca otra cosa que unos cuentos mal pergeñados... (BPG)

46. No tengo noticias de que la idea vaya a ser hecha realidad en un futuro inmediato. (A. Palomino)

47. Y no es que ponga en tela de juicio la capacidad y la buena fe de los extranjeros. Pero es natural que no tengan ningún interés. (C. Gorostiza, *Mex.*)

48. En un tiempo se supo que escribía cartas al Obispo, a quien consideraba como su primo hermano, pero nunca se dijo que hubiera recibido respuesta. (GGM)

49. No es que se trate de que seamos tributarios ni colonialistas, se trata, simplemente, de que inclusive la novela tradicional, los novelistas tradicionales, no fueron originales, tomaron la novela tradicional de Europa. (W. Orrillo, *Perú*)

50. Hoy por hoy, nadie puede admitir que en tiempos de Stalin se viviera en la Unión Soviética en un mejor nivel que en los actuales tiempos de Khruschev. (MB)

Exercise 2. Sections 2.15-2.24

1. Mientras don Trinidad y tres o cuatro clientes dejaron al poeta en el retrete, a que se repusiese un poco, su nieto se entretuvo en comer... (CJC)

2. —Mire, señor Montes, tengo demasiada fe en él, llevamos queriéndonos demasiado tiempo para que yo vaya a juzgarle ahora por lo que usted me dice. (J. Calvo Sotelo)
3. En esos mismos barrios que proliferan como setas, basta con que nazca un mocito de cintura delgada que quiera ser torero para que todo el mundo se olvide de su propio esqueleto. (JMG)
4. Faltó poco para que a mi buen Thiers se le saltaran las lágrimas oyendo el bien contado relato. (BPG)
5. ... estuvo en un tris que a él no lo fusilaran los moros por culpa de Aniceto... (A. Palomino)
6. Una vez regresó con seis policías armados de fusiles a quienes encomendó el mantenimiento del orden, sin que nadie se acordara del compromiso original de no tener gente armada en el pueblo. (GGM)
7. Pero cuando la cabeza del rey francés rodó en la guillotina, la curiosidad que había despertado la revolución se enfrió bastante, sin que fuese óbice para que una minoría continuase prestando atención a las enseñanzas de la revolución de 1789. (F. Morales Padrón)
8. ... es preciso tener tolerancia con los artistas... Estos señores, como vean delante de sí una estatua, una armadura mohosa, un cuadro podrido, o una pared vieja, se olvidan de todo. (BPG)
9. ... y pronosticaba para sí, que Tigre Juan concluiría casándose, acaso a destiempo, y malamente, pero jamás con ella, como no sobreviniese un milagro. (RPA)
10. A los dormitorios de Bernarda no volvería más, como no fuera a pagarle las siete noches debidas y decirle cuatro verdades. (BPG)
11. —Si te casas con el guardia, te vas a apartar de nosotros y, además, a no ser que él tenga suerte y no lo vuelvan a enviar al frente, vas a estar siempre desasosegada y triste pensando en lo que le pueda pasar. (I. Aldecoa)
12. Los cuatro secuestradores habían amenazado con dinamitar el avión en el caso de que el Gobierno venezolano no accediera a la liberación de los setenta y nueve presos políticos y su posterior salida hacia Cuba. (*Ya*, 20-5-73)
13. Cabe, asimismo, la posibilidad de usar el subjuntivo después de *cuanto* en la oración subordinada, siempre que en la oración principal aparezca el futuro imperfecto de indicativo...: *Cuanto más trabaje, más ganará.* (E. Prado)
14. Y, en arte, la materia es algo realmente imprescindible, pero estéticamente secundario. Y toda preocupación por ella es poca, a cambio, sólo, de que no se note. (M. García-Viñó)

15. Hay no pocos que gozan en el misterio y sufrirían con que se hiciera luz en este punto. (MU)

16. Levantóse el venerable varón y se despidió de todos, mostrándose con Pepe tan lisonjero, tan amable, cual si la amistad más íntima les uniera. (BPG)

17. ... el oficial... y todos los soldados del pelotón, uno por uno, serán asesinados sin remedio, tarde o temprano, así se escondan en el fin del mundo. (GGM)

18. —Aun cuando pudiera parecer lo contrario, Monseñor no ha perdido el conocimiento un solo instante. (RVI)

19. En adelante, el inversionista extranjero que decida instalarse en Chile deberá remitirse a la ley común, en todos sus aspectos. (*Visión*, *Mex.*, 6-5-77)

20. Al día siguiente mandé publicar un anuncio en el que ofrecía trescientas pesetas al que me devolviera el automóvil robado o me diese noticias que me permitiesen recuperarlo... (W. Fernández Flórez)

21. Organizar un ejército que sirva a la vez para una guerra a la moderna y para una guerra a la española, parece obra de romanos. (AG)

22. Sería capaz de matar por ella cien hombres, todo un ejército que se le pusiera delante. (E. Caballero Calderón, *Colom.*)

23. Todo movimiento social que tienda a igualar los derechos de los hombres es una justicia tan palmaria que su evidencia sólo escapa a la comprensión de algunos extremistas de izquierdas... (Mercedes Ballesteros)

24. Quien haya leído sus artículos y lea ahora los míos, creerá seguramente que somos dos ideólogos sin pizca de sentido práctico... (AG)

25. Los españoles tienen derecho al respeto de su honor personal y familiar. Quien lo ultraje, cualquiera que fuese su condición, incurrirá en responsabilidad. *(Fuero de los Españoles)*

26. Lo que haga España es asunto de España. Los demás no tienen por qué inmiscuirse. (*A B C sem.*, 29-1-76)

27. Todo lo que hagas será útil: Todo lo que haces será útil.

28. Acaso no se estime esto como buena cualidad, y hasta habrá quien lo considere como un defecto; pero yo... (GTB)

29. Si se quiere hacer la prueba, que se nos ponga en un sitio donde haya que desarrollar plenamente nuestras facultades; en un lugar apartado de la influencia de nuestra civilización; en el centro de Asia o de Africa, donde no tuvieran valor ciertos prestigios convencionales que entre nosotros lo tienen. (AG)

30. Una serie de descargas sucedieron a este anuncio; luego se oyeron voces débiles como de quien al ahogarse pidiera socorro... (Silvina Bullrich, *Arg.*)

31. Es que me siento observada, vigilada como un ser extraño que hubiera caído de pronto entre los habitantes de otro planeta. (C. Gorostiza, *Mex.*)

32. Concibió Gironella su empresa como una trilogía que abarcase la época de anteguerra, la de guerra en los dos bandos y la de posguerra... (G. Sobejano)

33. —El que va delante, va solo, siempre —dijo él, y luego, ya tuteándola—: Pinta lo que quieras, como quieras, les guste o no a los demás. (L. Spota, *Mex.*)

34. —Para conversar con él lo mejor será que aguarde [*usted*] a que termine la temporada. (M. Gómez-Santos)

35. Una licencia de taxis se valoraba en más de cuatrocientas mil pesetas, a veces en más de medio millón, según que fuera traspasable una, dos o tres veces. (A. M. de Lera)

36. —Todo el mundo tiene sentimientos.
—Según se mire. He conocido mucha gente sin sentimientos. (K. Togeby, 32)

37. Ya lo único que le quedaba para cuidar era la vida, y ésta la conservaría a como diera lugar. No podía dejar que lo mataran. (J. Rulfo, *Mex.*)

38. Como quiera que sea, lo cierto es que Quiroga se embarcó en los preparativos del crimen perfecto. (E. Anderson Imbert, *Arg.*)

39. Cualquier lector, por distraído que fuere, se percata sin exégesis alguna de que la novela presenta el proceso político de una dictadura demagógica, su establecimiento y su caída... (F. Ayala)

40. Estos dos mismos personajes... van a salir elegidos diputados, por pocos escaños que consiga el PC [=*Partido Comunista*] en las elecciones. (*Triunfo*, 23-4-77)

41. —¿Nos sentamos en ésta? —pregunta el Viejo.
—Mejor aquél. Tiene más sombra.
Por más que nadie intenta arrebatárselo, Gustavo se cree obligado a correr para asegurarse el usufructo del banco. El padre llega después sin apuro... (MB)

42. Todos aquellos jóvenes le decían que era una lástima que viviese como oscuro empleado, pudiendo ser un profesor de fama a poco que se lo propusiera. (AG)

43. —... que es una cosa que no podré perdonarte, cariño, por mil años que viva... (MD)

44. Cuanto más intensa y pura sea la voluntad de vivir, más extraordinaria será la sensibilidad... (R. Arlt, *Arg.*)

45. Hay mucha gente —sobre todo mujeres— que se creen que mientras más duerman más van a vivir... (Mercedes Ballesteros)

46. Había allí dos butacas forradas de cuero, restos de un tresillo que la viuda adquiriera con los donativos de los compañeros del héroe. (L. Martín-Santos)

47. Sin responder palabra, se puso la guerrera, se ciñó el sable y el revólver, que dejase colgado en la barandilla de la escalera... (FGP)

48. Todos los familiares de Graiver —quien muriera en un accidente de aviación, en México, el 6 de agosto— fueron detenidos. (*Cambio 16*, 16-5-77)

49. ... sabía que todo, incluido él mismo, no era definitivo y perdurable como confiadamente creyera hasta entonces...

50. ... mi Abel Sánchez: una historia de pasión, el más doloroso experimento que haya yo llevado a cabo al hundir mi bisturí en el más terrible tumor comunal de nuestra casta española. (MU)

51. Incluso el estadio en que estamos fue ocupado por los refugiados después que el Vietcong quemara las casas que lo rodeaban. (*Ya*, 18-8-71)

52. Desde que Santos... marchara a Alemania, se habían reverdecido las esperanzas. (A. M. de Lera)

53. No queda tiempo para sentir ni pensar nada que no sea el conseguir dinero. La vida así es la mayor corruptela que pueda pensarse. (FGP)

54. Desde que nos casamos, no había mes, por pobre que estuviera, que no le hiciera [*yo*] algún regalo. (J. Goytisolo)

55. Su barraca, deshabitada, sin una mano misericordiosa que echase un remiendo a la techumbre ni un puñado de barro a las grietas de las paredes, se iba hundiendo lentamente. (VBI)

56. Jamás un gitano que se precie de tal robará en una iglesia o cementerio, por mucha que sea su necesidad. (J. D. Ramírez Heredia)

57. Ella era una mujer muy reservada, pero apenas tenía otro mundo ni intereses que no fuesen los de esta casa... (FGP)

58. —¿Has visto usted una mujer, una sola, empezando por Eva, que haga bien las cosas? (E. Buenaventura, *Colom.*)

59. —Y bien —preguntó de pronto—, ¿cómo va tu matrimonio?
—¿Qué puedo decirte que no te haya dicho por carta? (L. Spota, *Mex.*)

60. —... porque... no va a ser tan tonto que se ponga junto a la escalera para que lo empujes tú. (J. Torbado)

Exercise 3. Sections 2.25-2.35

1. —Supongo que no se ofenderá porque yo, como buena amiga, le hable de cierto modo. (AG)
2. Ya pasaron los tiempos en que los padres se sentían deshonrados porque una hija les saliese actriz, o porque un hijo tocase la guitarra en una sala de baile. (A. Palomino)
3. Por eso muchas gentes darían cualquier cosa porque se sospechara de él. (R. Usigli, *Mex.*)
4. ... y no tenía, por ello, que preocuparse en cazar clientes, antes al contrario, me permitía hacerme el sordo a algunas llamadas, bien porque no me agradase el tipo o bien porque... no quisiera perder mi tiempo libre. (A. M. de Lera)
5. El párroco oteó las proximidades y, como no viera a nadie en derredor, sonrió al niño. (MD)
6. Al final de una escena satisfactoria, dejó el libro y comenzó a dar brincos. No acertando a desahogar el exceso de emoción, como viese por ventura un piano en la estancia, lo abrió y estuvo algunos momentos descargando manotazos sobre las teclas y rugiendo una canción improvisada... (RPA)
7. Comoquiera que El Salvador venciera a Honduras [*en un partido de fútbol*], se desataron las pasiones. (*Visión, Mex.*, 20-12-69)
8. Comoquiera que hace tanto tiempo no se habla de política en el país, es difícil saber qué piensa el ciudadano común... (*Visión, Mex.*, 29-7-77)
9. —Ya que lo digas, manténlo con firmeza. (Moliner)
10. Lo menos que puede exigirse a un español, ya que hable en público, es que sepa perfectamente el idioma en que se dirige a las gentes... (*La Estafeta Literaria*, 15-8-70)
11. Lo curioso es que este argumento se esgrime desde dos posiciones ideológicas opuestas. (A. Amorós)
12. Lo curioso era que a Laureano y a Susana les parecía normal todo ese tejemaneje. (JMG)
13. Pero esto no importaba nada ahora. Lo importante era que la virilidad de Daniel estaba en entredicho... (MD)
14. Todos hemos cambiado, todos estamos cambiando. Lo terrible sería que los rencores que nos separan estuvieran todavía basadas en los hombres que fuimos y no en los que somos. (MB)
15. Lo frecuente es que en el país que recibe una corriente inmigratoria (en este caso la ciudad de los rascacielos) las instituciones se preocupen de dar facilidades a los inmigrantes. (*A B C sem.*, 4-3-71)

16. Lo que le atrae hacia Jaime es el hecho de que sea revolucionario y haya estado en la cárcel. (J. Goytisolo)

17. El que este crimen no tenga las características de los otros ha venido a complicar las cosas. (FGP)

18. No era un secreto para la cuadrilla el que Joaquín hablaba con los animales. (A. López Salinas)

19. Entonces los que encontraban irreverente el que Mosén Enrique tuviera un cartel de Fiesta Mayor en la sacristía... se callaban... (J. Vidal Cadellans)

20. Que sea comunista no quiere decir que deje de ser peruano. (MVL)

21. Que el momento es importante lo demuestra el hecho de que Ronald Ziegler... haya convocado de urgencia... a los reporteros... (*A B C*, 14-1-73)

22. —Si escribiera a tu tío... es posible que se excusara y nos negara su ayuda... Otra cosa es que nos presentemos y llamemos a su puerta. (A. M. de Lera)

23. Que algo de eso suceda en Mallorca, es signo de estos tiempos, consecuencia del desarrollo... Lo que no comprendo es que tales males se achaquen al Turismo. (A. Palomino)

24. Que el financiero, el político, el hombre de acción que ha de enfrentarse con las inclemencias de la vida pública tenga los nervios un poco fuera de quicio, se explica; pero ya resulta más peregrino el hecho de que parecida zozobra agite y convulsione a una simple ama de casa en el ámbito de sus cuatro paredes... (Mercedes Ballesteros)

25. Es natural que España haya tenido un régimen de autoridad...; lo que es menos explicable es que se prolongue la táctica que inspiró aquel estado de necesidad. (J. M. de Areilza)

26. Lo malo no es que ella lo haya dicho, ni que yo lo haya creído, sino que yo... ya lo sabía. (Luisa J. Hernández, *Mex.*)

27. —No es lo malo que hayáis robado. Lo insoportable es que me habéis puesto en evidencia. (R. Rodríguez Buded)

28. [*En Italia*] Los nombres de García Márquez, Vargas Llosa, Carpentier, y no digamos de nuestro Borges, gozan de una popularidad que muchos escritores italianos querrían para sí. (Renata Donghi Halperin, *Arg.*)

29. Ponga el lector cuantas excepciones quiera, y luego mire en torno a sí. (P. Laín Entralgo)

30. Consúltese cualquier tratado moderno de sociología y se confirmará esta afirmación. (J. Ricci, *Urug.*)

31. No se entienda por esto que doña Inés gustase de conversaciones libres y escabrosas. (JV)

32. Esa desorbitación de los precios de los medicamentos... se da también en grado muy alto en nuestra zona económica. Valgan como ejemplo dos casos muy sonados y que Levinson cita también en su libro. El primero... (*Triunfo*, 10-5-75)

33. Y para acabar este capítulo, permitáseme traer aquí el testimonio de un buen conocedor de los gitanos. (J. D. Ramírez Heredia)

34. En ocasiones hemos dicho... que la política realizada por el Gobierno Suárez ha sido hábil. Vaya por delante que esto no significa una actitud laudatoria, puesto que insistentemente hemos denunciado los graves errores en política económica... (*Cambio 16*, 13-2-77)

35. ... 18.000 pesetas, cantidad que, dicho sea con la debida modestia, nunca pensé ganar con el lapicero. (MD)

36. Los efectos [*de la inflación*] son siempre los mismos: depreciación de la moneda, o sea disminución de su poder adquisitivo, y alza de las mercaderías en general. (*Academia Argentina de Letras*, I, 37)

37. —Si Herminia te burlase, ¡no lo permita Dios!, no será ella sola, sino en compañía de un burlador. (RPA)

38. Don José, el cura, se santiguó y alzó los ojos al techo del confesionario, resignado.
—Alabado sea el Señor. (MD)

39. Mosén Millán hizo las unciones en los ojos, en la nariz, en los pies. El enfermo [*dying man*] no se daba cuenta. Cuando terminó el sacerdote, dijo a la mujer: —Dios lo acoja en su seno. (R. J. Sender)

40. ¡Benditas sean las flores..., que dan alegría a las casas, y bendito sea Dios, que si no nos permite disfrutar del campo, nos consiente, por poco dinero, que traigamos el campo a casa! (BPG)

41. —Protesto. Nuestros amores son inmaculados. Séanme testigos los cielos. Nos amamos, sí, señora... (RPA)

42. —Usted verá cómo renacen entonces la calma y la serenidad antigua en mi corazón.
—Así sea —dijo el padre Vicario. (JV)

43. —Muy bien, voy a apuntarlo, no sea que me olvide. (MU)

44. ... observé con atención el descabezado cadáver del ex Protector, no fuera que aún estuviese vivo, tantas sorpresas nos había dado... (H. A. Murena, *Arg.*)

45. Impaciente, a veces sentía él tentaciones de llamar a los teléfonos convenidos, pero siempre acababa por abandonar la idea, no fuese con ello a despertar sospechas sobre sus subordinados. (FGP)

46. De ahí que no fuera casualidad que anduviera repartiendo estampitas con dibujos del infierno. (JMG)

47. Además, como tengo la ventaja de que no engordo, coma lo que coma, pues me pongo verde de comer dulces. (M. Mihura)

48. Siempre dijo que, hiciera lo que hiciera, nunca podría matarla. La amaba demasiado. (L. Spota, *Mex.*)

49. El camarero se agarraba a la columna del restaurante, sacudido por las carcajadas. El cliente, muy colorado, le decía: "Bueno, pronúnciese como se pronuncie, eso es lo que quiero." (FDP)

50. Pero sea cual fuere la posición y categoría de mi obra dentro de la novela hispanoamericana contemporánea, mis libros han aparecido en y alrededor de la década del sesenta... (J. Donoso, *Chile*)

51. Soy español nada más, y no me asusto de que abramos las puertas de par en par a todas las ideas, vengan de donde vinieren. Lo que no me parece bien es que perdamos nuestra personalidad y seamos imitadores serviles. (AG)

52. El fondo humano del escritor parece indimisible: ya escoja casos anómalos, ya se resigne a notar ejemplos triviales, Cela está ocupándose siempre de hombres, y no de creencias, conceptos, problemas, paisajes u objetos. (G. Sobejano)

53. En Granada, así como hay muchas personas que no quieren decir absolutamente nada, sea por miedo o por culpabilidad, hay otras —también muchas— que aseguran versiones dispares y circunstancias inventadas, sea por credulidad ingenua o por afán de notoriedad. (J. L. Vila-San-Juan)

54. Fuera que los ojos del clérigo se acostumbraran a la oscuridad, fuera que entrase en el cuarto más luz, ello es que Nicolás empezó a distinguir a su hermana política sentada sobre el baúl... (BPG)

55. El abuelo, fuese porque su sueño había llegado al fin, o porque oyó el chorro del vino, que es lo más seguro, despertó. (FGP)

56. Nadie de la aldea ha osado
a la laguna acercarse,
y el sondarla inútil fuera,
que es la laguna insondable. (AM)

57. Sonrió el ingeniero... y de buena gana excitara al joven a seguir por aquella senda de infantil vanidad, pero creyendo más prudente no intimar mucho con el sobrino ni con el tío, contestó sencillamente... (BPG)

58. Le amaba con delirio; ponía el bienestar de su hijo sobre todas las cosas humanas; creíale el más perfecto tipo de la belleza y del talento

creados por Dios, y diera por verle feliz y poderoso todos los días de su vida y aun parte de la eterna gloria. (BPG)

59. Si no hubiera vuelto ya de hombre a Lúzaro, no hubiera tenido una idea clara de cómo es. Los recuerdos de la infancia me daban datos falsos... (PB)

60. Hace años hubiese estado seguro de que no valía la pena intentarlo, pero los procedimientos han cambiado, por lo visto. (M. Lacruz)

3

«SE» AND RELATED USAGE

3.0 The complexity of usage involving the pronouns *me, te, se, nos,* and *os* (collectively referred to as *se* in this chapter) used reflexively and in other functions other than as 'straightforward' object pronouns is a constant source of problems for students, teachers, grammarians and linguists. In spite of the vast amount of published work dealing with *se,* teachers still have great difficulty in presenting these aspects of Spanish in a convincing way, and many advanced English-speaking students of the language will freely admit that their 'grasp' of *se* usage is not as strong as they would wish. The main difficulty stems from the fact that usage of *se* may depend not only on syntactical considerations, which can be described in a reasonably concise way, but also on the idiosyncratic lexical and semantic properties of individual verbs. Consequently, for an adequate comprehension of *all* aspects of *se* usage, students need to have or to acquire a very extensive lexical knowledge, close to that of an educated native speaker of Spanish.

The extent of the problem may be better appreciated if we pause for a moment to consider how difficult it is for a Spanish-speaking student of *English* to acquire a sound knowledge of a particularly difficult set of features of our own language. Ideal for this demonstration are the many combinations of *verb plus preposition or adverb,* e. g.

> *to go down, to go in, to go into, to go on, to go through, to go up; to pull down, to pull in, to pull into, to pull through, to pull up.*

Most of these combinations, like simple transitive verbs, may be followed by a noun (object) or may be accompanied by an object pronoun, e. g. *They went up the hill; They went up it.* In many cases, they may also be used in an intransitive way, e. g. *They went up; He went on; She pulled through.* The comprehension problem is further complicated by the fact that such usage may be literal or figurative, e. g. *I went into the city; I went into the matter.* A more convincing demonstration of the types of problems facing the Spanish-speaking student of English may be achieved by examining the following sentences.

He took the money.
He took up her breakfast/He took her breakfast up.
He took up the collection.
He took up stamp collecting.
He took the matter up at the meeting.
He took up the hem of the dress.
He took it up.

She turned.
She turned down the street.
She turned down the bed.
She turned down the offer/She turned the offer down.
She turned it down.

Readers of this book will not find any difficulty in understanding any of these sentences or in appreciating that some of them have more than one meaning according to the context. But how are foreign students of English to know the meaning of all of these combinations and the others that they will meet? How are they to know which nouns are acceptable with which combinations of verb and preposition, etc.?

If we limit the problems to those connected with comprehension and translation from English (as opposed to those raised by their need to use some of them *actively* in speech and writing), it becomes evident that students will only acquire confidence and accuracy by getting to know or to interpret correctly the lexical and syntactical combinations possible with each verb. In addition to this, and particularly for those sentences which contain an object pronoun, they must do what we as native speakers do, that is, extract the relevant information from the *context*. For these tasks, students may expect some help from their language textbooks but they will also have to rely on their acquired knowledge, their linguistic ability and on dictionaries and other reference works.

In many ways, for English-speaking students of Spanish, the problems associated with *se* usage are of a similar nature, since *se* may be used in one or more functions with all transitive verbs and also with many intransitive verbs. Therefore, all that this chapter can do is to remind students of certain facts about the syntactical patterns in which *se* may be used and offer some examples which may make clearer the extent of the lexical and semantic problems facing them.

3.1 Correct interpretation of *se* usage depends partly, as with the English problem illustrated above, on knowing or interpreting the lexical properties of particular verbs in particular contexts, and also partly on knowing or interpreting — however rapidly this process takes place — the answer to one *or* two basic questions:

1. Is *se* a lexical or a syntactical feature of the clause/sentence?
2. If it is a syntactical feature, what GRAMMATICAL SUBJECT, if any, does the verb have?

Let us consider the following sample sentences, which show most of the major uses of *se* (and of reflexive pronouns in general):

1.	Se atrevió a hacerlo.	He dared to do it.
2.	Se decidió a hacerlo.	He made up his mind to do it.
3.	Juan se casó en febrero.	John got married in February.
4.	Juan se paró.	John stopped.
5.	El coche se paró.	The car stopped.
6.	Juan se lo paró.	John stopped it [*for himself*].
7.	Se le paró.	He was stopped.
8.	Se le paró el coche.	His car stopped.
9.	Esas cosas no se dicen.	Such things are not said./One does not say such things.
10.	Se dijo que no era verdad.	It was said that it was not true.
11.	Juan se dijo que no era verdad.	John told himself that it was not true.
12.	Juan se lo dijo.	John told himself it.
13.	Juan se lo dijo a María.	John told Mary.
14.	Se le dijeron unas cuantas verdades.	He was told a few home truths.
15.	Se dijeron unas cuantas verdades (el uno al otro).	They told each other a few home truths.
16.	Juan se va.	John is going (away).
17.	El agua se va.	The water is running away/out.
18.	Se nos va el agua.	The water is running away./We are losing the water.
19.	Por aquella carretera se va a Madrid.	That road leads to Madrid.
20.	Aquí se vive muy bien.	People live very well here.

To answer our first 'interpretation' question (Is *se* a lexical or a syntactical feature of the sentence?) with reference to the above examples, it is necessary to decide whether the verb has other uses: *a*) without *se; b*) with *se*, but with other meanings or functions. In examples 1 and 2, the verb quite clearly cannot be used without *se* (or *me, te*, etc.), since **atrever* and **decidir a* are not acceptable in Spanish; nor can these two verbs be used in any *se* pattern other than the one illustrated (e. g. **se lo atrevió, *se atreven las cosas* and **se le decidió a* are unacceptable). (For *decidirse a* and *decidir(se)*, see 3.3.) Consequently, we can say that in the case of *atreverse* and *decidirse a, se* is an *obligatory lexical feature* with no syntactical functions. (Although a detailed presentation of such obligatory lexical uses of *se* is beyond the scope of this work, some general observations will be offered on lexical uses of *se* in 3.2 and 3.3.)

In examples 3-20, on the other hand, the verb may be used either without *se* or in different *se* patterns (and with different meanings), for instance the various uses of *pararse* in examples 4-8. These uses are basically syntactical —although the *range* of uses with particular verbs will necessarily be limited by their lexical or semantic properties— and will be described in this chapter.

With reference to examples 3.20, we may now put our second 'interpretation' questión: What sort of *grammatical subject,* if any, does the verb have? If we ignore for the moment any potential ambiguities created by the lack of a context for these sample sentences and assume that, in accordance with a basic general rule of Spanish, in some of the sentences where a subject is not expressed it may be implied from the verb ending and the *context* (imaginary in these cases) —just as *Lo hizo* may imply either an animate subject like *Juan, él, ella,* or *usted,* or a non-animate subject like *el viento,* according to the contextual clues— we can accept that in the examples above the function of *se* is that which corresponds with the English translation offered (i. e. ignoring possible alternative translations). In this way, we may either identify or assume *animate grammatical subjects* for sentences 3, 4, 6, 11, 12, 13, 15, 16. Of the remaining sentences, the following may be said to have *non-animate grammatical subjects:* 5, 8, 17 and 18. Because of the plural agreement of the verbs in sentences 9 and 14, we may also count these as having *non-animate grammatical subjects,* even though, logically, *esas cosas* (in 9) and *unas cuantas verdades* (in 14) seem to be the direct object of the verb. Once this classification is accepted, we may also consider, at least tentatively, that the *que* clause in sentence 10 is the non-animate grammatical subject of *se dijo.* Indeed, as we shall see, this use of a *non-animate logical object* as a *grammatical subject* (or substitute subject) is one of the basic syntactical peculiarities of Spanish *se* usage.

This still leaves us with sentences 7, 19 and 20, which show *no grammatical subject* at all (although, again logically, some animate agent or subject is implicitly but vaguely associated with the actions named in these sentences).

A summary of our answers to the questions relating to the nature of the grammatical subject of sentences 3-20 is, then, as follows:

— sentences with *animate grammatical subject:*

3, 4, 6, 11, 12, 13, 15, and 16;

— sentences with *non-animate grammatical subject:*

5, 8, 9, 10, 14, 17, and 18;

— sentences with *no grammatical subject:*

7, 19 and 20.

This distinction between the three types of grammatical subject is of primary importance in the interpretation of syntactical *se* patterns and as we examine the different *forms* in which *se* patterns occur (i.e. *se*+verb; *se*+*le(s)* verb; *se*+verb+direct object; *se*+*lo(s)/la(s)*+verb), it will provide three essential sub-categories under which to study the use of *se* with different sorts of verbs.

NOTES

1. Although the title and most of the references in this chapter are to *se*, it must be repeated that, where relevant or of interest, the description applies to other pronouns used reflexively (i. e. *me, te, nos, os*) to refer to the subject of the verb, as well as to the direct and indirect object pronouns (*me, te, lo(s), la(s), nos, os, le* and *les*). The concentration on the *se* form is due partly to the fact that *se* has more functions than these other pronouns and partly to the fact that when *se* occurs with a third person verb form, there may be far greater potential ambiguity in interpretation than with *me, te,* etc. The potential ambiguity of examples 6, 7, 10, 12 and 19 above was artificially resolved, for the purposes of the demonstration, by ignoring any possible meaning other than those offered in the English translations. For further discussion of ambiguities, see 3.17.

2. In addition to the major patterns of *se* usage, coverage will include some less generally used (or accepted) patterns which may be met in certain styles of Spanish.

3. As elsewhere in this book, the amount of space and the number of examples given for a particular pattern do not *necessarily* reflect the frequency of that pattern, its importance, or even its general acceptability to educated speakers of Spanish. Often, in keeping with the aim of this textbook, usage which is less familiar or more difficult for students, whether common or not, is presented in more detail than the basic or 'easy' patterns.

4. It should be pointed out that the concept of a *non-animate grammatical subject* is used in this chapter in a way which many grammarians and linguists would not accept.

LEXICAL USES OF «SE»

3.2 Lexical uses of *se* are those where the use of such pronouns is obligatory with a particular verb. Two kinds of lexical use may be distinguished: those verbs which can *only* be used with an accompanying *se* (3.2.1 and 3.2.2) and those verbs which are used for special meanings in fixed combination with *se* and a preposition (3.3).

In both types of lexical use, the majority of verbs found are used mainly or exclusively with an animate subject. Although such verbs must, like most purely lexical information, be learned individually, sample lists are included for each type.

3.2.1

ausentarse	:	*to absent oneself*
dignarse	:	*to deign*
portarse	:	*to behave*
propasarse	:	*to go too far*
rebelarse	:	*to rebel*
refugiarse	:	*to take/seek refuge*
suicidarse	:	*to commit suicide*

NOTE

With some verbs, e. g. *avecinarse, escabullirse,* and *no inmutarse, se* may be considered virtually a lexical use in view of the infrequency of the forms without *se.*

3.2.2 Some verbs also take a following preposition:

atreverse a	:	*to dare to*
desvivirse por	:	*to crave; to do one's utmost to/for*
obstinarse en	:	*to persist in*
quejarse de	:	*to complain*
ufanarse de/con	:	*to pride oneself on*
vanagloriarse de	:	*to boast of*

3.3 Many transitive verbs which may be used alone or in the syntactical *se* patterns described later in this chapter may also be used in fixed lexical combinations of *se* + verb + preposition. Such fixed combinations, in which the basic meaning of the verb is often modified, do not occur in other *se* patterns. For example, the verb *negar* may be used in the following ways, without or with *se:*

Negó la acusación.	*He denied the charge.*
Se negó todo.	*Everything was denied.* *He denied himself everything.*
Se nos niega todo.	*We are denied everything.*

On the other hand, the lexical item *negarse a* can *only* be used in a single pattern, which conveys the meaning *to refuse to:*

Se niega a hacerlo.

It should be noted, however, that there are other transitive verbs which, when followed by a preposition, may be used in syntactical *se* patterns, e. g. *ponerse a, encargarse de, limitarse a:*

Le puse a hacerlo.	*I set him to do it.*
Me puse a hacerlo.	*I began to do it.*
Se le puso a trabajar.	*He was put to work.*

The following examples should make clearer the difference between the lexical and syntactical uses of *se* with similar verbs:

syntactical *cruzar(se)* vs. lexical *cruzarse con:*

	Cruzó la calle.	*He crossed the street.*
	Se cruzaron dos razas de perros.	*Two breeds of dogs were crossed.*
BUT:	Se cruzó con Juan.	*He passed John in the street.*

syntactical *ofrecer(se)* vs. lexical *ofrecerse a:*

	Ofrece mil pesetas.	*He is offering a thousand pesetas.*
	Se ofrecen unos premios.	*Some prizes are being offered.* / *They are offering each other some prizes.*
	Se le ofreció un premio.	*He was offered a prize.*
BUT:	Se ofreció a ayudarme.	*He offered/volunteered to help me.*

Other common lexical combinations are listed below in the left-hand column; in the right-hand column, for comparison, are listed the 'simple' forms of these verbs, which may be used alone or in syntactical *se* patterns:

acordarse de	*to remember*	*acordar*	*to agree on*
burlarse de	*to mock*	*burlar*	*to deceive*
decidirse a	*to make up one's mind to*	*decidir*	*to decide to*
despedirse de	*to say goodbye to*	*despedir*	*to dismiss*
empeñarse en	*to insist on*	*empeñar*	*to pledge/pawn*
enamorarse de	*to fall in love with*	*enamorar*	*to make someone fall in love*
fijarse en	*to notice*	*fijar*	*to fix*
guardarse de	*to be careful not to*	*guardar*	*to guard; to put away*
interesarse en/por	*to be interested in*	*interesar*	*to interest*
ocuparse de	*to busy oneself with*	*ocupar*	*to occupy*
oponerse a	*to oppose*	*oponer*	*to oppose*
preocuparse por	*to worry about; to be worried*	*preocupar*	*to worry*
referirse a	*to refer to*	*referir*	*to tell/relate*
resolverse a	*to make up one's mind to*	*resolver*	*to solve; to decide (to)*
tratarse de	*to be a question of; to be* (see 4.2 Note 3)	*tratar de* / *tratar (de) algo*	*to try to;* / *to deal with*
valerse de	*to make full use of*	*valer*	*to be worth*

NOTES

1. Note also *parecerse a (to resemble)* but *parecer (to seem)*.

2. The 'simple' member of some 'pairs' is so uncommon as to make the *se*+verb combination virtually a lexical one like those listed in 3.2.1, e. g. *apiadarse de (to take pity on), apoderarse de (to take possession of), atenerse a (to adhere to, to take into account), ensañarse con/en (to vent one's anger on), fiarse de (to trust), jactarse de (to boast of)*.

3. With a few verbs, usage fluctuates in the use of both *se* and the preposition, e. g. *casarse con* and *casar con* vs. *casar a; aprovechar(se) de* vs. *aprovechar (de); reírse (de)* vs. *reír de; olvidar(se) de* vs. *olvidar*.

> Y él, a los pocos días, casó en Londres, con Elizabeth, una chica inglesa. (FGP)

SYNTACTICAL USES OF «SE»

3.4 Having excluded from further consideration those cases where the use of *se* is of purely lexical significance, we may examine the following syntactical *se* patterns:

— *se*+verb
— *se*+*le(s)*+verb (and *se*+*me/te/nos/os*+verb)
— *se*+direct object+verb
— *se*+*lo(s)/la(s)*+verb

Before assigning our examples to these patterns, however, we must assume that the 'interpretation' question regarding the nature of the GRAMMATICAL SUBJECT has provided one of the following answers:

animate subject
non-animate subject
no subject

These will be our three main categories under each of the patterns listed above. Under each of these categories a distinction will also be made between the following types or uses of verbs: transitive verbs, descriptive or transitive verbs accompanied by a complement, and verbs used intransitively. This classification of the syntactical *se* patterns to be examined may be more clearly illustrated in the following table on pages 123-124.

se+verb

	Animate subject	Non-animate subject	No subject
a) *transitive*	1. (*i*) (Juan) Se lava. Se lava Juan. (*ii*) (Juan) Se asusta.	4. (*i*) (La ropa) Se lava. Se lava la ropa. (*ii*) (La luz) Se apagó. (*iii*) Se cree que lo hizo él.	7. Se lava porque es necesario.
b) *plus complement*	2. (Juan) Se puso pálido.	5. (El mar) Se puso bravío.	8. (*i*) Se es pobre porque no hay más remedio. (*ii*) Se está bien aquí.
c) *intransitive*	3. (*i*) (Juan) Se fue. (*ii*) (Juan) Se hablaba.	6. (*i*) (El agua) Se fue. (*ii*) (La luz) Se apagó.	9. (*i*) Se trabaja mucho. (*ii*) Se habló de eso.

se+le(s) (etc.)+verb

	Animate subject	Non-animate subject	No subject
a) *transitive*	10. (*i*) (Juan) Se le curó. (*ii*) (Juan) Se le acercó.	13. (*i*) Se le dio (la respuesta). (*ii*) Se le olvidó (hacerlo). (*iii*) Se le dijo (que era verdad).	16. (*i*) Se le curó. (*ii*) Se le veía subir.
b) *plus complement*	11. (Juan) Se le puso pálido.	14. (El mar) Se le puso bravío.	17. (*i*) Se le ve muy enamorado. (*ii*) Se le nombró jefe.
c) *intransitive*	12. (El padre) Se le murió.	15. Se le curó (la mano).	18. Se le habló.

se+verb+direct object

19.	20.	21.
(*i*) (Juan) Se lava la ropa.	(El viento) Se llevó la ropa.	(*i*) Se asesinó al Presidente.
(*ii*) (Juan) Se cree la historia.		(*ii*) Se puede ver las montañas.
(*iii*) (Juan) Se cree que lo hizo él.		(*iii*) Se vende casas.

se+lo(s)/la(s)+verb

22.	23.	24.
(*i*) (Juan) Se la lava.	(*i*) (El viento) Se la llevó.	Si se la compara con otras novelas...
(*ii*) (Juan) Se la cree.	(*ii*) (El viento) Se la llevó (a Juan).	
(*iii*) (Juan) Se la lava (a su hijo).		

Notes

1. In the first two columns of the table, most types of animate and, especially, non-animate subjects, when expressed, may either precede or follow the verb, as shown in the first two examples in columns one and two. Although, for the sake of brevity, most other optional following subjects have been omitted from the table, it should be remembered that this position is very frequently taken by the subjects of '*se* verbs'. See also 6.4.2.

2. The patterns illustrated under 21 *(iii)* and 24 are not universally accepted as correct by educated speakers of Spanish. However, in certain styles or regions, they are not uncommon and their use is increasing in frequency and spreading geographically and socially.

3. Where the lexical properties of the verb allow this possibility, *se* may also be used with a reciprocal or 'mutual' meaning (i. e. *each other*, etc.). This may occur particularly with verbs used in patterns 1, 2, 4, 5, 19(*i*), 22(*i*) and 23(*i*). See 3.16 for further discussion of this possibility.

4. The label 'transitive' is used to describe those verbs which may take a direct object other than *se*. Thus the pattern *se asusta* may be contrasted with *le asusta, me asusta,* etc. Indeed, such contrasts serve to underline much better than syntactical descriptions one of the basic functions of Spanish *se*: to enable a single verb to be used in a variety of functions.

3.5 The presence of the verb *lavar* in more than one slot in the table in 3.4 serves to remind us that individual verbs vary in the range of meanings and syntactical patterns in which they may appear. Depending on semantic considerations like these, individual verbs may be found in one, two or more syntactical *se* patterns or without *se*. Because of this fact, potential ambiguitities and comprehension problems are most likely to arise with those verbs which may occur in two or more *se* patterns. In addition to the occurrences of *lavar* in the table, note the appearance of *apagar* in both 4(*ii*) and 6(*ii*) and *creer* in 4(*iii*) and 19(*ii*):

> La luz se apagó. / Se apagó la luz.
> Se cree que lo hizo él.

The question of potential ambiguity will be referred to in detail in 3.17.

The rest of the chapter will deal with syntactical uses of *se* following the numerical order of the examples in the table.

"SE" + VERB

3.6 The following patterns are found:

— *with an animate grammatical subject:*

a) with transitive verbs	....	3.7.1;
b) with transitive verbs plus complement	....	3.7.2;
c) with intransitive verbs	....	3.7.3;

— *with a non-animate grammatical subject:*

a) with transitive verbs	....	3.8.1 (and 3.8.4);
b) with transitive verbs plus complement	....	3.8.2;
c) with intransitive verbs (or verbs used intransitively)	....	3.8.3 (and 3.8.4);

— *with no grammatical subject:*

a) with transitive verbs	....	3.9.1;
b) with descriptive verbs plus complement	....	3.9.2;
c) with intransitive verbs	....	3.9.3.

3.7 With an animate grammatical subject, all forms of the verb and all reflexive pronouns are possible (i. e. *se, me, te, nos, os*). The function of the *se* is to refer to the animate subject as the person principally affected in some way by the action, process or state.

3.7.1 With transitive verbs, once the grammatical subject has been identified as animate, translation becomes largely a lexical or semantic problem depending on English verb usage, but one (or more) of the following solutions will usually be possible:

— a transitive verb plus *-self/-selves;*
— *to become, to get,* etc. + adjective;
— an intransitive verb;
— a verb used transitively or intransitively.

Two broad groups of Spanish verbs may be distinguished:

a) those which take only an animate subject (except in figurative use), e. g.
aburrirse, acostarse, afeitarse, asustarse, cansarse, casarse, divertirse;

b) those which allow both an animate and a non-animate grammatical subject, e. g.
acercarse, alzarse, apoyarse, cortarse, colocarse, curarse, detenerse, lavarse, moverse, pararse, secarse.

Most translation problems are therefore to be expected in dealing with the more versatile verbs belonging to the second group, as will be seen in 3.8.

Translation type:

-self/-selves:

Se miró en el espejo.

Ha vuelto a cortarse.
He has cut himself again.

to become, to get, etc.:

Los estudiantes se aburrieron.
The students got bored.

Juan se asustó.

La mujer se cansó.

intransitive verb:

Los niños se acostaron.
The children went to bed.

El policía se acercó.

Los hombres se detuvieron.

Siéntense.

transitive or intransitive verb:

Juan se lavó.
John washed (himself).

Me afeité.
I shaved (myself).

NOTES

1. Some transitve verbs used with animate grammatical subjects may need to be translated by English *passive* forms:

   ahogarse (to be drowned, as well as *to drown* or *to choke);*
   bautizarse (to be baptised); criarse (to be brought up);
   educarse (to be brought up); escandalizarse (to be shocked);
   examinarse (to be examined as well as *to take an examination);*
   extrañarse (to be surprised).

   Note also that *matarse,* as well as meaning *to kill oneself,* may be used with the meaning *to be killed* (e. g. in an accident).

2. Where the animate subject is used in a non-specific sense and follows the verb, a passive meaning is also possible:

   Se necesitan ingenieros.
   Engineers needed.

3. As already mentioned in 1.13.1*a,* an infinitive following verbs denoting causing, allowing and ordering may need to be translated by an English -D form or by a passive infinitive. This applies particularly to *hacerse* + infin., and to *dejarse* when followed by the infinitive of a transitive verb. Compare

   Se dejó engañar *(He allowed himself to be tricked)* with Se dejó caer *(He let himself fall=He dropped).*

4. A few verbs with animate subjects may be used with or without *se,* with no appreciable change of meaning, e. g. *callar(se), despertar(se), pasear(se).*

5. For the possibilities of a reciprocal or 'mutual' meaning (e. g. *each other*), see 3.16.

3.7.2 A number of transitive verbs may be used with *se* and a following complement (most usually an adjective or a -DO form):

a) Those meaning *to be:* OR *to become, to get, to turn, to go,* etc.:

encontrarse	*hacerse*
hallarse	*ponerse*
mostrarse	*tornarse*
verse	*volverse*

La niña se encuentra enferma

Se mostraba muy inquieta.

Se vio obligado a hacerlo.

Me puse pálido.

—¿Te has vuelto loco?

Se hizo abogado.

b) Others, like the following, may need to be translated in one of these ways: *-self/-selves;* a *that* clause; the addition of *to be:*

creerse	*llamarse (to call oneself; to be called)*
pensarse	*decirse*
considerarse	*declararse*
imaginarse	*confesarse*
juzgarse	*fingirse*
estimarse	
saberse	
sentirse	
suponerse	

Se cree Dios.

Se imaginan perseguidos.

Se sabe vigilado por la policía.

Me siento cansado.
I feel tired.

Se declaró vencido.

Se fingió herido.

NOTES

1. For a more detailed treatment of such verbs and others with *se* and a complement, see 4.11-4.12. See also 3.13.2 Note.

2. Although not a transitive verb, *quedar* may be used with *se* and a complement or descriptive element:

    Se quedó ciego. (See 4.17.2).

3. In *coll. Am. Sp., verse* + adjective means *to look:*

    —Te vas a ver preciosa vestida de monja... (A. González Caballero, *Mex.*)

For the standard form *se le ve* + adj., see 3.13.2.

3.7.3 *se* is often used, particularly in colloquial Spanish, with some common intransitive verbs (especially those which indicate movement), like *andar, caer, estar, ir, llegar, morir, salir, venir* and *volver,* and with other verbs used intransitively, like *bajar, esperar* and *subir.* The use of *se* with such verbs emphasizes the subject's involvement in the action, particularly to show that it is done with effort, by free will or without outside interference or persuasion. These nuances are frequently difficult or impossible to translate into English.

> Tendrá que andarse con cuidado.
> *He will have to be very careful.*
>
> Se cayó del árbol.
>
> Se estuvo toda la tarde.
> *He stayed all the afternoon.*
>
> Me he venido andando.
> *I've come on foot.*
>
> ¿Se vuelve solo?
>
> —¡Bájate de ahí!
>
> —¡Espérate!
>
> Se subió solo.

NOTE

In the case of a very small number of verbs like *hablar* and *sonreír*, which may take an indirect object, translation will be by *to + -self/-selves:*

> Mi padre se estaba hablando.
> Me sonreí.

3.8 With a non-animate subject, only the third person singular and plural verb forms are possible and the only pronoun is therefore *se*, which refers to the non-animate grammatical subject. In general, *se* patterns with non-animate grammatical subjects need more careful translation, especially since the subject frequently follows the verb, making the pattern similar in *form* to those shown in the table in section 3.4 under 19(*i*). Where the grammatical subject is not expressed, there is also the risk of confusion with pattern 1(*i*) in the same table.

3.8.1 When the verb used is exclusively transitive, translation will normally be by an English passive form or by a 'general' subject (i. e. *one, you, we, people*). The subject is usually a noun phrase or an infinitive, but with some verbs a *que* clause or an interrogative clause are also possible as grammatical subjects (in which case the verb can only be third person singular). See list 3 below.

Some verbs are exclusively or principally found in this pattern (see samples in List 1 below), while others (see List 2 for samples) may also occur with *se* and an animate subject.

List 1

aprenderse, beberse, comerse, comprarse, construirse, contarse, decirse, enviarse, exigirse, hacerse, pedirse, temerse, venderse.

List 2

colocarse, confesarse, cortarse, criticarse, lavarse, levantarse, pintarse.

List 3

calcularse, contarse, creerse, decirse, esperarse, pedirse, pensarse, saberse, etc.

Se lavó la ropa.

Se construyeron las casas.

¿Cómo se dice «fire» en español?
How do you say «fire» in Spanish?

Se oyeron unos disparos.
Some shots were heard.

Se venderá el piso.

Se pueden ver las montañas.

No se deben depositar platos muy calientes sobre esta clase de tela.
(*La Prensa,* Buenos Aires, 3-2-69)

Se cree que lo hizo él.
It is believed that he did it.

Se dice que es su hermana.
It is said... / People say that...

No se sabía quién lo había hecho.

Particularly in non-literary written styles, an agent (usually but not necessarily animate) preceded by *por* may accompany the verb. Translation will be by an English passive:

Las pirámides se edificaron por esclavos. (Ramsey, 390)

Su lengua se habla por millones de hombres. (Coste, 484)

La expresión del sujeto activo en construcciones reflejas no es imposible en frases como *los árboles se cortaron por sus propios dueños,* pero es muy poco grata. (R. Lenz, 110)

El cine americano, por otra parte, no se guía ya exclusivamente por los principios monolíticos de los estudios de Hollywood. (*Ya,* 15-7-73)

«Las carreteras han costado muchísimo y se estaban destrozando por los vehículos pesados.» (*A B C sem.,* 14-2-74)

NOTES

1. Where *se* accompanies the third person singular and plural of *tener* used with a non-animate grammatical subject, an English passive form will usually not be acceptable; in such cases, a 'general' subject or a free translation will be necessary:

   —¡Se tienen las carnes muy tiernas a tan corta edad! (CJC)
   One has a very tender skin at such a young age.

   —A mi edad ya no se tiene miedo de nada. (A. Barea)

   However, when *tener* is used in idiomatic expressions, a passive may be acceptable: Se tendrá en cuenta lo que usted dice. *(What you say will be taken into account.)*

2. This pattern is also used frequently in instructions:

   Tradúzcase al inglés. (See 2.31.1.)

3. With many verbs, like those listed below, the difference in translation between *se* + verb + animate subject and *se* + verb + non-animate subject may be wider than that suggested above: *bajarse (to go down* BUT *to be taken down); cubrirse (to cover oneself; to put on one's hat* BUT *to be covered); darse (to give oneself* BUT *to happen); llevarse (to get on* BUT *to carried/worn); pintarse (to put on/use makeup* BUT *to be painted); volverse (to turn round* BUT *to be turned over).*

4. With verbs denoting perception by the senses, used in the present and imperfect tenses, English translation will often need an additional *can* or *could* (whether *se* is present or not):

   Oía el mar.

   Se oía el mar.

   Desde la ventana se veía la playa.

   Allí se respiraba la paz.

5. Some mainly intransitive verbs may be found in this pattern, e. g. *andarse:*

   Mucho camino se ha andado desde esa fecha... (Mercedes Ballesteros)

3.8.2 Transitive verbs taking a complement, like those verbs listed in 3.7.2 as equivalent to *to be* or *to become,* may also occur with non-animate grammatical subjects. With *hacerse* and verbs of naming (also listed in 3.7.2), a passive translation may be necessary or possible.

El mar se puso bravío.
The sea became rough.

Se hizo pública la noticia.

Esta huelga se considera ilegal.

Some verbs meaning *to become* may take an infinitive as their grammatical subject:

> Se hacía preciso encontrar una solución.
> *It was becoming necessary to find a solution.*

NOTE

For a description of other verbs with a non-animate subject and a complement (e. g. *antojársele, presentarse/presentársele, mantenerse,* and *conservarse*), see 4.10 and 4.14.2.

3.8.3 For intransitive verbs (or verbs used intransitively) with a non-animate grammatical subject, translation is by an English intransitive verb or verb used intransitively. Typical of Spanish verbs used in this way are:

caerse	*disiparse (to dissolve/disappear)*
irse	*encogerse (to shrink)*
salirse	*pudrirse (to rot)*
	subirse
	bajarse

> Se cayó el vaso.
>
> Se va la luz.
>
> Se salió el agua.
>
> Se disipará la niebla.
>
> Se encogieron las camisas.
>
> Se pudrirán las hojas muertas.

3.8.4 Translation problems are particularly likely to occur in those cases where a Spanish verb may have either a transitive use (for 'action') or an intransitive one (for 'process'). Typical verbs are:

abrirse	*llenarse*
acabarse	*llevarse*
alzarse	*moverse*
apagarse	*pararse*
apoyarse	*perderse*
cerrarse	*ponerse*
cortarse	*quemarse*
darse	*romperse*
detenerse	*secarse*
doblarse	*vaciarse*
hundirse	

Depending on the intention, which may not always be entirely clear even when full account is taken of the context, translation will be as follows:

for verbs used intransitively (i. e. when an animate or non-animate agent is implied): a passive form (as for 3.8.1) or a 'general' subject;
for verbs used intransitively: an intransitive verb or a verb used intransitively (as in 3.8.3).

The possibilities are demonstrated in the parallel columns below. (Note that the position of the grammatical subject may vary).

Se abrió la puerta. *The door was opened.*	La puerta se abrió. *The door opened.*
Se apagó la luz. *The light was switched off.*	La luz se apagó. *The light went out.*
Se cortó el pan. *The bread was cut.*	Se cortó la leche. *The milk turned sour.*
Se dobló el papel. *The paper was folded.*	El papel se dobló. *The paper folded up.*
Se hundió el barco. *The boat was sunk.*	El barco se hundió. *The boat sank.*
Se llenó el depósito. *The tank was filled.*	El depósito se llenó. *The tank filled up (with water).*
Se paró el coche. *The car was stopped.*	El coche se paró. *The car stopped.*
Se perdió el coche. *The car was lost.*	El coche se perdió. *The car disappeared.*
Se puso la mesa. *The table was laid.*	Se puso el sol. *The sun set.*
Se quemaron los pasteles. *The cakes were burned.*	Los pasteles se quemaron. *The cakes got burnt.*
Se rompió la taza. *The cup was broken.*	La taza se rompió. *The cup broke. / The cup got broken.*

3.9 Where a third person singular verb accompanied by *se* reveals neither an animate subject nor a non-animate grammatical subject of the types illustrated in preceding sections, the pattern represents a general reference to action or state. Widely used in this way are those transitive, descriptive and intransitive verbs which are *capable* of taking an animate subject. Translation will be by a 'general' subject (*one, you, we,* etc.) or by a suitable paraphrase.

3.9.1 Since transitive verbs are used intransitively in this pattern, the distinction between them and intransitive verbs (3.9.3) may seem artificial. It is retained, however, for the sake of comparison with other uses of transitive verbs, particularly in the less generally accepted patterns described in 3.14.2 *(Se vende casas)* and 3.15.3 *(Se la compara)*.

Entonces se comía muy bien.
In those days people ate very well.

—Quisiera que nos dijese, que nos explicase ampliamente, cómo se construye hoy en España. (M. Gorosch, 90)
... the present state of the building trade in Spain.

NOTE

The use of *se* in sentence patterns like *cuanto más* + verb + *más* + verb may be tentatively included here:

Cuanto más se trabaja, más se aprende. (Spaulding, 28)

3.9.2 With the descriptive verbs *ser* and *estar*, a paraphrase will sometimes be necessary.

—¡Qué bien se está a tu lado! (Keniston, 150)
How nice it is beside you!

Se necesita ser muy estúpido para creer que puedan ganar... los salchicheros de Chicago. (R. Gallegos, *Venez.*)
You have to be pretty stupid to believe that the Chicago sausage makers can win.

Se puede ser un gran artista, un gran poeta; se puede ser hasta un matemático y un científico, y no comprender en el fondo nada. (PB)

NOTE

The stereotyped expressions *Érase una vez* and *Érase que se era* are traditional ways of beginning a tale or fairy story, like English *Once upon a time, there was ...*:

Entonces... nos contaba cuentos. Comenzaba con un «érase que se era un buen rey que tenía tres hijos...» (E. Caballero Calderón, *Colom.*)

3.9.3 Most frequently found in this pattern are intransitive verbs. Included with them in the examples below are verbs which take a prepositional object, for which a paraphrase is often likely to be necessary in English.

—Aquí se cena todos los días a las ocho, ¿sabes, chiquillo? Y si no te conviene, lo que puedes hacer es marcharte. (PB)

Para ir a Brunete, no hay tren. Se va en un coche como las diligencias antiguas; un coche con seis mulas pintado de amarillo y rojo. (A. Barea)

... por el arco del vestíbulo se salía a una galería ancha y hermosa... De la galería se bajaba por cuatro escalones al huerto... (PB)

Fueron a las afueras del pueblo, donde... la gente vivía en unas cuevas abiertas en la roca. Se entraba en ellas por un agujero rectangular... (R. J. Sender)

Ultimamente se habla mucho del «birth control», que, según muchos, debería ser obligatorio en el mundo. (FDP)
Recently there has been a lot of talk/discussion about birth control...

Al hablar de andinos, se piensa inmediata y lógicamente en los Andes.
(F. Morales Padrón)
Naturally, when one speaks of Andean people, one immediately thinks of the Andes.

SE + LE(S) (ETC.) + VERB

3.10 The pattern *se le(s)* (and *se me/te/nos/os*) + verb is an extension of the *se* + verb pattern, in which the additional pronoun refers to a person (other than the grammatical subject, if there is one) affected in some way by the 'action'.

3.11 Where the verb has an animate subject, the addition of *le(s)* (etc.) often indicates that the person referred to by the pronoun or the speaker/writer is *emotionally* affected by the 'action'. Although translation of the emotional nuance is not always possible, it may help to remember that this pattern most often suggests surprise or indignation. Less frequently, the additional pronoun may indicate *physical* involvement, translatable by *his, from him, on him, in him,* etc.

3.11.1 With transitive verbs, this pattern occurs particularly frequently with verbs denoting processes or changes of state and with others which are normally associated with animate subjects only. In those cases where an implication of surprise or indignation is detected in the Spanish, it may be sometimes rendered colloquially by the English pattern *to go and get* + adjective (+ *on me/us,* etc.) or by intonation.

La chica se nos emborrachó.
The girl went and got drunk (on us).

La vieja se nos ofendió.
The old lady got all offended.

Se me casó con otro.
She went and married someone else.

Juan se le curó.
John actually recovered.

María se le asustó.
Mary got scared.

El forastero se le acercó.
The stranger went up to him.

NOTE

The construction *(no) se le(s) conoce*, described in 3.12.1, may also occur with an animate subject and then needs to be translated as *he* (etc.) *is not known to have:*

> No se le conoce ningún amigo.
> *He is not known to have any friends.*

3.11.2 Verbs meaning *to become* may also be found in this pattern:

> Juan se le puso pálido.
> *John turned pale.*

> Se me quedó asustado.

3.11.3 A few intransitive verbs may also be found in this pattern with an animate subject. Often the action described is viewed as unpleasant or unwelcome.

> El padre se le murió.
> *His father died (on him). / His father died, poor man.*

> El ladrón se me escapó.
> *The thief got away from me.*

> —No te me vayas.
> *Don't go and leave me.*

3.12 In sentences with a non-animate grammatical subject, the *se le(s)* (etc.) pattern is most frequent with transitive verbs.

3.12.1 With transitive verbs, the non-animate grammatical subject may be a noun phrase, a *que* clause or, in a small number of cases, an infinitive. In the first two constructions (and sometimes in the third), where verbs denoting giving, taking, telling, etc. are particularly frequent, translation will often be possible with an English passive verb form, for which either the Spanish non-animate noun or the *le(s)* (etc.) will provide the subject. In all cases, the person referred to by the *le(s)* (etc.) is directly affected by the 'action'.

> Se le dio la respuesta.
> *He was given the reply. / The reply was given to him.*

> No se le dirá la verdad.
> *He will not be told the truth.*

> —Habéis ofendido con vuestra presencia a la Luna; mañana, al amanecer, se os cortará la cabeza a todos. (Gili, 240)
> *... your heads will be cut off.*

> Se me dijo que viniera hoy.
> *I was told to come today.*

Se le prometió que se haría.
He was promised (that) it would be done.

No se les permitió hablar.
They were not allowed to speak.

When *ver, notar, encontrar, conocer* and their synonyms are used in this pattern, the *le(s)* (etc.) denotes possession or description and the English translation will often need to include the verb *to have,* or *in him,* etc. (See also 4.11.1 Note 2).

Se le veía un carácter recio.
You could see (that) he had a strong character.

No se me nota nada.
I don't seem to have anything wrong with me/my appearance.

Sólo se le conocía una inclinación que, desde la niñez, persistía en ella con constancia. (JV)

NOTE

The following idiomatic uses are worth noting:

Se me da bastante bien el dibujo.
I am rather good at drawing. / I find drawing rather easy.

(Am. Sp.) —¡Que se me hace que usté está enamorado...! (M. Azuela, *Mex.*)
It seems to me that you're in love!

Se me antoja un descanso.
I feel like a rest.

Se le antojó que lo mejor sería salir.
It occurred/appeared to him that the best thing would be to leave.

Se me olvidó hacerlo.
I (clean) forgot to do it.

The use of *se le,* etc. with *ocurrir* is a *lexical* feature (since *ocurrir* cannot be used in any other *se* pattern), but it is of translation interest:

Se me ocurrió una idea.
I had an idea.

—¡No se te ocurra hacerlo!
Don't you dare do it!

—Se me ocurre que él podría ayudarnos.
It occurs to me that he could help us.

3.12.2 Those transitive verbs used with complements and meaning *to become* are also found in this pattern, as are other verbs meaning *to appear* and *to remain.* (See 4.10, 4.14.2 and 4.15.2.)

El mar se le puso bravío.
The sea (unexpectedly) became choppy/rough.

Estaba visiblemente cambiado. La cara se le había hecho más pequeña, tenía la boca hundida a causa de la falta de dientes... (M. Rojas, *Chile*)

El cuarto se le antojó pequeño.
The room seemed small to him/... struck him as small.

3.12.3 Much more frequent in this pattern, particularly to denote actions or processes which are unexpected or unwelcome, are intransitive verbs like *caerse* and *irse* and verbs used intransitively, e. g.

acabarse
agotarse
apagarse
curarse
llenarse
pararse
quemarse
romperse
subirse

In translation, it is often possible or necessary to render the *le(s)*, etc. by a possessive adjective (*my*, *his*, etc.) and, where an English intransitive verb is unsuitable, a free translation will be needed.

Se me acabó el dinero.
I ran out of money. / My money ran out.

Se le agotó la paciencia.
His patience ran out.

Se les apagó la luz.
The light (unexpectedly) went out.

Se me cayó el libro.
The book fell out of my hand. / I dropped the book.

Se le cae el cabello.
His fair is falling out. / He is losing his hair.

Se le curó la herida.
His wound healed (on its own).

Se nos fue la luz.
The light (suddenly) went out/faded.

Se le van los ojos.
His gaze is wandering.

Los ojos se le llenaron de lágrimas. (Gili, 240)
His eyes filled with tears.

Se le paró el corazón.
His heart stopped (beating).

Se le quemó el pastel.
The cake (she was cooking) got burnt.

Se le rompió la taza.
The cup (he was holding) broke.

Se le subió el corazón a la boca.
He got a shock.

3.13 *Se le(s)* (etc.) may also occur with a third person singular verb form which has no grammatical subject. This usage has important syntactical functions in Spanish.

3.13.1 Any transitive verb which is capable of taking an animate *direct object* can be used in this pattern to denote that the person referred to by the *le(s)*, etc. is directly affected by the 'action'. In translation, this person will normally become the *subject* of a passive verb form. Less frequently a 'general' subject will be needed in English. The pattern may be preceded or followed by the preposition *a* and a noun or pronoun also referring to the person affected, thus:

(*a* + noun/pronoun) *se le(s)* (etc.) + verb;
se le(s) (etc.) + verb + *a* + noun/pronoun

Se le curó.
He was cured. [e. g. by a doctor]

Al Presidente se le asesinó.
The President was assassinated.

Muchas veces se nos juzga mal... porque no se conoce nuestro pensamiento (AG)
Often we are misjudged because our thoughts are not known.

Some verbs may be followed by an infinitive:

Se le veía subir.
He was seen coming up. / He could be seen...

Se le hizo esperar. (Cf. 3.7.1 Note 3)
He was made to wait. / They made him wait.

Notes

1. This pattern may sometimes be used as a variant for the pattern described in 3.8.1, particularly if the non-animate noun is personnified:

   Por todos estos datos y caracteres, a Hispanoamérica se le suele situar entre los países subdesarrollados o que forman parte del Tercer Mundo. Y esto es engañoso. (F. Morales Padrón)

   Se le usa [*la palabra «chance»*], por lo general, en el sentido de oportunidad... (R. J. Alfaro, *Panama*)

   El pasado tiene su importancia..., pero siempre que se le interprete desde el presente. (R. Santiago, 91)

2. See also 3.15.3 Note 2.

3.13.2 Some verbs denoting perception and belief and others denoting calling, naming or appointing may be followed by a complement. Translation

is usually be a 'general' subject or a passive verb form. (See also 4.11-4.12 and 4.15.1 Note 2.)

Se le ve muy enamorado.
You can see he is very much in love. / He looks...

Se le notaba desilusionado.
You could see he was disappointed. / He looked...

—Mi interés recaía en ti, tan joven que podía creérsete hija mía.
(L. Spota, *Mex.*)
... so young that you could have been taken for my daughter.

Se le nombró jefe.
He was appointed manager.

NOTE

Also dealt with in 4.12 are those verbs of opinion and description which are accompanied by a prepositional complement, e. g.

Se le tachó de traidor.
He was branded a traitor.

A Rubén Darío se le estima generalmente como el mayor poeta que ha producido la América hispánica. (P. Henríquez Ureña, *Dominican Republic*)

3.13.3 The only intransitive verbs found in this pattern are those which, like *hablar, sonreír* and *escribir,* must or may take an indirect object without a direct object. Translation is often possible by the peculiar English passive forms already used in 3.12.1.

Se le habló.
He was spoken to.

Se les escribió y contestaron rápidamente.
They were written to / A letter was written to them and...

"SE" + VERB + DIRECT OBJECT

3.14 The principle use of this pattern is with an animate subject.

3.14.1 With transitive verbs whose subject is animate, the following accompanying object may be a noun phrase or a clause ('*que*' or interrogative). Here *se* refers indirectly to the subject as 'affected' in some way or other by the 'action'. Translation of these nuances is not easy and the following suggestions are tentative:

In some cases (illustrated in group (*a*) below) the English version may need to include one of the following: *his/my,* etc.; *(to/for)* + *-self/-selves; on/off/down/away.* In other cases, which are particularly found in colloquial Spanish, *se,* which could be omitted without a radical loss of meaning, is not easy to render in English except by some indication of subjective emphasis —see (*b*). (Note, in both groups, the possibility of confusion with other *se* patterns if the animate subject is not expressed.)

a)

Juan se puso el abrigo.

Juan se lava la ropa.

Se hizo un vestido.

El autor se plantea unos problemas.
The author poses some questions.

Se bebió la leche.
He drank the milk (up/down).

Me tragué la píldora.
I swallowed the pill (down).

Se llevó el dinero.
He took the money (away with him).

Se dice que no puede ser verdad.
He tells himself it can't be true.

Se preguntó qué había pasado.
He wondered what had happened.

b)

Yo sé lo que me digo.
I know what I'm talking about.

Se merece una medalla.
He (really) deserves a medal.

Se pasa el día estudiando.
He spends the whole day studying.

Me perdí una buena oportunidad.

Se subió la cuesta.

Se cree que lo hizo él.
He (actually) thinks he did it.

Me supongo que no vendrán.

Me temo que no es así.

NOTES

1. The pattern is rarer with non-animate grammatical subjects except in personnications:

El viento se llevó la ropa.
The wind blew/swept the clothes away.

Lo que el viento se llevó.
Gone With the Wind. [film title]

2. Many idiomatic expressions are formed on this pattern, e. g. *darse cuenta (to realise), llevarse un susto (to get a shock), llevarse una alegría (to be very pleased/to get a pleasant surprise), jugarse la vida (to risk one's life).*

   Note also the journalistic use of *adjudicarse el premio (to be awarded the prize).*

3.14.2 When there is no grammatical subject, the pattern *se* + third person singular verb + direct object may represent a *variant* of three different patterns already illustrated:

a) the direct object is animate (singular or plural):

Se asesinó al Presidente	A variant of *Al Presidente se le asesinó.* (3.13.1)

b) the direct object is non-animate and plural:

(*i*)	Se puede ver las montañas. Se debe limpiar los cristales.	Variants of: *Se pueden ver las montañas.* *Se deben limpiar los cristales.* (3.8.1)
(*ii*)	Se vende casas.	A variant of *Se venden casas.* (3.8.1)

It should be noted that the last variant is particularly associated with uneducated speech and writing (e. g. on signs) and is not accepted as correct by educated speakers of Spanish in some Spanish-speaking countries, although it appears to be more accepted by such speakers in other areas (e. g. in Argentina).

Other examples of this variant:

Se alquila habitaciones. (Gili, 76)
Rooms for rent.

Se vende pianos. (C. P. Otero, 1841)
Pianos for sale.

En este país se tiene cuatro sirvientas (por lo menos). (N. Cartagena, 1972, 119)
In this country one has four servants at least.

Se quemó las tortas. (Erica C. García, 21)
The cakes got burnt.

No se admite propinas. (Seco, 305: «es incorrecto»)

... un cartel que anuncia que no se admite vendedores de ninguna clase. (FDP)
... a notice saying that no salesmen of any sort are allowed.

El rapto de niños es frecuente en la selva. Sólo en Chicais se ha constatado veintisiete raptos. (MVL)
... In Chicais alone, twenty seven kidnappings have been recorded.

SE + LO(S)/LA(S) + VERB

3.15 This pattern may represent the pronominal variant of *se* + verb + direct object, or, by a quirk of Spanish morphology, the *se* in this pattern may be the obligatory replacement of *le* or *les* before *lo(s)* and *la(s)*, since Spanish does not allow the combinations **le(s)lo(s)* and **le(s)la(s)*. In this latter case, *se* does not, of course, refer to the subject of the verb. This double function of *se* and the resulting potential ambiguities are only possible if the verb has an animate or a non-animate grammatical subject.

3.15.1 Where *se* (and *me, te, nos,* or *os*) refers to the animate or non-animate subject, it is to indicate that the latter is the 'beneficiary', or is affected in some other way by the 'action'. In translation, one of the following may prove suitable: *to; for; from*; verb plus preposition or adverb (e.g. *to put on, to take off*). Where such solutions are impossible, the nuance is not easily rendered in English and, for *practical* purposes, may be ignored.

Juan se lo puso.
John put it on (himself).

(Juan) Se los quitó.
(John)/He took them off.

(Juan) Se lo hizo.
(John)/He made it for himself.

Me lo hice.
I made it for myself.

Se lo calló.
She kept it to herself.

Se lo bebió.
He drank it (up/down).

Se lo tragó.
He swallowed it (down).

Se lo sabe todo.
He (really) knows everything. / He knows everything, clever dick!

Me lo suponía.
I thought so. / I expected that.

In those contexts where *se* does NOT refer to the subject, extra identification of the person referred to *may* be present in the forms *a él, a ella, a usted, a ellos, a ellas, a ustedes:*

Se lo dio (a él, etc.).
He gave it to him/her/you/them.

Se los dieron.
They gave them to him/her/you/them.

—Quería saber dónde estabas y se lo dijimos.

Se lo buscó.
He looked for it / for him (etc.).

Se lo puso.
He put it on him (etc.).

Se lo preguntaron.
They asked him (etc.).

NOTE

Several idioms are formed from this pattern, e. g. *dárselas de*+noun *(to consider oneself ...)*, *arreglárselas (to manage)*, *vérselas y deseárselas para*+infin. *(to find it difficult to)*, *buscárselo (to ask for it/to get what is coming to one)*.

3.15.2 For obvious semantic reasons, verbs cannot be used in this pattern with a non-animate grammatical subject unless the latter is personnified in some way:

El viento se lo llevó.
The wind carried it off [with it].

El tiempo se lo traga todo en esta vida... (E. Caballero Calderón, *Colom.*)

Although also infrequent, 'morphological *se*' (i. e. the obligatory replacement of *le(s)* by *se* to avoid ungrammatical sequences like **le lo, *les lo,* etc.) may be found with verbs whose subjects are non-animate:

El viento se lo llevó (a Juan).
The wind blew it away (from John) / (out of John's hands).

3.15.3 Although more frequent in American varieties than in Castilian Spanish and although it is not accepted as correct by all educated speakers of Spanish, *se lo(s)/la(s)*+third person singular verb may (particularly with verbs denoting seeing, considering and comparing) be a variant for the *se*+verb+non-animate subject pattern described in 3.8.1. Translation will therefore be by an English passive or by a 'general' subject.

La empresa periodística no es rentable si se la compara con otros negocios.
(R. Santiago, 91)
The newspaper business is not profitable, if one compares it with other businesses.

Cuanto más se repite una cosa, se la condensa más. (MU)

Frases como *siento música* y *he sentido la música* son generales y corrientes. Se las emplea en el lenguaje común, en el culto y en el literario.
(Academia Argentina de Letras)

Tal vez convenga agregar, sin embargo, que el *boom* no es el mismo cuando se lo ve desde América Latina... y cuando se lo aprecia desde la misma Europa. (MB)

NOTES

1. Although the above pattern may not be met frequently in written Spanish, its use seems to be increasing, particularly in the spoken language. Such usage, along with the pattern *se vende casas* (3.14.2) would seem to reinforce the theory held by some grammarians and hotly disputed by others that, when used with a singular verb form, *se* may function more or less as a 'general' subject pronoun like those found in English *(one)*, French *(on)*, German *(man)*, etc.

2. Occasionally, *se lo(s)/la(s)* and a third person singular verb form is used as a variant for the pattern described in 3.13.1 (*se le(s)*+third person singular). This usage seems more frequent in the Spanish of Argentina and Uruguay:

   ... no faltó quien sugiriera... que se lo destituyera de las cátedras. (R. G. Giusti, *Arg.*)
   ... some even suggested that he should be dismissed from his University posts.

   ... exige que se los asesine. (H. A. Murena, *Arg.*)
   ... it demands that they be killed.

   ¿Un individuo es pernicioso? Pues se lo liquida y se acabó. (E. Sábato, *Arg.*)
   If someone is a menace, you just get rid of him and that's that.

   Había una anciana detrás de la pequeña puerta de cristales; se la podía ver a través de los visillos quemados por el sol... (M. Lacruz)

«SE» WITH RECIPROCAL MEANING

3.16 A further lexical possibility with some transitive verbs in many of the patterns that we have examined is that *se, nos* and *os* with the corresponding plural verb forms may convey a reciprocal meaning (i. e. *themselves, ourselves, yourselves; to/for themselves,* etc.), especially with reference to animate subjects. Where direct evidence of this reciprocal meaning, in the form of *el uno al otro, mutuamente, entre sí,* etc., is not present, both the context and lexical probability will be of importance for interpretation. For example, *odiarse* is one of the verbs which are capable of this reciprocal meaning, but *se odian, nos odiamos* and *os odiáis* are more *likely* to mean *they hate one another* and *you hate each other* than *they hate themselves,* etc., although the latter meaning may be conveyed if the speaker wishes to. The same rule of lexical probability will make a reciprocal meaning more likely than a 'simple reflexive' meaning with such forms as *se besaron, se abrazaron, se conocieron en el baile,* but it is the *context* which may be the deciding factor (if there is one). As the examples will briefly demonstrate, this reciprocal meaning is possible in all of the major patterns which have a grammatical subject.

Se asustaron (el uno al otro).
They frightened one another.

Se miraron (entre sí).

Nos queremos.
We love one another.

Se ponen nerviosos.
They make one another nervous. / They irritate each other.

Las preguntas se sucedieron.
Question followed question.

Los dos profesores no se hablan.
The two teachers are not on speaking terms.

Se lavaron la espalda.
They scrubbed one another's back.

Juan y María se escribieron muchas cartas.

Se las escribieron.
They wrote them to one another.

POTENTIAL AMBIGUITIES

3.17 Now that all syntactical uses of *se* have been described, it is possible to examine the sorts of potential ambiguity (other than those discussed in 3.16) which may occur with the third person forms of a small number of common verbs. In all cases except two (3.17.6 and 3.17.7), such potential ambiguities may be resolved by knowing or deducing from the context *whether the verb has an animate subject or not.* In the case described in 3.17.6, the ambiguity will be resolved by knowing whether the verb has a *non-animate* grammatical subject or not; in the final case, 3.17.7, the ambiguity is caused by the two different functions of *se* which were described in 3.15.

3.17.1 Possibilities: 3.7.1 or 3.8.1.

Se lavó = *He washed himself* = (Juan) Se lavó.
= *It was washed* = Se lavó (la ropa).

Other examples for study:

Se lavaron.
Se perdió.

3.17.2 Possibilities: 3.8.1 or 3.14.1.

Se lavó la ropa = *The clothes were washed* = Se lavó la ropa.
= *He washed the clothes* = (Juan) Se lavó la ropa.

Other examples for study:

Se hicieron las casas.
Se abrió la puerta.
Se compró el abrigo.

3.17.3 Possibilities: 3.8.1 or 3.14.1.

Se cree que lo hizo él	= *It is believed that ...*	= Se cree que lo hizo él.
	= *He believes that ...*	= (Juan) Se cree que lo hizo él.

3.17.4 Possibilities: 3.11.1 or 3.12.3.

Se me escapó	= *He got away from me*	= (El preso) Se me escapó.
	= *It got away from me (=I let it out)*	= (La pregunta) Se me escapó.

3.17.5 Possibilities: 3.11.1 or 3.13.1.

Se me emborrachó	= *He went and got drunk*	= (Juan) Se me emborrachó.
	= *I was made drunk/ They got me drunk*	= Se me emborrachó.

3.17.6 Possibilities: 3.12.3 or 3.13.1.

Se me paró	= *It stopped (on me)*	= Se me paró (el coche).
	= *I was stopped*	= Se me paró.

3.17.7 Does *se* refer to the subject or to someone else? (Cf. 3.15.)

Se lo puso	= *He put it on (himself)*	= (Juan) Se lo puso.
	= *He put it on her/him,* etc.	= (Juan) Se lo puso (a él/ella, etc.).

Other examples for study:

Se lo quitó.
Se la dio.

Notes

1. There may occasionally be apparent ambiguity between the patterns described in 3.8.1 and 3.9.1:

Cuando se tiene hambre, se come	= ... *one eats it.* (e. g. el pan seco).
	= ... *one eats.*

2. Further ambiguities may be caused in examples like those listed below, but here the problem is a *general* one caused by the absence of an expressed subject in Spanish:

Me cansaba	=	Yo me cansaba	or	Él me cansaba, etc.
Me la cantaba	=	Yo me la cantaba	or	Él me la cantaba, etc.

THE PLACEMENT OF OBJECT PRONOUNS

3.18 Before concluding this chapter on *se* and other aspects of object pronoun usage, a brief survey of the alternatives to the 'usual' or expected positioning of such pronouns may be useful.

3.18.1 In literary styles, particularly those of the nineteenth century and the early part of the twentieth, reflexive and object pronouns may be found appended to a finite verb form rather than preceding it or, in the case of a verb group which includes a participle or an infinitive, rather than being appended to the non-finite form.

Se casaron y fuéronse a vivir a la Corte. (Coste, 99)
[= y se fueron a vivir]

Pepe Rey hallábase cada vez más inquieto. (BPG)
[= se hallaba]

Hanse observado largos eclipses. (Keniston, 70)

El odio al escritorio fuésele convirtiendo en odio a Bilbao, a todo poblado. (MU)
His hatred for the office gradually turned into a hatred for Bilbao and for all towns.

Sus años de bachillerato habíanle llenado la mente de fórmulas muertas. (MU)

NOTE

Another literary usage, very rare nowadays, is the appending of reflexive and object pronouns to a past participle:

Mucho de lo que había antes dado a otro y quitádosele luego. (Harmer, 90)

—Yo lo que siento es haber ayudádoles a ustedes sin saberlo. (C. E. Kany, 1951, 124)

3.18.2 In informal and colloquial Spanish, object pronouns which accompany verb groups may, in addition to their usual positions,

a) precede the finite verb form } (in 2-part verb groups);
b) follow the infinitive }
c) follow the second or third verb form (in 3-part verb groups).

Lo van a ver. (Cf. Van a verlo.)

... me he ido entreteniendo, desde entonces acá, en irlas traduciendo y ordenando. (CJC)

(Note the avoidance of the more repetitious... *en ir traduciéndolas y ordenándolas.*)

No le quiero volver a ver. (Keniston, 71)
No quiero volverle a ver.
(Cf. No quiero volver a verle.)

—¿No te parece, Fernando, que este muchacho debería irse a acostar?
(R. J. Payró, *Arg.*) (Cf. debería ir a acostarse)

SUPPLEMENTARY EXAMPLES FOR STUDY AND TRANSLATION

1. Despidió a los obreros. // Se despidió de los obreros.
2. Empeñó su reloj. // Se empeñó en pagar todas sus deudas.
3. Guardó el secreto. // Se guardó de revelar el secreto.
4. Nos interesa la idea. // Nos interesamos por su salud.
5. Negó la acusación. // Se negó a ayudarnos.
6. Me preocupa su actitud. // Se preocupa por todo.
7. Nos refirió su aventura. // Se refirió a la aventura de su amigo.
8. Vale un dineral. // Se valió de toda su astucia.
9. La perspectiva de unas alegres fiestas y el regalo inesperado la hacen olvidarse de sus problemas. (Dolores Medio)
10. Mientras la verdura cuece, se sienta en una silla en la misma cocina y se pone a zurcir calcetines. (L. Romero)
11. Tuvo la felicidad de casar a sus hijas en el mismo año, y desde entonces se dedicó a los yernos. (MB)
12. El que se deja llevar por las olas, se deja al mismo tiempo moldear por ellas. (J. M. Pemán)
13. Don Onofre comenzó a sollozar sordamente. Plinio calló. Durante unos minutos paseó por la habitación, un poco sofocado, con gesto de gran amargura. (FGP)
14. *(De pronto se quedan mirando el uno al otro.)*
    Él. —Te ves ridícula.
    Ella. —Te ves grotesco. (J. Díaz, *Chile*)
15. —Me bajé del carro, me caí, y el carro me cortó las dos piernas... como quien corta mantequilla. (E. Lafourcade, *Chile*)
16. Grupos de curiosos en silencio, casi amedrentados, iban despaciosos de un lado a otro; se paraban en las esquinas, se llegaban a la Casa

del Pueblo, donde se había preparado la capilla ardiente; o hasta el domicilio de José María Cuadrado, lleno de lutos y de llantos. (FGP)

17. Han pasado diez días. Diez días felices y sin historia para los fugaces habitantes del "Torremolinos Gran Hotel"...
Se han servido siete mil doscientos helados de diversos sabores y se han vaciado quinientas cuarenta botellas de whiskey..., se han repuesto doscientas ochenta y tres bombillas y han desaparecido, no se sabe cómo, doscientas tres servilletas y cuatrocientas cucharillas. (A. Palomino)

18. Las multinacionales están haciendo gastar mucha tinta últimamente. No pasa un solo mes sin que se anuncie algún libro, se escriba una tesis o se publiquen, en diferentes idiomas, ciento y un artículos de prensa sobre el tema. (*Triunfo*, 10-5-75)

19. Nada más ocurrió aquel día que merezca contarse. (JV)

20. —Ni han dado ni darán lo que no debe darse —exclamó don Paco, perdiendo ya los estribos. (JV)

21. —Sé que te vas a la calle y vuelves antes de que yo llegue, para que no pueda pillarte. ¿Se puede saber adónde vas? (Carmen Laforet)

22. Quizá no se pueda pedir más a un diccionario de las razonables proporciones del nuestro, pero tampoco puede exigírsele menos. (F. Lázaro Carreter)

23. Sólo se puede exigir de mí que sean decentes las personas que trato, y no hay el menor motivo para afirmar que las dos Juanas no lo sean. (JV)

24. Se ha dicho de Chile, y se repite por lo acertado, que es una loca geografía y una historia cuerda. (F. Morales Padrón)

25. Esta nueva encuesta se llevó a cabo por el mismo equipo que realizó la anterior. (J. Rubio)

26. El coloquio del jesuita y el poeta se interrumpió por la llegada de Jerónimo Lafita... (R. Carnicer)

27. Se tiene acceso al templo... por tres puertas monumentales... (J. M. Pemán)

28. "... siempre se tienen cambios de impresiones cuando hay problemas que son comunes." (*A B C sem.*, 28-8-75)

29. Debe tenerse en cuenta, por otra parte, que los recuerdos de la vida infantil son conservados por el adulto a través de todas sus experiencias biográficas. (P. Laín Entralgo)

30. Tómese de media a una cucharadita disuelta en un vaso de agua. (Ramsey, 390)

31. Sólo se oía un ronquido regular..., que salía del pecho del enfermo. (R. J. Sender)

32. ... diez años rara vez corren en balde, y el que mira atrás suele sorprenderse del camino que se anda en una década. (EPB)

33. Estos cuadernos se han vuelto un camino de evasión y un monólogo: reemplazan el amigo que no he podido encontrar. (E. Caballero Calderón, *Colom.*)

34. Las cotizaciones de todas las divisas —incluido el dólar— se encuentran suspendidas en el mercado de divisas madrileño, tal como ocurre con los restantes mercados de divisas de Europa. (*A B C*, 18-8-71)

35. Una nube negra se levantaba tras la sierra, y se oyó un trueno sordo. (M. Azuela, *Mex.*)

36. Si se tomaba Zaragoza y la resistencia rebelde se hundía, no pasaría nada; pero si se prolongaba, la patria de su querido amigo Julio se vería invadida por combatientes de todas las razas. (JMG)

37. Por unos días, la amenaza o previsión de la guerra nuclear produjo efectos paralizantes... Como todo iba a acabarse de un momento a otro, se dejó de labrar, de construir, de estudiar. (J. M. Pemán)

38. En casa de doña Inés se comía a las dos de la tarde. (JV)

39. Se mata sin pensar, bien probado lo tengo; a veces, sin querer. Se odia, se odia intensamente, ferozmente, y se abre la navaja, y con ella bien abierta, se llega, descalzo, hasta la cama donde duerme el enemigo. (CJC)

40. En la clase, se hablaba, se fumaba, se leían novelas; nadie seguía la explicación. (PB)

41. Si se me permite, y estando en total conformidad con el sentir de Bloch, sólo aclararé que si se es gitano, difícilmente se puede dejar de serlo. (J. D. Ramírez Heredia)

42. En la vida, lo que importa no es lo que se es, sino lo que se siente. (FDP)

43. En el tiempo de mi juventud, escribir novelas era todavía una profesión muy honrada. Se era novelista como puede serse comediógrafo o abogado o dentista. (F. Ayala)

44. Se está fresco, sentado al borde de la carretera a la sombra de un olmo, después de un día caluroso en el que se han caminado algunas leguas y se ha pateado, de un lado para el otro, un pueblo grande y recién descubierto. (CJC)

45. La "Casa de América" en ciudades europeas o asiáticas no representa, como sería lógico, la diversidad del hemisferio desde el estrecho de

Bering hasta el cabo de Hornos; a la casa de América se va a aprender quién era Lincoln y a admirar fotos de las fábricas de Pittsburg. (FDP)

46. Las tabernas y los bares estaban llenos. Se salía de uno y se entraba en otro, y de éste se iba al siguiente, hasta recorrerlos todos varias veces. (D. Sueiro)

47. Con Elsa y con la menor de las Kronfuss discutió a qué cinematógrafo irían el domingo a la tarde. Luego se habló de novios y nadie esperó que Emma hablara. (J. L. Borges, *Arg.*)

48. —¿Y cómo ha sido? ¡Yo quiero que me digan cómo se me mató este hijo del alma! En el telegrama no me explicaban nada. (J. A. Mases)

49. —¿Quieren ustedes dejarme sola un momentito con ella...? Es la octava sobrina que se me casa, y todas han sido aleccionadas por mí. (J. M. Pemán)

50. —No he podido dar sus expresiones [*best wishes*] de usted a don Inocencio, porque el pobrecito se nos ha puesto malo de repente, y no recibe a nadie. (BPG)

51. —¿Tu hijo también se mete en líos? ¿No le hablas de tu pasado?
—El otro día le dije que yo había luchado por unos ideales sagrados y se me echó a reír. (T. Salvador)

52. Teodoro, que gustaba de ir todas las mañanas a la plaza para leer el periódico, apenas se había sentado, veía aparecer, corriendo a su encuentro, a la niña, la cual se le echaba en brazos y se le sentaba en la falda. Teodoro, entonces, se olvidaba de sus canas y era feliz. (JMG)

53. Los Guitart eran gente poco comunicativa. No se les conocían parientes ni amigos. (Dolores Medio)

54. —Ordené al Conserje que todos los días se te enviara... un ramo de las más lindas flores que pudieran encontrarse... (L. Spota, *Mex.*)

55. Significa coger esa libertad que se nos niega. (J. Torbado)

56. Se le concedió todo lo necesario y se le fijó una misión modesta: informar sobre las situaciones psicológicas del pueblo ruso... (J. M. Pemán)

57. "No, señor, nosotros no le pegamos a un detenido", apunta, cuando se le menciona el tema de las torturas... (*Cambio 16*, 28-2-77)

58. Alemania trabaja para hoy, pero investiga con la mirada puesta en el mañana. De ahí la importancia que se le da a la investigación teórica, como paso indispensable para la investigación aplicada. (*Gaceta Ilustrada*, 1-5-77)

59. Un discurso de Yagüe... produjo mucho revuelo... El resultado inmediato fue que se le quitó durante cierto tiempo el mando de fuerzas combatientes. (M. Tuñón de Lara)

60. El único ojo que se le ve (tapado el otro con una venda negra...) es un ojo ahuevado, de color castaña. (J. Corrales Egea)

61. Alguien contó el caso de una señora a quien, con las prisas, se le había olvidado quitarse las gafas de sol, y no vio absolutamente nada del techo de [*la cueva de*] Altamira. (*Triunfo*, 5-4-75)

62. Son poseedores de tanta libertad que ni por asomo se les ocurre usarla. (J. M. Pemán)

63. A mí se me hace que es al Juzgado adonde los van a llamar. (M. A. Asturias, *Guatemala*)

64. Estos perros, de chicos, son casi amarillos, después se les pone negro el lomo. (M. Latorre, *Chile*)

65. Como la vida se les hacía imposible, fue a visitar al Gobernador de aquella provincia, a ver si de algún modo le arreglaba su perra vida. (Dolores Medio)

66. Llevo más de dos meses poniendo herraduras nuevas al caballo, y siempre se le caen. Por lo visto se las arranca con las piedras. (F. García Lorca)

67. Por la mañana reúno a los compañeros y les hablo. Quiero mostrarme firme y decir esperanzas, pero se me sale la tristeza por los poros. (*Triunfo*, 18-9-76)

68. —Cuando está ella delante no me hablas así. Se te van los ojos... (J. M. Pemán)

69. El médico de la aldea, un hombre joven, llegó, dio los buenos días, se quitó las gafas para limpiarlas —se le habían empañado al entrar— y se acercó a la cuna. (R. J. Sender)

70. En este fin de año se me amontonan a la punta de la pluma... muchos temas que piden comentario al escritor... (J. M. Pemán)

71. "Carguen, apunten, tropiecen y que se les dispare el arma." (*Triunfo*, 18-9-76: caption to cartoon on police action in demonstrations)

72. Esperé a que se le fuera bajando la rabia. Le ofrezco un cigarro. Antes me lo había [=*habría*] tirado de un manotón; ahora me lo acepta... (A. Yáñez, *Mex.*)

73. Acordaron rendirse si se les respetaba la vida y se les juzgaba en consejo de guerra. (G. Cabrera Infante, *Cuba*)

74. En donde hay un cura rural hay siempre un cacique, y el dilema es éste: o se le acepta o se le combate, o se es conformista o se es un cristiano verdadero. (F. Benítez, *Mex.*)

75. ... se acercó al mostrador y le preguntó al chico:
—¿Qué se debe?
—Nada..., no se debe nada... Se te invita. (D. Sueiro)

76. Antes, cuando había cura en el pueblo, se le veía subir desde su casa, hoy en ruinas, a decir la misa. (JFS)

77. Por último, parece que también se pueden pedir armas por correo al extranjero, según se nos ha dicho. (*Cambio 16*, 14-2-77)

78. Siempre se me respondió con vaguedades, se me hablaba de su mirada, de su portentosa inteligencia. (E. Sábato, *Arg.*)

79. Al obrero ya no lo explota despiadadamente el patrón..., al campesino se le ha libertado de su antiguo señor feudal, pero sigue siendo esclavo de su miseria... (F. Benítez, *Mex.*)

80. Hace poco hemos leído un artículo... en el que se nos habla del tiempo actual de nuestra novela y se le considera como un renacimiento del genio nacional... (D. Pérez Minik)

81. Andrés se embozó en la capa hasta los ojos, se subió el cuello y se metió las manos en los bolsillos del pantalón. (PB)

82. Entretanto, como si nada hubiera sucedido, don José se había calado las gafas y leía, estoicamente, las noticias... (R. Gallegos, *Venez.*)

83. El padre se quitó la sotana y, antes que yo pudiera impedírselo, derribó al joven de un seco golpe en la quijada. (F. Benítez, *Mex.*)

84. [*salió de la ducha*]... y, sin pensar en prepararse el desayuno, calzó sandalias de cuero, se puso unos Levi's de pana amarilla, y una camisa color fresa, echó una rápida mirada al cuarto donde había sido tan feliz, se golpeó la cabeza contra el techo bajísimo y descendió rápidamente, sin hacer caso de los botes de basura vacíos y olvidados en cada descanso de la escalera. (C. Fuentes, *Mex.*)

85. Intenta besar a Teresa. Al acercarse, ella le repudia, pretextando algo urgente:
—Quítate, por favor. Las lentejas... ¿No ves que se me queman las lentejas?
Se queman las lentejas, Pablo Marín. Esto es muy importante.
Pablo se encoge de hombros, abre la puerta, sin hacer ruido y se dirige a la habitación.
Busca las zapatillas bajo la cama, se pone su batín y extiende sobre la mesa el diario de la noche, único lujo que se permite fuera de los gastos indispensables. Al abrirlo, algo se cae al suelo. (Dolores Medio)

86. Se dice que acercándose una concha a la oreja se oye el rumor de la mar, en que nació y se crió el animal que hizo la concha. (MU)

87. La alimentación es la medicina perpetua del organismo. Se controla las boticas y sus preparados, que consumimos *a veces*. Nadie controla la preparación y venta de alimentos, que consumimos *todos los días*. (B. Subercaseaux, *Chile*)

88. ... es natural que siga aumentando el uso vulgar de *se vende frutos del país, se arrienda piezas*, etc., que en América ya ha invadido el lenguaje familiar de la gente culta y sólo se detiene a fuerza de la enseñanza escolar. (R. Lenz, 110)

89. Por el momento se desconoce otras circunstancias, como el lugar en que se celebrarán dichas conversaciones, e incluso la fecha exacta. (*A B C sem.*, 15-1-76)

90. La persecución a la izquierda, peronista o no peronista, se hizo sangrienta. Y oficial. Desde el poder se privaba de cargos a todos aquellos que tenían un aliento liberal; desde la oscuridad se les asesinaba. (*Triunfo*, 28-8-76)

91. Me lo encontré cuando bajaba por los Campos Elíseos en dirección al Consulado y yo daba una vuelta por allí... (E. Caballero Calderón, *Colom.*)

92. Ella se lo había buscado, casándose contra los consejos de todo el mundo. (VBI)

93. —El secreto es bien sencillo. A usted no se lo voy a ocultar. (J. M. Pemán)

94. El padre... le puso al hijo un vaso de vino entre los dedos. Evaristo se lo bebió de un trago y el padre se lo rellenó. (FGP)

95. Se lo dije a N. L., y me encontré un puesto en otra revista donde se me pagó el triple por el mismo trabajo. (*Triunfo*, 21-6-75)

96. Don Polo no reía jamás, pero sonreía con una gran dulzura, enseñando dos dientes de oro que ahora le avergonzaban. Se los había puesto cuando era todavía joven. (E. Caballero Calderón, *Colom.*)

97. La botella de ron negro duró hasta la madrugada, cuando Coipo volvió a bajar a la calle, esta vez para que se la llenaran de café. (J. Torbado)

98. ... el producto está siendo desplazado por otras fibras que prometen superiores virtudes, o se lo ofrece, acaso por motivos aduaneros, con otras designaciones comerciales... (J. Marías)

99. Una de las cosas más difíciles de definir es el valor humano, en el sentido de la bravura. Generalmente se lo confunde con la agresividad... (A. Reyes, *Mex.*)

100. El humo está constituido por diminutivas gotas de un petróleo muy fino suspendidas en gas CO2. Se lo puede emitir desde un "chorro" de

cinco centímetros de largo hasta en densas nubes a razón de 55 metros cúbicos por minuto. (*La Prensa*, Buenos Aires, 3-2-69)

101. Aquí nos enseñó cómo las patas de los sillones estaban atornillados al piso: —Se los puede quitar todas en dos minutos y dejar esto vacío. (A. Barea)

102. Tiene, en efecto, una cintura muy fina si se la contrasta con sus amplias caderas y su alta estatura. (R. Usigli, *Mex.*)

103. No se advierte en San Luis una marcada preferencia por el uso de la expresión *y todo*, pero se la oye con cierta frecuencia... (Berta Elena Vidal de Battini, *Arg.*)

104. Las cantidades [*de dinero*] aprobadas son, en general, exiguas. Insignificantes casi, si se las compara con las de las grandes potencias deportivas del orbe. (*Visión*, *Mex.*, 1-7-76)

105. Concluida la función, el público aguardó a Sánchez en la calle para reiterarle su admiración y simpatía. Al salir, se lo rodeó, se lo vitoreó, se lo abrazó. (J. Imbert, *Arg.*)

106. "Nunca supimos que fuese a quitarse la vida, pero se la veía frecuentemente callada y triste." (*Diario 16*, 27-4-77)

107. [*Las muchachas alemanas...*] Se las ve en todos los sitios, tranquilas y confiadas, y no se percibe en sus ojos esa sombra de temor y recelo tan evidente en los de nuestras muchachas. (A. M. de Lera)

108. El doctor le esperaba ya en el vestíbulo del hotel, y en cuanto los dos hombres se vieron, se acercaron dando muestras de satisfacción y se estrecharon efusivamente la mano. (JMG)

109. Casi nadie visita estos parajes de la costa. La tempestad y el sol se disputan su dominio y son similarmente crueles. (C. Fuentes, *Mex.*)

110. Hacía años que los tres hombres no se dirigían la palabra, y ahora tampoco hablaban. (MB)

111. Sergio habíase detenido muy cerca de la puerta. (L. Spota, *Mex.*)

112. A ratos disipábasele la negra melancolía y soltaba la risa al pensar en el enojo de Santos cuando no la encontrara en su casa. (R. Gallegos, *Venez.*)

113. Olvidábaseme decir que no sólo en el patio, sino en todo el tránsito que había recorrido, en los rincones de la sala y hasta en el medio de ella, se veían tiestos con flores. (APV)

114. Tampoco allí se encontraba bien. Sofocábale cierta atmósfera intelectual, muy propia de ciudad universitaria. (EPB)

115. Habíala hecho Dios generosa, eso sí. (BPG)

116. Esto le habría dicho si encontrádole hubiera. (BPG)

117. —¿Han traído ya las medicinas que encargó don Vicente?
—Sí. Las acabo yo de ir a buscar. (M Mihura)

118. ... creyendo entonces que me iba a tener que cambiar el nombre. (G. Cabrera Infante, *Cuba*)

119. Tengo entendido que ahora va a volverse a casar. (M. Mihura)

120. —Harto lamentable es tenernos que desprender de ese chico; no nos lo pongas más difícil con tu dimisión. (A. Palomino)

4

DESCRIPTION IN SPANISH

4.0 One important difference between the sample sentences listed below is that those in group (*i*) convey information about what we may broadly term 'activities', while those in group (*ii*) offer descriptive information (about identities, characteristics, states, and situations). The verbs used in this second group of sentences may therefore be said to have *descriptive uses* and, since the sentence components used as complements of these verbs fulfil the special function of describing something (usually the subject of the verb), we may refer to them broadly as *descriptive elements.*

(*i*)	(*ii*)
Mató al enemigo.	Fue el enemigo.
Mándame muchos.	Eran muchos.
Fue herido.	Son buenos.
Está comiendo.	Está herido.
Juega en el parque.	Está en el parque.
Vino con ella.	Está con ella.
Apareció el dueño.	Parecía el dueño. (=object)

A *descriptive element* (most usually an adjective, a -DO form or a noun, less frequently a place or time adverb or a prepositional phrase), either alone or with accompanying elements, may also occur as the complement of the subject of certain Spanish verbs whose primary use is to denote activities (e. g. *andar, seguir*) or as the complement of the direct object of certain other 'activity' verbs. In both of these combinations, the descriptive element is, like those listed under (*ii*) above, a *central* or *essential* part of the clause or sentence structure, and its presence may modify the interpretation to be given to the verb (particularly in translation). Therefore, such verbs may also be said to have *descriptive uses.* Compare, for example, the activities described in group (*iii*) below with the essentially descriptive content of the sentences in group (*iv*):

(*iii*)	(*iv*)
Andaba.	Andaba enfermo.
Sigue al hombre.	Sigue enfermo.
Lo veo.	Lo veo difícil.
Se puso el abrigo.	Se puso enfermo.
Se hizo una casa.	Se hizo abogado.

Since a significant number of Spanish verbs have descriptive uses (and since many of them frequently need to be translated by English *to be*), the bulk of this chapter (i. e. sections 4.1-4.17) will be devoted to them. Because of similarities of *form*, certain other cases where such verbs may be used with -DO forms with other functions (e. g. *ser* + -DO) will also be described in these sections rather than with the verb groups in Chapter 1. The remaining sections of the chapter will deal with the following related matters: verbless descriptive sentences (4.18) and descriptive elements of special interest for comprehension and translation (4.19-4.22).

NOTES

1. Although this chapter does not deal with description in its most basic morphological senses (i. e. with matters like the formation, structure and uses of nouns, adjectives and noun phrases), it may be pointed out that, through a study of the examples given in the text and in the supplementary exercises *throughout* this textbook, students will automatically widen their experience of and familiarity with many of these basic features of the Spanish language. Where needed, further information on such matters is readily available, in the first instance, in the principal reference grammars and dictionaries. In addition, all English-speaking students of Spanish will find much enlightenment on those noun and adjective suffixes which present most comprehension and translation problems in A. Gooch's *Diminutive, Augmentative and Pejorative Suffixes in Modern Spanish.*

2. Descriptive elements used as *non-essential,* or peripheral, components of the sentence are discussed in sections 5.20-5.25.

4.1 Spanish descriptive elements may occur as essential sentence components with a large number of verbs. For the purposes of this textbook, these verbs have been divided into three broad groups, as follows:

- plain description ... 4.2-4.8;
- 'subjective' description (i. e. verbs denoting appearance, perception, judgement, describing and naming) ... 4.9-4.12;
- other types of description ... 4.13-4.17.

PLAIN DESCRIPTION

4.2 SER

Of the two most common verbs with descriptive uses, *ser* is most closely associated with descriptive elements denoting identity or characteristics. Its commonest descriptive uses, which are briefly illustrated below (in List 1), may be taken as familiar or known. Other uses of *ser,* which are illustrated elsewhere in this book, are referred to in List 2 and in the Notes.

List 1

Es profesor.
Es una farsa.
Es listo/joven/español.
Es mío.
Es aburrido. (See also 4.3)
Es para él.
Es de ellos.
Es de una honradez increíble.
Aquí no es. (=identification of place):

> —El médico, en seguida.
> —Es arriba, ¿no? Yo mismo le aviso. (J. Calvo Sotelo)
> *His surgery is upstairs, isn't it?*

List 2

Es como si no entendiera. (2.17.2)
Lo curioso es que no le importa. (2.27)
Es de esperar que... (4.20.1)
Ese es el que necesitamos. (6.13.1)
Fue él quien lo hizo. (6.13.2)
Lo que quiere es irse. (6.13.3)
Es por eso por lo que no ha venido. (6.13.4)

NOTES

1. The following special uses of *ser* are worth noting: *ello es que (the point/ fact is that; however), es más (moreover).* (For *es que* and *¿es que?,* see *Manual.*)

2. Verbs like those listed below may often need to be translated into English as *to be* (as well as by *to mean, to represent, to amount to,* etc.):

   constituir, representar, significar, suponer.

   > Las fotos... de este monstruo constituyen una verdadera joya para los investigadores. (*La Actualidad Española,* 27-7-72)
   > *The photographs of this monster are a real find for the researchers.*

Dos mil pesetas no significan nada para él. (Moliner)

Eso no representa para él ningún sacrificio. (Moliner)

Los gitanos suponen un caso especial. (J. D. Ramírez Heredia)

3. The verb *tratarse de,* when used at the beginning of a clause or sentence with reference to something already mentioned may also need to be translated by *This is/was, These are/were,* etc. rather than by *it is a matter of:*

Ante todo, afirmemos rotundamente: se trata de una auténtica obra maestra... (A. Amorós)

Aunque muchos no la conozcan, se trata de una palabra española que he visto empleada por Baroja. (A. Amorós)

Allá en su casa, él también tenía un perro. No se trataba de un perro como Moro..., sino de un auténtico perro lobo... (A. Martínez Garrido)

4.3 The combination of *ser* and a -DO form needs more careful examination because it may indicate the description of a characteristic (4.3.1), or a verb group equivalent to English passive forms (4.3.2 and 4.3.3).

4.3.1 A limited number of -DO forms, when used with *ser,* denote characteristics *only,* e. g. *atrevido (daring), sufrido (long-suffering), arriesgado (risky), desconfiado (suspicious).*

Many others may denote permanent characteristics if used with *ser* but, with *estar,* new or temporary characteristics or states, especially those resulting from an observable change. For example:

Es aburrido.	*He is boring.*	Está aburrido.	*He is bored.*
Es casado.	*He is a married man.*	Está casado.	*He is married.*
Es callado.	*He is a quiet person.*	Está callado.	*He is silent.*

In a few cases, a -DO form following *ser* may denote either a characteristic or an 'action', but usually the context will reveal which of these meanings is intended:

Sus palabras eran excusadas. (Gili, 123)
His words were necessary/excused.

La edición fue reducida. (Gili, 123)
The edition was small/reduced [i. e. *made smaller*].

El emigrante fue honrado en sus últimos años. (E. Alarcos Llorach, 131)
The migrant was honest/honoured in his final years.

NOTE

In addition to the forms *aburrido, atrevido, desconfiado* and *sufrido,* given above, a few other -DO forms need to be translated by English -ING forms when used with *ser*, or as adjectives, e. g. *confiado (trusting), divertido (amusing, entertaining), entretenido (entertaining), osado (daring), pesado (boring).* Note also the use of *muy leído (well-read* or *widely-read,* of both books and *people)* and of the colloquial and pejorative *es muy leído y escribido* [*sic*] *(he is pedantic and pretentious).*

4.3.2 Most usually, however, *ser* + -DO functions as a verb group (like those described in Chapter 1) equivalent to the analogous —but more widely used— English passive forms. This usage, briefly illustrated below, may also be taken as familiar to readers.

El tesoro ha sido descubierto.

El tesoro fue descubierto.

El monumento será inaugurado mañana.

Muchas veces las respuestas que damos a estas preguntas son desmentidas por la historia. (O. Paz, *Mex.*)

Después de las batallas los heridos que se podían recoger eran llevados en camilla hasta una ambulancia que solía estar a dos kilómetros del frente. (Concha Alós)

Juan es querido por todos. (Gili, 10)

Eran temidos por sus compañeros. (Spaulding, 23)

NOTES

1. With *saber* and *conocer*, the -DO forms often precede *ser:*

Sabido es que en latín las distintas funciones del sustantivo... se expresaban por medio de desinencias especiales... (Gili, 205)

2. In many styles of Spanish, *ser* + -DO with a passive meaning is not frequent. For other forms and constructions equivalent to the English passive, see: Chapter 3 *(se)*; 1.13.1; 4.21-4.22; 6.5.2 and 6.8.2. Also, a third person plural verb form may sometimes need a passive translation:

Dicen que no lo hizo.

Pepeta oyó que le [*sic*] llamaban. En la puerta de una escalerilla le hacía señas una buena moza. (VBI)

4.3.3 The following uses of the present and imperfect tenses of *ser* + -DO as a passive verb group may be met in particular styles.

a) As with the present and imperfect indicative in general (cf. 1.1.1 and 1.2.1), those of *ser* may be used in narrative styles (particularly in journalistic Spanish) as variants for the preterite tense:

Napoleón es derrotado en Waterloo. (Gili, 124)

Dos años más tarde, en mayo de 1961, Rafael Trujillo... es asesinado a balazos cerca de la capital, Santo Domingo. (*Gaceta Ilustrada,* 24-4-77)

Pocas horas después, en el aeropuerto internacional de Barajas, eran detenidos un hombre y una mujer. (*A B C sem.*, 7-12-67)

Hace tres semanas era secuestrado cuando viajaba en su automóvil... (*Ya*, 24-9-69)

b) A more recent tendency, observable in journalistic Spanish, is the occasional use of the imperfect tense of *ser* with a following -DO form as a variant for the imperfect progressive passive (i. e. *estaba siendo* + -DO). Such usage may be prompted by a desire to avoid the progressive form which, as has been stated in 1.7, is frequently censured by grammarians and others.

Cuando en el buque «Villa de Orio», anclado en el muelle... de Poniente, eran cargadas noventa bombonas de cloro..., se rompió, según parece, la válvula de una... (*A B C sem.*, 2-1-75)
While ninety drums of chlorine were being loaded on the «Villa de Orio», berthed at West Dock, the valve of one of them apparently broke...

[Se hundió un barco.] Se perdieron 33.000 toneladas de [*petróleo*] crudo... que eran conducidas desde Tumaco (Colombia) a Callao (Perú). (*El Español en Australia*, 10-2-76)

NOTE

The forms *era llegado* and, less frequently, *es llegado,* which are archaic survivals of earlier Spanish forms of the pluperfect and perfect tenses (cf. French *Il était arrivé* and *Il est arrivé*), may occasionally be found in non-contemporary literature, or in poetry, as variants of these tenses of *llegar*. With other -DO forms, the variation is all but obsolete:

Era llegado el momento supremo. (Keniston, 195)

Llegados son a un paraje.
en donde el pinar se espesa. (AM)
They have arrived at a place where the pine forest gets thicker.

Eran sonadas ya las once. (Spaulding, 24)
Eleven o'clock had already struck.

4.4 ESTAR

We may take as basic the following uses of *estar* with descriptive elements indicating changeable or variable characteristics, states or circumstances, or those resulting from an observable change.

Está alegre/triste/listo.
Está muerto.
Está bien/mal.
Están aquí.

Están en el jardín.
Están de vacaciones.
Están de buen humor hoy.

4.4.1 As can be seen in the above examples, *estar* is not usually followed by a noun complement, unless this is introduced by a preposition. However, *estar* + noun is met as a more emphatic variant of *haber,* particularly in the enumeration of lists of factors (e. g. *Y luego está el...*: *And then there is the...*).

Después está el asunto de la jerga, otra de las características que menos soporto. (E. Sábato, *Arg.*)

Y entre los detalles que quiero verificar está el tono de su voz, los matices de su voz... (MB)

NOTES

1. *estar de* + noun may also mean *to be acting/working/employed as* or *to have a new job as:*

   Está de chófer con una familia rica.

2. For other uses of *estar* described in this book, see the Index.

3. Similar in meaning to *estar* + adverb or prepositional phrase are verbs like the following when followed by similar elements: *figurar (to be; to be included), radicar* and *residir (to lie; to be; to be found):*

   Esta palabra no figura en el diccionario.

   La novedad del traje reside en su exageración. (O. Paz, *Mex.*)

   La dificultad radica en la falta de dinero. (Moliner)

4. Translation by *to be* may also be necessary for the verbs *yacer* and *vivir* when followed by adjectives, -DO forms or prepositional phrases, etc. (See also 5.22):

   Vasos y jarras yacían amontonados encima del mostrador.
   (J. L. Martín Descalzo)
   Glasses and mugs/jugs were heaped up on the counter.

   Le contesté sin vacilar que no estaba dispuesto a vivir sometido a un régimen de interno de segunda enseñanza... (E. Caballero Calderón, *Colom.*)
   I immediately retorted that I was not prepared to be restricted to the regimented existence of a boarding school student.

4.4.2 *estar* + -DO indicates a state (especially one resulting from a passive action: *ser* + -DO) and is often translated into English as *to be* + -D. Note, however, that some -DO forms denoting states, may need to be translated by English -ING forms:

abrazado a	*clutching; embracing*	*colgado*	*hanging*
acurrucado	*crouching*	*dormido*	*sleeping*
agachado	*stooping*	*echado*	*lying down*
agarrado a	*clutching, gripping*	*sentado*	*sitting*
apoyado	*leaning*	*suspendido*	*hanging*
arrodillado	*kneeling*	*tumbado*	*lying down*
cogidos de la mano	*holding hands*		

(Note also *estar agradecido - to be grateful.*)

NOTE

For *estar hecho un* + noun, see 4.20.1.

4.5 HABER

Like English *There is/are,* etc., the verb *haber,* when used impersonally with a direct object, is descriptive in that it indicates the existence of an entity (which may be further qualified by a complement) or an event.

Hay dos soluciones.
Había muchos libros amontonados en el suelo.
Había esparcidos muchos papeles.
Hubo un incendio.

When *haber* is accompanied by an object pronoun referring to a noun previously used, English translation will usually be by *to be* plus *one, any* or *some,* with stress on the verb or pronoun according to the context:

—No hay puerta.
—La hay arriba.
—No la hay abajo. (R. Marqués, *P. Rico*)
«*There* IS *(one) upstairs.*»
«*There* ISN'T *(one) downstairs.*»

—¿Habrá invasión? ¿Crees que la haya? (L. Spota, *Mex.*)

Las críticas brotaban por todas partes. Se sabe que las hubo incluso en las más altas esferas militares. (M. Tuñón de Lara)
There was a storm of criticism from all sides. It is known that some even came from the highest military levels.

—¿Tienen unos zapatos amarillos?
—No, pero los hay rojos.
No, but there ARE *some* RED *ones.*

The stereotyped construction *He aquí* + noun corresponds to *Here is/are:*

He aquí algunas ideas acerca de la mejor forma de lograr eficiencia por parte de su personal femenino... (*Visión, Mex.,* 20-5-77)

Also stereotyped is the use of *He(me) aquí que* and *Hete aquí que* to introduce an important, sudden or contrasting event into a narrative sequence, rather like English *(when) lo and behold* or *(when) suddenly/all of a sudden:*

> He aquí que de pronto se rompe el cable, y el tiburón desaparece en medio de un remolino... (Coste, 235)
> *And at that moment the wire suddenly snapped and the shark disappeared in a swirl of water.*

> Todo el mundo estaba consternado... Pero hete aquí que en este momento empezaron a sonar en la calle las esquilas de las vacas... (Coste, 235)

NOTES

1. For the stereotyped colloquial and emphatic *si lo hay/hubo,* see *Manual.*
2. When followed by its subject, *existir* will also often need to be translated by *there is,* etc.:

   > Existen ya 300 almacenes diseminados por todo el país dedicados exclusivamente a estos aparatos, que han superado ampliamente las previsiones de ventas. (*Gaceta Ilustrada,* 24-4-77)

3. The verb *sobrar* may also be noted as needing to be translated by *to be too much* or *to have too much:*

   > Aquí sobra gente.
   >
   > Le sobra dinero.

4.6 TENER

Several basic uses of *tener* + direct object are essentially descriptive in meaning, a fact reflected by the need to translate them by *to be* + complement:

Tiene frío/calor/vergüenza/miedo, etc.
Aquí tiene usted su dinero.

Other uses, dealt with below, are varied and need care in translation.

4.6.1 The patterns *tener* + adj. + noun and *tener* + noun + adj. are particularly used in the description of mental and physical characteristics or states. Literal translation by *to have* is not always possible or advisable. In such cases, an effective alternative translation pattern will be by

(*his/my,* etc.) + noun + *is/was* + adj.

This will entail the conversion of the Spanish object into the English subject and, often, the addition of a possessive adjective.

Tenía la nariz larga. (Ramsey, 131)
He had a big nose. / His nose was big.

Tiene el pelo rojo.
He has red hair. / His hair is red. / He is red-haired.

Tenía la cara roja, húmeda de sudor, el vestido sucio. (JFS)
Her face was red, damp with sweat, and her dress was dirty.

—... parece ser que tengo un poco baja la tensión. (M. Mihura)
... it seems that my blood pressure is a bit low.

—Esa muchacha me tiene loco, señora. (W. Beinhauer, 223)
I'm mad about that girl.

Tiene a su madre enferma. (Moliner)

4.6.2 Where *tener* is accompanied by a -DO form, it may convey both a description (*a* below) or an activity (*b* below).

a) The patterns *tener* + -DO + noun and *tener* + noun + -DO most often denote descriptions and will need to be translated by *to be* or *to keep* and a following complement referring to the subject and object respectively:

España tiene clavada en su carne la espina de Gibraltar. (*A B C sem.*, 19-2-76)
Gibraltar is a thorn in Spain's flesh/side.

Tenía la cara cubierta de sudor y gemía. (R. Fente Gómez, 1971, 143)
His face was bathed in perspiration and he was moaning.

... la vieja escopeta que tenía siempre cargada detrás de la puerta. (VBI)
... the old shotgun that he always kept loaded behind the door.

b) When the combination *tener* + -DO is accompanied by a *que* clause, an infinitive or the pronoun *lo*, it denotes an 'activity' and often contains emotional emphasis. In such cases, translation will often be by an English perfect or pluperfect tense. This function is particularly associated with -DO forms of verbs denoting saying, writing, perception and with idiomatic uses.

—Te tengo dicho que no lo hagas.
I've told you (quite clearly/many times) not to do it.

Y él se empeñó en venirse. A pesar de que se lo tenía advertido, que no viniera. (L. Martín-Santos)
But he insisted on coming. In spite of the fact that I had warned him not to.

Yo, lector, tenía anunciado hace seis años, pero en proyecto más de quince, escribir un libro llamado La España negra; tenía ya empezados los primeros artículos. (J. Gutiérrez Solana)

Tengo oído... que es una alhaja. (Keniston, 175)
I've heard that she's worth her weight in gold. / They tell me... / I'm told...

Tengo entendido que es muy bueno.
I understand that it is very good.

Se lo tienen merecido. (J. de Bruyne, 1972, 35)
It serves them right. / They asked for it.

En primer lugar, tengo prohibido salir de la ciudad. (J. de Bruyne, 1972, 34)
In the first place, I'm not allowed to leave the city.

Me tienen prohibido salir.
I am not allowed (to go) out.

NOTE

The English pattern *to have* + direct object + -D is quite different in the meanings it may convey, since it usually indicates an activity suffered by the subject (e. g. *They had their car stolen:* Les robaron el coche; *He had his leg amputated*) or instigated by the subject (e. g. *They had their house repaired:* Hicieron reparar la casa. (See 1.13.1*a*.)

4.7 LLEVAR TRAER

Like *tener,* the verbs *llevar* and *traer* have both descriptive and other uses when accompanied by a direct object and an adjective or a -DO form. Even where they retain all or part of their *primary* meaning in Spanish, English translation will normally be with *to be* or *to have.*

4.7.1

llevar + direct object + adj./-DO
llevar + adj./-DO + direct object

These patterns are similar to those given for *tener* in 4.6.1 and like the latter they may convey descriptions when the direct object refers to something closely associated with the subject:

Llevaba rotos los zapatos. (E. Alarcos Llorach, 120)
His shoes were full of holes.

Llevaba la cabeza inclinada. (Keniston, 113)
His head was bowed.

4.7.2 Peculiar to *llevar* are the following examples which, although similar in *form* to those in 4.7.1 need different treatment in translation. In section *a*) below the direct object is a noun or a noun phrase denoting a period of time; in section *b*) the -DO form, although still agreeing in gender and number with the direct object, conveys an 'activity'. In both cases, the present and imperfect of *llevar* will need to be translated by English perfect and pluperfect tenses respectively.

a)

Llevo año y medio encerrado en una jaula como si fuera una rata. (H. Quiroga, *Urug.*)
I've been cooped up in a cage like a rat for eighteen months.

Tío Juan Manuel llevaba meses enfermo cuando ocurrió mi aventura. (R. Navas Ruiz, 99)
Uncle J.M. had been ill for months when my episode happened.

Sólo lleva tres días aquí.
He has only been here for three days.

(Note that here the descriptive element is adverbial.)

b)

Saben adónde van, de dónde vienen. Cada paso en el camino de la vida lo llevan contado y calculado. (PB)
They know where they are going and where they have been. They have counted and calculated every step in their lives.

Cuando nuestro compañero llevaba recorridos unos diez metros, de la trinchera contraria surgió un soldado. (Harmer, 356)

... aquel Tratado de Estética del que llevaba escritas dos mil cuartillas que perdió en la guerra. (J. de Bruyne, 1972, 37)

NOTES

1. For *llevar* + -NDO and *llevar* + *sin* + infin., see 1.9.2.
2. *llevar puesto* + direct object means *to be wearing, to have on:*

Llevaba puesto un abrigo de pieles.

4.7.3 The use of *traer* as a more vivid colloquial variant of *tener* is evident in many idiomatic uses, e. g.

—¿Qué trae el periódico hoy?
What's in the paper today?

—Eso me trae sin cuidado.
I couldn't care less about it.

—Este problema me trae de cabeza.
This problem is driving me mad.

Like *tener* and *llevar*, *traer* may be used with a direct object and adjectives or -DO forms with both descriptive and other meanings. Where translation with *to be* or *to have* is not possible, it may be appropriate to use the pattern *to make* (or a synonym) + adj.

Este asunto me trae loco.
This affair is driving me mad.

Trae los zapatos llenos de polvo. (R. Navas Ruiz, 99)
His shoes are covered in dust.

El doctor traía curados muchos pacientes. (Gili, 116)
The doctor had cured many patients.

Todo lo cual me admiraba bastante y me traía desconcertado. (GTB)
All of which rather surprised me and made me confused.

NOTE

traer puesto + direct object means *to be wearing, to have on.*

4.8 ANDAR IR VENIR

Also used with accompanying descriptive elements, in functions similar to those of *estar*, are the verbs *andar, ir* and *venir*, which are particularly frequent in colloquial language. Unless they clearly retain all of their primary meaning (denoting movement), the most likely English translation for them in such patterns is, again, *to be*. All three verbs may be accompanied by adjectives, and -DO forms, and *andar* is frequently accompanied by a descriptive prepositional phrase.

4.8.1 *andar*

Anda malucho estos días. (Moliner)

Anda enamorado. (A. Alonso, 215)

Anda muy mal de dinero. (Moliner)
He is very badly off (for money). / He is very hard up.

Ese pueblo anda por el norte de España. (Moliner)

Anda tras un empleo.
He is going around after a job. / He is after a job.

Soy el único que no sé por qué ando en este asunto. (G. Cabrera Infante, *Cuba*)

4.8.2 *ir*

—¡Hay que ir más despacio!
—¡Pero si voy parado! (J. de Bruyne, 1972, 38)

En Somorrostro irá emplazada la refinería de petróleo. (*A B C sem.*, 29-6-72)

El reloj va atrasado. (Moliner)

Muchas de estas obras van dedicadas a trabajadores como aquellos de quienes se ocupan. *La mina* se dedica «A mi amigo el minero con el que viajé en el correo de Andalucía»... (P. Gil Casado)

4.8.3 *venir*

Even when *venir* is used in such patterns with its primary meaning intact, the most likely translation will still be by *to be:*

> El pantalón le viene ancho.
> *The trousers are too big for him.*
>
> —Vengo muy cansado. (Moliner)
>
> —¿Usted por aquí? No me fijé. Venía tan preocupado. (G. T. Fish, 1964, 132)

NOTE

For *ir siendo* and *venir siendo,* see 1.8 and 1.9.1 respectively.

SUBJECTIVE DESCRIPTION

4.9 All the combinations of verbs and descriptive elements presented so far convey a plain descriptive statement. Spanish also possesses many other descriptive combinations involving verbs whose primary meaning denotes a subjective viewpoint (e. g. *parecer*) or a subjective 'activity' (e. g. *ver, creer, llamar*). Such combinations will be illustrated in 4.10-4.13 but the following points may be made here:

a) most of the verbs are accompanied by a direct object and a descriptive element referring to that direct object;

b) in some cases, where literal translation of the verb's primary meaning would be stilted or (particularly when the subject is non-animate and the object is *se*) unacceptable, *plain* description *(to be)* will be necessary.

4.10 The most basic forms of subjective description are those containing verbs equivalent to *to appear, to look, to seem,* etc. Most common of these is *parecer* (which may be followed by *ser* or *estar*). Also used with a similar meaning is the more literary verb *semejar.*

> Parece tonto.
>
> Parece buena persona.
>
> Las pequeñas dificultades semejan problemas insolubles. (Moliner)

Also found with similar meanings, although usually more limited to written or sophisticated styles, are the following verbs:

antojársele	*ofrecérsele (como)*
aparecer (como)	*presentarse (como)*
aparecérsele (como)	*presentársele (como)*

Siempre me había parecido doña Javiera persona de buen ver; pero aquel día se me antojó hermosísima. (BPG)
I had always considered Doña Javiera an attractive person, but that day she struck me as being absolutely beautiful.

Se acercó un poco más entre las plantas y entonces lo que vio se le antojó un sueño. (A. Roa Bastos, *Parag.*)

Los dedos sobre la mesa aparecían torpes. (I. Aldecoa)

Las razones para devaluar aparecen claras. (*A B C sem.*, 19-2-76)

La muerte se me aparece mucho más sencilla. (R. Navas Ruiz, 85)

Pero esta traducción se nos ofrece llena de dificultades. (R. Navas Ruiz, 85)

Todos aquellos escritores se expresaron muy bien sin tener la noción de eso que se llama estilo. Es más, esa manera o cosa nunca se les presentó como algo objetivo... (D. Pérez Minik)

Juan estaba sin trabajo desde los sucesos de octubre. El invierno se presentaba malo. (I. Aldecoa)
...Prospects for the winter seemed bad.

NOTES

1. A few verbs which denote an impression of behaviour also have descriptive uses. Such verbs are *mostrarse* and *manifestarse,* both equivalent to *to behave, to pretend to be* and, particularly in these uses, *to be;* also, *fingirse, to pretend to be:*

La Policía se mostraba incapaz de hacer frente a aquella ola de secuestros. (*Triunfo,* 31-5-75)
The Police were/proved to be incapable of coping with that wave of kidnappings.

Con sus jefes se muestra respetuoso, quizá por un sentimiento innato de sumisión. (MD)
He treats his superiors with respect, perhaps because of an instinctive submissiveness. / He is respectful with...

Se ha manifestado intransigente. (Moliner)
He was intransigent. / He behaved in an uncompromising way.

Se fingió abstraído en la lectura. (MD)

Although *portarse (to behave)* may also be followed by a descriptive element, the latter is closer to being an *adjunct* (see 5.22) and is more likely to need an English adverb in translation:

El Estado Técnico Científico se porta generoso y liberal con todos. (R. Navas Ruiz, 91)

2. *aparecer* + -DO may sometimes need to be translated by *to be found* + -D:

Al día siguiente aparecieron muertas dos gallinas.

3. *sonar* + adjective or -DO is occasionally used with a meaning similar to English *to sound* + adjective; also, *sonar a* + noun means *to sound like.*

4.11 A much larger group of verbs, whose primary meaning is to convey special types of appearances, namely those presented as resulting from subjective beliefs and judgements, can also be used with accompanying descriptive elements. These are classified below according to the constructions in which they appear and also according to the problems they present in translation.

4.11.1 The verbs *sentir, ver, notar, encontrar* and *hallar,* which denote perception either by the senses or by the mind, may be used with a direct object (usually an object or reflexive *pronoun*) and a descriptive element referring to the latter, thus:

sentirse; sentirlo — *encontrarse; encontrarlo*
verse; verlo — *hallarse; hallarlo*
notarse; notarlo

In the case of *sentirse,* translation is by *to feel;* in the case of the other verbs, it will either be by a literal translation (e. g. *to see, to find*) or by one of the following: *to consider, to seem,* or, particularly when the direct object is a reflexive pronoun (and nearly always when the subject is non-animate), *to be.* With *hallarse* and *encontrarse,* since what is described is sometimes presented as fortuitous or surprising (and, not infrequently, unpleasant), a possible alternative translation may be *to happen to be. (Encontrarse* + adj. may also mean *to feel.)*

Me siento cansado.

Sentía las manos heladas.

Lo veo difícil.
It seems difficult to me. / It seems unlikely to me.

Lo encuentro ridículo.
I consider it ridiculous. / It seems ridiculous to me.

Después de comer tanto, me encuentro incómodo.
... I feel uncomfortable.

Era la primera vez que me veía a solas con aquella mujer y en sitio tan apartado. (JV)
It was the first time I had been alone with that woman and in such a deserted spot.

Recientemente, varias calles se han visto afectadas por la prohibición de aparcar. (*A B C*, 31-7-73)
Recently, several streets have been affected by the parking ban.

Se vio obligado a hacerlo.

El alcalde... y el presidente de la Diputación se encontraban entre los fieles.
(*A B C sem.*, 19-8-76)

... were among the congregation.

... para visitar a su anciano padre que se encuentra enfermo de gravedad.
(*El Tiempo*, Bogotá, 30-1-72)

Se hallaba en una gran dificultad.

La entrada de la cueva se hallaba obstruida por una cortina de arbustos.
(Ramsey, 384)

NOTES

1. For *Am.Sp. verse*+adj. *(to look)*, see 3.7.2 Note 3; note that *se le ve/ nota*+descriptive element also means *he looks* (3.13.2).
2. The verbs *conocer, ver, notar* and *encontrar* may also be used in patterns referring to possession and corresponding to English *to (know) him to have*+noun, *to seem to have* or *to (see) you with:*

   A mí, Carlos me caía bien. Le encontraba corazón. (J. Rodríguez Martínez)
   I liked Carlos. He seemed to me to have a lot of heart.

   —Es un revólver. Un revólver que nunca te había visto. (R. Marqués, *P. Rico*)
   It's a revolver. A revolver I had never seen you with.

   ... hablando en un tono de voz que no le conocíamos. (R. Marqués, *P. Rico*)
   ... speaking in a tone we didn't recognise in him/as his.

   No se le conoce ningún vicio.
   He is not known to have any vices.

4.11.2 Many verbs denoting belief or opinion (e. g. *creer, pensar, considerar,* etc.) may also be used with a direct object (most frequently in the form of an object or reflexive pronoun) and a descriptive element referring to this object. The most common of these verbs are listed below, including some which are accompanied by a relator *(como* or *por)* which precedes the descriptive element. Where a literal translation with *to think/believe* or *to consider* (or a synonym) is not acceptable, one of the following English patterns may be needed:

an object clause containing *to be* (e. g. *He thought (that) it was odd);*
verb+direct object *(+to be)*+complement (e. g. *He thought it odd; He considered him to be a fool);*
verb+*it*+noun complement+infin. (e. g. *He considered it his duty to go*).

creer	*dar por*
pensar	*(re)conocer como*
imaginar	*mirar como*
adivinar	*tener por/como*
suponer	*tomar por*
considerar (como)	
juzgar	
estimar	

Se creía solo. (N. D. Arutiunova, 1965, 43)

Él me creía una persona distinta. (R. Navas Ruiz, 107)

Creía llegado el momento de aclarar el misterio.

—Es injusto que me considere Vd. culpable. (R. Navas Ruiz, 107)

Él se consideraba el único y auténtico representante del Gobierno en la ciudad. (FGP)

Les suponía de vacaciones. (N. D. Arutiunova, 1965, 43)
I assumed they were on holiday.

También puede darse por extinguido el colosal incendio que se declaró el lunes pasado... (*A B C sem.*, 8-9-77)

A los ricos por un lado, y a los políticos y jefes de sindicatos, los tenía por marionetas. (FGP)

La policía creyó prudente echar tierra al asunto. (E. Anderson Imbert, *Arg.*)

Julián Vega... casi consideraba un deber pechar con las dificultades con que allí tropezaría. (JMG)

NOTES

1. *saber* is used in similar patterns and with similar translation possibilities:

Toño conocía a Cholo y lo sabía hombre de compromiso.
(J. Bosch, *Dominican Republic*)
Toño was acquainted with Cholo and knew him to be a man of his word.

... pero el dinero era su verdadera pasión. Con íntimo bochorno, se sabía menos apto para ganarlo que para conservarlo. (J. L. Borges, *Arg.*)
... To his deep shame, he knew he was less suited to earning it than to holding on to it.

2. One of the meanings of *contarse* is *to consider oneself*, but, in the above pattern, it is often used with a descriptive element consisting of *entre* + noun phrase. English translation will then be by *to be* or *to be included:*

Se cuenta entre los descontentos. (Moliner)

Entre las víctimas se contaban dos matrimonios.

4.12 Also used in similar descriptive patterns is a broad group of verbs denoting saying, naming and describing. In some cases, particularly with verbs denoting describing, the following translation patterns may be necessary:

verb + descriptive object clause;
verb + direct object + *to be* + complement;
verb + direct object + *as* + complement;
verb + *as* + complement + direct object;
verb + direct object + *to/of/for (being)* + complement.

In common use are:

llamar(se)		*acusar de*	*to accuse/blame*
declarar(se)		*culpar de*	
proclamar(se)		*calificar de*	*to describe as*, etc.
confesarse		*describir de*	
decir(se)	*to call;* *to say (that)* (+object clause)	*tachar de*	*to brand as*, etc.
		tildar de	

Me llamo Pedro.

Lo llaman valor.

Le declaró vencedor.

Se declararon miembros de una organización política.

—Yo a ti te digo gitana. (R. Navas Ruiz, 111)

Se decían leales, pero no estaban dispuestos a realizar ningún acto contra Casado. (M. Tuñón de Lara)

El ladrón se confesó autor de numerosos atracos. (R. Navas Ruiz, 91)

Le acusaron de traidor.

Calificó de ridículos los rumores.

Calificó la tesis de sobresaliente.
He pronounced the thesis outstanding. / He described... as...

Tildaron su conducta de mezquina.

NOTE

For *elegir* and *nombrar*, see 4.15.1 Note 2.

OTHER TYPES OF DESCRIPTION

4.13 Other verbs which may be used descriptively denote something more than 'plain' or 'subjective' description. Those illustrated in 4.14 denote a continuation of the characteristic or state described, while those dealt with in 4.15 and 4.16 denote that an identity, characteristic or state is the result of a *change* or the end result of a process.

4.14 Description of continuing states of two kinds is dealt with below.

4.14.1 The verbs *seguir, continuar* and *permanecer* may be accompanied by a complement. Translation: *to be still* or *to remain.*

...su padre y él seguían tan hostiles como antes. (PB)

El tema del proyecto de urbanización en la sierra de Gredos continúa candente. (*A B C sem.*, 11-11-76)
The subject of the development project in the Gredos mountains is still a burning issue.

... durante varios minutos permaneció inmóvil. (R. Arlt, *Arg.*)

NOTE

Although *quedar(se)* may be used in this way, it has important other uses and is described in 4.17.2.

4.14.2 Continued existence and states may be conveyed by the verbs *mantener* and *conservar* accompanied by a direct object (very often a reflexive pronoun) and a descriptive element referring to that object. Again, English translation may be by *to be + still*.

Conservo vivo el recuerdo de aquellas damas. (R. Navas Ruiz, 99)
I still retain a clear memory of those ladies. / My memory of those ladies is still clear.

La casa se mantiene todavía en pie. (Moliner)
The house is still standing.

La demanda del sector industrial se mantiene estacionaria desde principios del verano... (*Cambio 16*, 19-12-76)
Demand from industry has been stationary since the beginning of summer.

4.15 An essential type of description is that which conveys information about a change to a new identity or state. Such changes may be induced by an agent or a cause (4.15.1) or they may involve no stated or visible agent (apart from the subject's own efforts, occasionally) (4.15.2).

NOTE

For the use of *estar siendo, ir siendo* and *venir siendo* with a similar meaning, see 1.7, 1.8.2 and 1.9.1.

4.15.1 Verbs like *hacer, poner* and *volver* may be used with a direct object and a descriptive element to refer to a change of identity or state caused by the subject. Translation will be by *to make* or a synonym.

Esto le ha hecho famoso.

... la nueva ley hará más explícita la justicia agraria. (*Excelsior, Mex.*, 30-12-70)

La lámpara encendida hacía más alto e inmóvil a Román. (R. Navas Ruiz, 102)

Esa clase de música le pone furioso.

La edad vuelve serenos a los hombres. (R. Navas Ruiz, 102)

NOTES

1. *dejar* may be used in this way, but in view of other important uses, it is described separately in 4.17.1.

2. Verbs like *elegir (to elect)* and *nombrar (to appoint/make),* although connected with verbs of naming (4.12), are more conveniently grouped here in view of the *change* of state involved:

   Le nombraron embajador.

   Le han elegido presidente.

4.15.2 Used reflexively, and accompanied by descriptive elements, *hacer, poner, volver,* and verbs like *tornar* (more literary), *convertirse en, transformarse en* and *meterse a,* denote changes affecting the subject of the verb. Such changes may be due to efforts on the part of the subject or to factors outside his, her or its control. In English, *to become* and synonyms, like *to turn, to go, to change into,* etc. will be needed.

Se hizo rico.

Se hizo médico.

Se puso pálido.

Con la barriga llena, el viajero se torna sentimental. (CJC)

Se volvió loco.

El río se volvió un bloque de hielo. (L. A. Crespo, 211)

La oruga se convierte en mariposa. (L. A. Crespo, 211)

Cuando Don Juan se arrepiente, se mete a fraile. (Seco, 231)
When Don Juan repents, he becomes a monk.

NOTES

1. The following may also denote a change involving a noun complement: *llegar a (ser), pasar a ser:*

   Llegó a ser Presidente.

   ... estuvo en la guerra de Melilla, en la que llegó a cabo debido a su buen comportamiento. (CJC)
   ... he was in the Melilla war, in which he reached the rank of corporal thanks to his good behaviour.

   El edificio pasó a ser propiedad del Estado. (L. A. Crespo, 211)

   A partir del 1.º de enero de 1972, el precio de suscripción pasará a ser de 350 pesetas. (letter from OFINES, Spain)

2. Note also the usually pejorative verbs *(auto)constituirse en* and *erigirse en (to set oneself up as; to proclaim oneself):*

   Desde ese momento se constituyó en defensor de la niña. (Moliner)

   Se erige en árbitro del gusto público.

3. The construction *hacerse* + definite article + adjective is used to suggest pretence: e. g. *hacerse el tonto/sueco (to pretend not to understand), hacerse el sordo, dormido,* etc. (*to pretend to be deaf, asleep,* etc.):

> Ahora se ha quedado dormido, o por lo menos ha cerrado los ojos y se hace el dormido. (J. Cortázar, *Arg.*)

4. For *hacerse* + infin., see 1.13.1; for *hecho un* + noun as a special descriptive element, see 4.20.1.

4.16 Other Spanish verbs, whose primary function is intransitive, may be systematically accompanied by a descriptive element referring to the subject to denote an identity, a characteristic or a state which is the end result of a process (particularly of a mental process of discovery). Verbs used in this way are *salir, resultar* (which may be followed by *ser*) and *acabar* and its synoyms. General translation equivalents are: *to turn out, to prove (to be), to become, to end up.* Sometimes, however, *to be* will be more appropriate for *salir* and *resultar,* and, for *acabar,* etc., *to be* + *in the end.*

> Le salió la criada respondona. (A. Alonso, 210)
> *The maid turned out (to be) argumentative. / He found the maid impudent.*
>
> Salió elegido.
>
> El viaje resultó estupendo. (Moliner)
>
> El desconocido resultó ser un tío de mi mujer.
>
> Resulta fácil entenderlo.
>
> Acabará asesinado.

4.17 Two verbs which may be used in descriptive patterns denoting changes have been left for separate treatment because (like *tener, llevar* and *ser*) they have several functions. These two verbs are *dejar* and *quedar(se).*

4.17.1 When accompanied by a direct object and a descriptive element, *dejar* may be similar in function or meaning to *hacer,* etc. (4.15.1). But it also has other non-descriptive uses connected with its primary meaning *(to leave),* particularly when accompanied by a -DO form. In translation, a flexible approach is necessary.

a) basically descriptive uses:

> Me dejó asombrado. (R. Fente Gómez, 1971, 144)
> *He astonished me. / I was astonished.*
>
> ... a quien unos chiquillos habían dejado tuerto de una pedrada. (R. Navas Ruiz, 102)
> *... who had lost an eye because of a stone thrown by some children.*

... fueron sacando todos los objetos que yo había dejado olvidados [*en aquella casa*]. (VBI)
... that I had left behind.

b) basically non-descriptive (particularly with *dicho* and *escrito*):

He dejado dicho que no me interesa.
I have let it be known that I'm not interested.

Poco después llegaba el alguacil al molino, según dejamos indicado. (Harmer, 356)
... as has already been stated.

In examples like the following, *dejar* is best omitted from translation:

—Voy a dejarle dicho a mi madre que nos vamos, para que cenen ellos sin esperarme. (R. Sánchez Ferlosio)

... es la última de las novelas publicadas por Zunzunegui; y quiero apresurarme a dejar escrito que, mi juicio, es su obra mejor. (J. L. Alborg)

4.17.2 With *quedar(se)*, usage is even more complex. In one of its primary meanings, it may indicate continuation *(to remain/stay: se quedó en casa)*; it may also be used with following descriptive elements to denote changes as sudden events or as the result of a process; it may also be used to underline the beginning of a new state. Particularly when used with a -DO form, *quedar(se)* will need to be translated by *to be* where *to become*, etc. is inappropriate to the context. In many cases, *quedar(se)* may be taken as a near synonym of *estar* and, in journalistic styles especially, as a variant for *ser* or *resultar*.

Cuando alzó de pronto los ojos, se quedó atónito. (W. E. Bull, 1950, 472)

Se quedó ciego.
He went blind. / He was blinded.

El vestido ha quedado muy bonito.
The dress has turned out very nicely.

Ese feminismo, incluso, ha quedado anticuado. (A. de Miguel)
Besides, that sort of feminism is now old-fashioned/outdated.

He estado leyendo el primer capítulo de este libro, y creo que no me está quedando demasiado mal. (R. Tamames)
... and I don't think it is turning out too badly.

—Queda usted detenido.
You're under arrest.

El momento actual de España queda reflejado con precisión en la novela. (G. Sobejano)
Spain's present position is/has been clearly reflected in the novel.

A partir de 1640, en que el dominio portugués queda restablecido en el Brasil hasta 1713, se nota que... (F. Morales Padrón)

...ha quedado inaugurado el I Congreso Internacional sobre el Arcipreste de Hita. (*A B C sem.*, 29-6-72)

Han quedado sepultados aproximadamente ochenta personas.
(*El Tiempo*, Bogotá, 30-1-72)

NOTES

1. *quedar(se) sin* + infin. means *still not:*

Nos hemos quedado sin saber qué planes tienen.
We still do not know what their plans are.

Todo quedó sin hacer.
Everything was left undone. (Cf. 4.22.1)

2. For *quedar(se)* + -NDO, see 1.9.4.

VERBLESS DESCRIPTION

4.18 In section 1.14.1, the label *verbless sentences* was used in connection with certain Spanish sentence patterns which contain no finite verb form. Many verbless sentences, and clauses, are descriptive and are therefore more conveniently dealt with in this chapter. Such verbless sentences and clauses, although containing no finite descriptive verb, either consist of components which exhibit the same sort of subject-complement relationship that we have seen elsewhere in this chapter *or* convey the same sort of information that the direct object of *haber* conveys. Of these verbless constructions, many belong specifically to colloquial Spanish and are illustrated in *Manual;* others are given below.

4.18.1 The simplest kind of verbless descriptive sentences, often found in impressionistic literary descriptions, but also found in sign language, consist of a noun phrase, or a series of noun phrases. Such sentences describe in the way that *haber* sentences describe (4.5).

Humo de cigarro, olor penetrante de ropas sudadas, emanaciones alcohólicas y el respirar de una multitud; hacinamiento peor que el de un carro de cerdos.
(M. Azuela, *Mex.*)

La gente ardía de sed. Ni un charco, ni un pozo, ni un arroyo con agua por todo el camino. (M. Azuela, *Mex.*)

4.18.2 Most common in newspaper headlines and in other sign language are sentences consisting of a noun or noun phrase and a descriptive element. Typical patterns are:

-DO + noun; adjective + noun; noun + adjective; noun + noun; *adjunct* + noun; noun + *adjunct*.

Movida la semana. (*A B C*, 14-9-67)
A Busy Week.

Frustrado el atraco a una sucursal del Banco Hispano. (*Diario 16*, 17-11-76)
Raid on Banco Hispano Branch Foiled.

Estupefactos los turcos por boda de Jacqueline.

Españoles, víctimas de un accidente en Francia.
Spaniards in Road Accident in France.

La economía italiana, en fase de recuperación.
Italian Economy Improving.

Mañana, reunión del BID.
World Development Bank Meeting Tomorrow.

NOTE

Verbless descriptions are also common in parallel comparative sentences in both English and Spanish:

Cuanto más come, mejor [*será*].
The more he eats, the better [*it will be*].

Manuel y yo nos agachamos para coger piedras, cuanto más gordas mejor. (A. Ferres)
Manuel and I bent down to pick up some stones — the bigger the better.

Also comparative and descriptive is the following example. However, it belongs to the general pattern, already described in 1.14, in which repetition of a verb already used may be avoided:

Fue tan prodigiosa su ascensión político-militar, como vertiginosa su caída. (*Cambio 16*, 8-8-77)
His fall in politics and military life was as spectacular as his rise had been astounding.

4.18.3

nada más + comparative adj./adverb + *que* + noun/infin.;
ningún + noun + comparative adj. + *que* + noun/demonstrative pronoun;
muy lejos de... + noun/infin.

For these verbless patterns (in which the comparative adjectives *mejor* and *peor* and the comparative adverb *más lejos* are commonly found), English usually needs finite patterns like:

Nothing is/would be (etc.) *more.../better/further from... than...*;
There is no better/worse (etc.)... *than...*

Nada más alejado de este sentimiento que la soledad del norteamericano. (O. Paz, *Mex.*)

Pero dejemos esto porque la gente se va a creer que yo soy un consumado atleta. Y, la verdad, nada más lejos de la realidad. (R. Carnicer)

Ya sabes que desde hace tiempo tenía la idea de consolidar de alguna forma mis recuerdos. Ningún sitio mejor que éste... (R. Tamames)

Muy lejos de mi ánimo afirmar que es un prodigio de saber, como el señor de Rey. (BPG)

Note

There is a similarity between the Spanish pattern *Razón de más para* + infin./noun and the English pattern *All the more reason to/for...*

4.18.4

noun phrase + *éste/aquél*, etc.
noun phrase + *el* + -DO
noun phrase + *el de...*

These verbless patterns are best rendered in English by sentences containing a finite form of *to be*, or, if appropriate, by an exclamation pattern (*What a...!*). However, the pattern *a* + noun + demonstrative pronoun does exist in informal English styles (e. g. *A funny reply, that!*).

Sana y, al mismo tiempo, peligrosa medida ésta de enfrentarse a la ortografía. (J. Polo)
Tackling the problem of spelling is both a healthy and a dangerous undertaking/exercise.

Admirable esfuerzo novelístico el realizado por don Ramón en esta hermosa trilogía. (M. Bermejo Marcos)

Destino singular el de este cura humilde.

Note

These patterns may also occur as parenthetical additions: see 5.23.2. (For the colloquial exclamatory pattern *¡Qué* + noun + *éste!*, see *Manual.*)

SPECIAL DESCRIPTIVE ELEMENTS AND COMBINATIONS

4.19 Of special interest for translation are two special descriptive elements illustrated in 4.20 and a number of combinations of descriptive verbs with a preposition and a non-finite verb form (4.12-4.22).

4.20

4.20.1 Particularly frequent in colloquial Spanish and in informal writing, the complement pattern *hecho un* + noun may be used with a descriptive verb (especially *estar, tener, andar, ir, venir* and *ponerse*) to convey a favourable or unfavourable subjective reaction to a mental or physical change of state. Translation will often be by a suitable English adjective or -D form, reinforced, if necessary, by emphatic words like *really*.

—Tu hijo ya está hecho un hombrecito.
Your son is really grown up now!

Estaba hecha una furia.
She was really wild.

Tenía la piel de los brazos, del pecho, del cuello, arañada y hecha jirones. (Coste, 500)
The skin on his arms, chest and neck was scratched and torn.

Anda hecho un esqueleto.
He's as thin as a rake.

Iba hecho un pordiosero. (Moliner)
He was a pitiful sight.

—Pero, Manuel, pobre mío, si vienes hecho una sopa. (FGP)
... you're absolutely soaked.

Se puso hecha una fiera.
She blew her top.

NOTE

Idioms like *hacer polvo, hacer trizas* and *hacer añicos,* whose basic meaning is *to destroy* or *smash to pieces* produce the complement forms *hecho polvo/trizas/añicos* (*smashed to smithereens,* etc.):

—Estoy hecho polvo.
I am completely worn out. / ... done in.

El espejo estaba hecho añicos.

4.20.2 The pronoun *lo* may be used as a stereotyped complement of *ser, estar* and *parecer* instead of repeating an adjective or noun complement which has just been used. English translation will either be by the stereotype *so,* by voice stress on the descriptive verb or, if further emphasis is required, by repetition of the original complement form. (*Parecer* and *lo* may sometimes be rendered by *to seem* or *to look* and the analogous *it.*)

La noche fue tan tranquila como lo había sido el día. (Ramsey, 67)

Es humano ser cuerdo, pero también lo es estar loco. (JMG)

—Soy un gran pecador, Reverendo Padre...
—Todos lo somos, hijo mío. (RVI)

—¿Es profesor?
—Lo era.

—¿Estás enamorada, quizá? Y si lo estás, ¿qué mal hay en ello? (N. D. Arutiunova, 1965, 68)

La casa estaba construida ya, el garaje no lo estaba. (F. Carrasco, 328)

Ella está mala, pero no lo parece. (Ramsey, 67)

NOTE

For the use of *lo(s)/la(s)* as stereotyped objects of *haber*, see 4.5.

4.21 Certain combinations of descriptive verbs with a preposition and a following infinitive need to be translated by English passive infinitives.

4.21.1 The verb *ser* may be followed by *de* and an infinitive denoting feelings or emotions (e. g. *esperar, temer, desear*) or perception, speaking or mental activities (e. g. *notar, destacar, señalar, suponer, olvidar*). Such combinations suggest obligation, necessity or inevitability and need to be translated by English passive infinitives: *It is to be* -D, *It should be* -D, *It was to be* -D, etc.

Sucedió lo que era de temerse. (Spaulding, 25)

No es de olvidar(se) que...
It must not be forgotten that...

Es de suponer que el Gobierno hará algo.

No son de fiar.
They are not to be trusted.

4.21.2 The construction *por* + infinitive may be used descriptively as a complement with *estar* and some other descriptive verbs (e. g. *quedar, seguir*) to indicate action still to be done.

Quedan seis páginas por copiar. (Ramsey, 524)
There are still six pages to be copied.

—Ah, eso es el gran misterio que está por descubrir. (FGP)

NOTE

For the use of *a* + infinitive as a noun qualifier equivalent to English *to be* + -D, see 5.7.1 Note 3.

4.21.3 The construction *para* + -DO, which may result from the ellipsis of *ser*, is mainly confined to the colloquial stereotyped *no ser para dicho (not to be fit to be said)* but it is occasionally met with other -DO forms.

Comenzó don Manuel a poner mil objeciones, callándose algunas que no eran para dichas. (EPB)

Dejemos el punto para tratado en su ocasión. (Spaulding, 109)

4.22 Because of their mainly descriptive content, two other combinations of a preposition and an infinitive may be mentioned here.

4.22.1 The construction *sin* + infinitive may be used as a complement, as a noun qualifier or as a descriptive *adjunct* (see 5.20). Translation will be as follows:

a) a negative passive past tense or a negative -D form (e. g. *not opened; unopened*);

b) a negative active past tense or a negative -ING form or equivalent (e. g. *not knowing; unable to*).

a)

La ropa blanca estaba sin planchar. (GGM)
The linen had not been ironed. / ... was unironed.

... con marcadas posibilidades industriales sin explotar hasta ahora. (*España Semanal*, 20-2-67)
... with distinct but hitherto unexploited industrial potential.

Los más conservadores pensaban que esa novela sin nacer mostraría un carácter ejemplar, heroico o épico... (D. Pérez Minik)

Su mano, sin vendar, sangraba todavía. (F. Benítez, *Mex.*)

Sin admitir oficialmente, se mantienen intactos los extranjerismos *stand, golf, girl*... (J. Alcina Franch)
Still not officially accepted, the foreign loanwords stand, golf, girl are invariable...

b)

Los demás están sin acostarse, por si se renueva el ataque. (PB)
The others have not gone to bed in case there is a fresh attack.

La otra noche dejó sin cenar a esas dos mujeres. (R. Rodríguez Buded)
The other night he made those two women go without their dinner.

—Sigo sin entender.
I still do not understand. (Note the present tense)

... seguía sin comprender cómo era posible que una mujer como ella fuera capaz de decir palabras de amor a su marido y a mí... (E. Sábato, *Arg.*)

Yo estaba allí, casi a su lado, sin atreverme a llamarle. (Carmen Laforet)

José Arcadio Buendía, sin comprender lo que decía su esposa, descifró la firma. (GGM)

Y emprendió el camino hacia Valencia, temblando de frío, sin saber dónde iba. (VBI)

Parecía un San Gabriel Arcángel de bigotito negro. Todas las muchachas se quedaron sin poder respirar. (A. Roa Bastos, *Parag.*)

NOTE

See also 1.9.

4.22.2 The construction *a medio* + infinitive also has a passive meaning: *half* + -D (when used with a descriptive verb or as a noun qualifier).

La casa estaba a medio construir.

Lleva los cabellos a medio peinar. (R. M. Cossa, *Arg.*)
His hair is not properly combed.

En el cuarto de aseo antiguo quedaba una pastilla de jabón a medio gastar. (FGP)
In the old bathroom there was a half-used bar of soap.

... en países a medio hacer, como el nuestro. (C. Maggi, *Urug.*)

Corrió por los pasillos con el abrigo al brazo y la cartera a medio cerrar. (J. A. Payno)

SUPPLEMENTARY EXAMPLES FOR STUDY AND TRANSLATION

EXERCISE 1. SECTIONS 4.0-4.12

1. Don Cleto disfrutaba de los espectáculos de la calle; la llegada de un príncipe extranjero o el entierro de un político constituían para él grandes acontecimientos. (PB)
2. Durante mucho tiempo constituyó un misterio el paradero del hermano mayor de mi madre, hasta que se supo que había muerto. (PB)
3. Juan Marsé presenta [*en su novela*]... una juventud desilusionadísima, rebelde, harta de una vida desorientada. El ambiente es vacuo, mezquino, y los personajes se debaten, en un fútil esfuerzo por escapar de él. Se trata de hijos de familias que han sido víctimas de la guerra... (P. Gil Casado)
4. Sabido es que Kipling inventó un inglés para las novelas de la India que no se parecía en nada al verdadero inglés. (D. Pérez Minik)
5. Añadió que en el aparato [=*el avión*] eran trasladados los restos de la señora Chikuma y su hija, fallecidas en Holanda en un accidente automovilístico hace unos días. (*Ya*, 21-3-73)
6. El periodista se dio cuenta de que era seguido por varios automóviles, mientras se encontraba en el centro de Buenos Aires, en un coche, acompañado por una periodista suiza. Intentó refugiarse en casa de un amigo... (*Cambio 16*, 22-8-77)
7. Leí cartas, y me dije que el momento era llegado de reanudar la vida activa. (R. J. Payró, *Arg.*)

8. ¿Qué elementos pueden distinguirse en la visión machadiana del campo de Castilla? Está, por una parte, la realidad misma de la tierra. (P. Laín Entralgo) [*machadiano=de Machado*]

9. Pero la Universidad, y más aún la enseñanza técnica superior, viven apegadas a un autoritarismo desfasado, sin admitir la participación ni la crítica del estamento estudiantil. (*Cuadernos*, abril 1974)

10. —Oye, Manuel, la justicia, ¿qué es?
—Ay, fill meu [=*hijo mío*], la justicia, la justicia... No la hay en la tierra. (M. Aub)

11. Las mesas del comedor son grandes... y tienen manteles blancos. En las paredes hay colgados espejos grandes y estampas. (A. Ferres)

12. Sin embargo, el historiador nunca acababa de encontrar el tiempo necesario para la tarea. Y he aquí que un buen día le llegó un paquete postal que sin ningún esfuerzo adicional por su parte iba a ser la solución del problema. (R. Tamames)

13. Tenía la cara llena de concavidades, como una calavera, a la luz de la única bombilla de la lámpara. (Carmen Laforet)

14. Dentro del agua, pegado al limo, tenía bien abiertos los ojos, aguantando la respiración, mientras los mellizos me buscaban para ahogarme. (A. Roa Bastos, *Parag.*)

15. La ausencia, pues, de tal o cual escritor en el primer volumen o en este segundo, no supone que lo tengamos excluido por ninguna razón, y mucho menos que lo estimemos inferior a cualquiera de los que ya llevamos comentados. (J. L. Alborg)

16. A media mañana llegó al lugar don Carlos Hugo, que, aunque tiene prohibida la entrada en España desde 1968, entró ilegalmente pocas horas antes. (*A B C sem.*, 13-5-76)

17. Llevaba los pies envueltos en una tela que en otro tiempo había sido blanca: tal vez su ropa interior. (J. Torbado)

18. —Llevas desabrochados los cordones de un zapato. (F. García Lorca)

19. Sólo llevábamos una semana en Madrid cuando recibimos el telegrama de mis padres.

20. —¿Y todo lo que llevamos sufrido?
Federico meneó la cabeza.
—Como todo lo que llevamos gozado. Ya no vale. (J. de Bruyne, 1972, 38)

21. Entramos en el bar. Sólo había cuatro hombres, con aire de ricos de pueblo. Llevaban puestos los sombreros y tenían las caras gordezuelas, curtidas. (A. Ferres)

22. —Hace no sé cuántas semanas que no pone usted los pies aquí. ¿Qué negocios le traen a usted tan ocupado? (JV)

23. Paco andaba por entonces muy atareado tratando de convencer al perro de que el gato de la casa tenía también derecho a la vida. (R. J. Sender)

24. Tal vez... las personas honradas y pacíficas andarán ya muy confiadas, imaginando que ya acabó la era de las revoluciones. (JV)

25. En el barco que iba casi vacío me dieron para mí solo un camarote con cuatro camas... (J. Cortázar, *Arg.*)

26. —¿Has visto qué día de calor?
—Iban negros los chiquillos que llevan el agua a los segadores. (F. García Lorca)

27. —¿Crees que me debo quitar el impermeable? Vengo un poco mojado.
—Claro que te lo debes quitar. (M. Mihura)

28. Si uno de los platos que componen el menú del día estuviese agotado, el industrial viene obligado a ofrecer en su lugar otro de similar calidad y composición. (Menu in Bilbao restaurant, Sept. 1973)

29. Me acosté con un pijama prestado. Me venía pequeño y me sentía incómodo. (Mercedes Salisachs)

30. No obstante, el 3 de abril, con fuerzas netamente superiores, entre las que figuraban dos divisiones italianas, consiguieron ocupar dicha plaza [*town*]. (M. Tuñón de Lara)

31. Así navegamos: sin sentirlo, pues el mar del estío semejaba un cristal inmóvil, y la suavidad del céfiro, en vez de encresparlo, barría la espuma... (C. Fuentes, *Mex.*)

32. Para estos últimos, todo es malo en Chile por el simple hecho de ser chileno. La palabra "nacional" se les antoja plebeya, símbolo de ordinariez, de mala calidad. (B. Subercaseaux, *Chile*)

33. Lo dicho puede antojársele al paciente lector un preámbulo demasiado largo para presentar la obra que tiene en la mano. (E. Lorenzo)

34. La Condesa de Pardo Bazán se nos aparece hoy como una figura sobresaliente del renacimiento literario de la Restauración. (D. Pérez Minik)

35. La situación económica de España se presenta mucho más desahogada que la griega... (*El Español en Australia*, 27-4-76)

36. Para Pani la cosa era distinta, o así se me figuraba: él... gozaba del gran comedor... Se le ofrecía como resolución de problemas arquitectónicos. (M. L. Guzmán, *Mex.*)

37. El hombre que se ha mostrado siempre enemigo encarnizado del matrimonio, que tan mal concepto tenía de las mujeres, se ve, de súbito, envuelto en las ligaduras de un casamiento. (Felicidad Buendía)

38. Tatita solía mostrarse emprendedor. A él se debe, entre otros grandes adelantos de Los Sunchos, la fundación del Hipódromo. (R. J. Payró, *Arg.*)

39. Ahora sentía los pies frescos, y el agua remontó su pierna hasta la herida. (G. Cabrera Infante, *Cuba*)

40. La profesora española sostiene que... otras setenta profesoras se ven sometidas también a trato injusto. (*A B C,* 8-8-71)

41. La unidad nacional se veía amenazada al resurgir la antigua idea separatista en los territorios unificados por los Reyes Católicos. (Felicidad Buendía)

42. Desde 1952, los alemanes tienen organizada su policía por estados. Su actividad, en situaciones extraordinarias, se ve secundada con unos efectivos de 18.000 policías de reserva, financiados por el gobierno federal. (*Cambio 16,* 23-5-77)

43. Ganaba poco y aquel poco dinero servía para comprarle ropa. Una ropa de hombre, que hasta entonces nunca había llevado. Pantalón largo y chaqueta, zapatos, unas corbatas compradas en una liquidación. Al principio se encontró incómodo; luego se acostumbró. (I. Aldecoa)

44. El templo se hallaba totalmente abarrotado de público. El alcalde de la ciudad y el presidente de la Diputación se encontraban entre los fieles. (*A B C sem.,* 19-8-76)

45. ... con la ocupación de San Sebastián, don Alselmo creyó llegado el momento de dar forma oficial a sus propósitos de organizar el Servicio de Información. (JMG)

46. —Déme el carnet. Me parece que hay un error en esto. Es posible que la señorita Blay no tenga nada que ver con la muchacha que buscamos. El agente creyó ponerse sobre su pista al verle a usted entrar y salir solo. Sus señas personales coinciden con las del hombre que suponemos su amigo. (Dolores Medio)

47. ¿No considera incompatibles la plena dedicación a los negocios y el ejercicio de la política? (*Gaceta Ilustrada,* 24-4-77)

48. El hombre actual se sabe vigilado o, lo que quizá es peor, siente constantemente sobre sí la posibilidad de ser vigilado. (MD)

49. ... ambos puestos los desempeñaba de modo ininterrumpido desde hacía más de quince años, por lo que le decían el Secretario Perpetuo... (F. Benítez, *Mex.*)

50. ... el ministro perdió los estribos, arremetió contra la Bolsa, calificó a sus críticos de "enemigos de la democracia" y de paso acusó a las centrales sindicales de una debilidad que desde luego no es culpa suya. (*Cambio 16,* 29-8-77)

Exercise 2. Sections 4.13-4.22

1. El sol reverberaba sobre el agua plomiza, pero el horizonte seguía fosco. (J. Goytisolo)
2. Andrés seguía apoyado en la pared, cuando sintió que le agarraban del brazo y le decían: ¡Hola, chico! (PB)
3. Los árboles conservan
   verdes aún las copas. (AM)
4. ... la enlazó por la cintura y apoyó su cabeza en el vientre de la mujer que se mantenía dócil y distante... (L. Spota, *Mex.*)
5. Hubo que repetir la elección en la aldea porque había incidentes que, a juicio de don Valeriano, la hicieron ilegal... (R. J. Sender)
6. A veces esa monotonía... me ponía los párpados pesados. (MB)
7. Si el ministro... quiere volvernos Yugoslavia, lo mínimo que se le pide es que acuda a las urnas con su programa. A lo mejor gana. (*Cambio 16*, 29-8-77)
8. —Si usted no vota por el Protectorado, se hará cómplice de los subversivos. (R. Marqués, *P. Rico*)
9. El crepúsculo toledano es así: Parece que la ciudad se torna más chiquita, más íntima; se estrechan las calles, por las sombras, se oscurecen las piedras. (María del Pilar Sainz Bravo)
10. La pobre gorda se metió a bailarina y, claro, el estreno fue un fracaso. (L. A. Crespo, 211)
11. Ese político llegará a ministro.
12. Con la destrucción de Cartago, los romanos pasaban a ser dueños del Mediterráneo. (Gili, 109)
13. ... se lo dije a Lamas y a Pereyra, que al principio no lo querían creer o se hacían los asombrados. (J. Cortázar, *Arg.*)
14. ... de dos hijos, uno le salió poeta y el otro músico. (A. Alonso, 196)
15. El bombardeo aportó nuevos heridos... Los que resultaban ilesos caminaban encorvados, envejecidos. (T. Salvador)
16. Y en 1926, habiendo resultado dicho canal ya inadecuado para el tráfico, los Estados Unidos firman un tratado con Nicaragua, asegurándose la opción de un nuevo canal posible. (A. Reyes, *Mex.*)
17. Las palabras del dirigente español no sólo dejaron atónitos a los periodistas asistentes, sino que encontraron un eco muy favorable en aquel sector que más quebraderos de cabeza plantea a los dirigentes de los países socialistas: *los disidentes*. (*Cambio 16*, 4-7-77)

18. —Ahí le dejaré dicho a doña Teódula que mire de vez en cuando a Juan por si le vuelven las calenturas. (C. Fuentes, *Mex.*)

19. A un fabricante catalán de muebles le reventaron las ruedas [*tyres*] del coche en Milán y le dejaron escrita sobre el capó la palabra *fascista.* (*Triunfo,* 21-6-75)

20. Descargué el macuto, con cuidado, y quedé un rato sentado al borde de la cuneta, sobre una piedra, porque el suelo estaba medio mojado. (A. Ferres)

21. Los señores ministros se quedaron estupefactos y sin saber qué hacer ni a dónde mirar... (M. L. Guzmán, *Mex.*)

22. Si existe algún error (espero que no), no creo que importe mucho, pues ahora lo que vale es la intención y queda declarada. (J. L. Alborg)

23. El mundo entero quedó intrigado por los acontecimientos posteriores. (*La Actualidad Española,* 27-7-72)

24. La Asamblea aceptó la propuesta española y el Comité para controlar la retirada [*de los combatientes extranjeros*] quedó constituido el 14 de octubre y entró en España dos días después. (M. Tuñón de Lara)

25. Cerrada la Universidad y prohibidas las manifestaciones en Roma. (*El País,* 23-4-77: headline)

26. Bajo el invernadero,
naranjos en maceta,
y en su tonel, pintado
de verde, la palmera. (AM)

27. Al cruzar la calle poco faltó para que me arrollara un automóvil que atravesaba la avenida. Un patinazo, dos pitazos breves e impertinentes. Un rostro congestionado en la ventanilla delantera. (E. Caballero Calderón, *Colom.*)

28. Nada más misterioso que la piel. Es estuche que nos arropa y resguarda. (A. Reyes, *Mex.*)

29. Cara de Angel se arrancó... la corbata frenético. Nada más tonto, pensaba, que la explicacioncilla que el prójimo se busca de los actos ajenos. (M. A. Asturias, *Guatemala*)

30. Y con las maletas al hombro nos echamos en busca de sitio para disfrutar del sueño. Nada mejor en tales circunstancias que los furgones de los trenes. (M. L. Guzmán, *Mex.*)

31. Ninguna palabra más adecuada para calificar nuestra situación, en lo religioso y en lo político, que decir que nos han acostumbrado (aun sin quererlo nosotros algunas veces) a ser triviales por la fuerza del hábito. (*Triunfo,* 18-9-76)

32. Una vez me habló de Serena: "No debería dejar a su marido tanto tiempo solo." Y como yo alegase que Serena era muy joven y que su marido era un viejo, contestó: "Razón de más para atenderlo. Cuando se casó con él sabía la edad que tenía." (Mercedes Salisachs)

33. Tomo misceláneo éste en cuanto a la fecha y procedencia de los materiales en él integrados. (M. García Blanco) [This is the *opening* sentence in the writer's Introduction to a book.]

34. Echó mano a su cerveza y tomó un trago, pero en seguida la escupió, ruidosamente, con un gesto de repugnancia.
—¡Está hecha caldo!... ¡Ponme una bien fresca, niño! (D. Sueiro)

35. —Mi marido anda siempre hecho un asco —dijo Mara leyéndome el pensamiento—. No hay forma de conseguir que se afeite como Dios manda. (J. Goytisolo)

36. Los otros inquilinos dejaron el piso hecho una pocilga.

37. Y era inteligente; por eso sabía dos cosas: que lo era más que sus jefes, y que debía disimularlo. (M. Lacruz)

38. —¡Eso no es caballeresco! ¿Lo es, acaso, asesinar a una mujer de esa manera? (Keniston, 60)

39. Las chicas se habían casado bien, bastante bien; ya podían estar contentos sus padres. Pero no lo estaban. Así son las cosas: no lo estaban. (Eulalia Galvarriato)

40. Otro personaje importantísimo de nuestra historia, el famoso Joselito el Seco, había tenido un fin trágico, como era de presumir, en cumplimiento de la sentencia o refrán que dice: *Quien mal anda, mal acaba.* (JV)

41. Es de destacar que sus dos acompañantes... eran las únicas personas que el Gobernador no se había atrevido a tutear. (JMG)

42. Algo había cambiado y estaba cambiando en mí. Percibía sobre todo que lo más importante de mi existencia estaba por hacer. (R. Tamames)

43. Las naciones desarrolladas han establecido democracias representativas que exhiben un grado avanzado de madurez. Poco es lo que queda en estos sistemas por descubrir. (*Visión, Mex.*, 1-7-77)

44. Es asunto para tratado a solas entre los dos. (Ramsey, 358)

45. Todavía tengo sin pagar los plazos de muchas cosas de que los míos disfrutan. (E. Acevedo)

46. La calle Astillero se encuentra en una zona sin asfaltar... (*A B C sem.*, 19-9-74)

47. —¿Siguen ustedes sin saber quién es? (FGP)

48. Al día siguiente, hallábase Esteban en el almacén, sin acertar a poner la mente en el trabajo, cuando se produjo un tumulto en la calle. (A. Carpentier, *Cuba*)

49. Trajo después un saco al hombro, a medio llenar, que vació en el arca. (Ramsey, 352)

50. Es la mujer de pelo rojo; está a medio vestir y descalza y lo observa con fría curiosidad. (J. L. Borges, *Arg.*)

5

FREE ADJUNCTS

5.0 In its most basic form, a Spanish sentence may consist of a finite verb alone; other basic sentence patterns consist of combinations of a finite verb form with one or more of the following: a subject, a direct object, an indirect object, a complement. Thus, the following may be considered basic sentences:

Volvió.
Se casó.
Se rió.
El hombre volvió.
La mujer miró al hombre.
Esa esperanza los une.
Los niños están contentos.

Each of the basic components of these sentences may be expanded in a variety of ways to add more information. Thus:

Volvió *a hablar.*
Se casó *con su primo.*
Se rió *de mí.*
El hombre *triste* volvió.
La mujer miró al hombre *del traje oscuro.*
La esperanza *de ganar* los une.
Los niños están *muy* contentos *con sus regalos.*

Extra information or basic expansions of these and many other types may be conveniently labelled *adjuncts,* but since they are so closely bound to a particular sentence component, the term must be qualified: they are *bound adjuncts.*

There also exists a wide variety of other *adjuncts* (or additions) which, like verb, subject, object and complement, are independent components of the sentence. Such *adjuncts* also add information of many kinds, but to distinguish them from those already observed, they may be generally labelled *free adjuncts.* In the following sentences some simple types of *free adjuncts* have been italicised:

> Volvió a hablar *despacio.*
>
> Se casó con mi primo *el año pasado.*
>
> *Entonces* se rió de mí.
>
> El hombre triste volvió *después de cinco minutos.*
>
> La mujer miró *con sorpresa* al hombre del traje oscuro.

Free adjuncts may take any of the following forms:

a) a single word, e. g. *allí, mañana, tristemente;*

b) a *relator* (i. e. a simple or compound preposition or conjunction) accompanied by one of the following:
   a verbless element (usually a noun, noun phrase, or pronoun);
   a non-finite verb form (and other elements accompanying it);
   a finite verb form (and other elements accompanying it);

c) a phrase without a *relator,* e. g. *el año pasado, todo el tiempo;*

d) a descriptive element (including -DO forms);

e) other finite or non-finite constructions not introduced by a *relator,* e. g. certain -DO and -NDO constructions; subjunctive clauses like the following: *venga lo que viniese* (2.34.1), *sea... o sea* (2.34.2);

f) parenthetical additions and interruptions with their own sentence structure, e. g. *—¿quién lo duda?—*; *—y hace muy bien—.*

Any attempt to list *patterns* of free adjuncts which may be described economically (and which will reward concentrated study) must immediately exclude types (*a*) and (*c*) as being too numerous, and type (*f*), which is completely idiosyncratic in nature. Also to be excluded (at least from a preliminary study) for the same reason are those free adjuncts which consist of a *relator* and a *verbless* element, i. e. the following sub-types of type (*b*):

(*i*) verbless adjuncts introduced by a simple relator:
   in free combinations: *a la ciudad, con mi madre, con ella, en el parque,* etc.;
   in fixed (or lexical) combinations: *a diario, de prisa, de nuevo, en absoluto, por lo general,* etc.;

(*ii*) verbless adjuncts introduced by a compound relator (of which Spanish possesses well over one hundred): *a causa de (la lluvia), a principios de (enero), junto a (la ventana), en señal de (amistad), encima de (la mesa),* etc. (Cf. *in case of, in need of, in place of, in quest of, by means of, by dint of, in exchange for,* etc.).

Having excluded these types of free adjuncts, we are left with the following patterns, which may be described economically:

— a *relator* accompanied by a finite or non-finite verb form;
— descriptive adjuncts (including all forms of -DO adjuncts);
— -NDO adjuncts;
— subjunctive adjuncts of the types referred to above.

A very important and obvious difference separates the first of these types from the other three: the presence of a relator. In free adjuncts introduced by this component the relationship between the information contained in the adjunct and the rest of the sentence is more *explicitly* signalled than the relationship between the other types of free adjuncts and the rest of their sentence. For example, in the following sentences, the two free adjuncts add more or less the same information to the accompanying clause, but the first adjunct is more explicit than the second:

Como estaba cansado, se acostó.

Cansado, se acostó.

Both of these broad types of free adjuncts (i. e. those introduced by a relator and those without a relator) will be described in detail in this chapter, with the exception of those types of adjuncts containing a subjunctive verb form but no relator, which have been dealt with in Chapter 2 (2.34).

FREE ADJUNCTS INTRODUCED BY A RELATOR

5.1 For recognition purposes, the most useful classification of types and uses of free adjuncts introduced by relators is one which lists the forms and uses of the different relators. In this chapter these have been divided into the following major groups:

a) relators without a prepositional base or component:
que; other relators containing *que:* other relators without *que* ...... 5.2 - 5.6;

b) relators with a simple or compound prepositional base or component ...... 5.7 - 5.19.

(Since the quantity of relators and uses is high and the range and frequency of many of them is limited, at the end of this chapter there are *two* supplementary exercises relating to these sections. Exercise 1 contains examples of more general interest and Exercise 2 contains examples with less common relators (or uses of them) or which present more translation difficulty).

NOTES

1. Students requiring systematic study and practice with adjuncts consisting of a relator and verbless elements will find J. D. Luque Durán's *Las preposiciones* most useful.

2. Although I have included most of the verbal relators that I have met in modern Spanish, including some which are rarely found, the following have been excluded for lack of convincing or appropriate examples:

a causa de que	*en atención a que*
a efecto de que	*en lugar de que*
a fuerza de que	*sin embargo de que*
de cara a+infin.	

Also excluded is the compound relator *desde que,* whose only function may be taken as basic. (See, however, 2.23.3.)

3. To avoid unnecessary repetition of material already offered in Chapter 2, few examples of adjuncts introduced by a relator and containing a subjunctive verb form are offered in the *text* of this chapter. Where a SVE form is *obligatory,* this is signalled by the abbreviation SVE and a numerical reference to Chapter 2; where the SVE is optional or reserved for a special function of the relator, only a numerical reference is offered.

4. For specifically colloquial adjuncts and colloquial uses of relators (particularly *que, como* and *si*), see *Manual.*

NON-PREPOSITIONAL RELATORS

5.2 QUE

Of the very varied uses of this most essential and versatile of all Spanish relators, the following uses in *bound* verbal adjuncts may be considered as basic and familiar:

a) in relative clauses: *Ese no es el coche que vimos; No es el que vimos;*

b) in comparative clauses following *más/tan/tal/tanto,* etc.: *Es tan tonto que no entendió nada;*

c) in subject and object clauses: *Quiero que; Veo que; Es posible que*;

d) following a noun or adjective plus *de: la posibilidad de que, el hecho de que, en el sentido de que, seguro de que,* etc.;

e) following *mucho, nada, demasiado,* etc. and preceding an infinitive: *Tengo mucho que hacer.*

Where *que* forms part of a compound relator which introduces a free adjunct, it is listed in 5.3 (*así que, aunque,* etc.), 5.4 *(como que, como quiera que)* or in the sections which deal with compound *prepositional* relators (e. g. *a que,* under a, *para que,* under *para*). Other infrequent uses of *que* are described below in 5.2.1 and 5.2.2.

NOTES

1. Of importance for translation are the following uses of *que* as a bound relator in comparative sequences:

   tanto más/menos (+adj./adverb) *cuanto que: all the more/less* (*so*/ adj./adverb) *because; especially since* (see also 2.22.2 Note 2);
   lo mismo que: just as; con igual/el mismo + noun + *que si: as if* (2.17.2);
   más que + infin.: *rather than.*

   El problema es delicado. Tanto más cuanto que no está muy bien de salud. (JMG)
   The problem is a delicate one, especially since he is not in very good health.

   Estoy tanto menos satisfecho de su conducta cuanto que me creía con más derechos a su amistad. (Ramsey, 149)
   I am especially dissatisfied with his conduct because I thought I had more right to his friendship.

   En los primeros momentos más que verlo lo adiviné... (Carmen Laforet)
   For the first few moments I guessed rather than saw where he was.

2. Other special cases, where *que* is accompanied by a subjunctive verb form, are described in Chapter 2, e. g. *el que,* etc. (2.20-2.23), *no es tan ... que* (2.24.2), *Que entre* (2.31), *quieras que no* (2.34.2 Note 2), *de ahí que* (2.33.2).

3. In colloquial Spanish, *que* has very extensive uses. For details, see *Manual.*

5.2.1 *que* is used as the *second* element in the following adjuncts:

a) In archaic or literary variants of time adjuncts like *cuando hubo* + -DO, the following patterns may be found:

   -DO (variable) + *que* + *tuvo/estuvo/fue/se vio;*
   -DO (invariable) + *que* + *hubo.*

   Concluida que tuvieron la obra... (A. Bello, 319)
   When they had finished the work...

   Encendida que estuvo la lumbre... (Gili, 202)
   When the fire was lit/alight...

   Separados que fueron los combatientes... (Gili, 202)

Buscaba con anhelo manera hábil de entrar en materia, concluida que fuese la cuenta. (Spaulding, 109)
He was anxiously looking for a way to broach th subject, as soon as the reckoning was finished.

Herido que se vio... (Gili, 202)
When he was wounded... / When he realised that he was wounded...

Leído que hubo la carta, se retiraron los circunstantes. (A. Bello, 318)
When he had read out the letter, everyone withdrew.

b) The infrequent literary construction noun/adj. + *que* + descriptive verb (*ser, estar, verse,* etc.) will usually be translated by a relative clause, but occasionally a time or reason adjunct will be more appropriate.

La buena mujer, madre que era de cuatro niños, se veía obligada a trabajar mucho para vivir. (Gili, 202)
The good woman, who was... / ... since she was...

Antonio, dueño que se vio del cortijo, trajo allí a todos los suyos.
(Academia Española, 524)
As soon as he took over the farm, Antonio brought all his family to live there.

5.2.2 *que* also appears as a variant for *como* in the stereotyped (and essentially colloquial) parenthetical adjunct ... *que dijo/dicen* (etc.) (+subject): *as ... said/say; in the words of...*

El mercado negro del pan blanco, que decían los aficionados a hacer frases, era una cosa muy hermosa [*para un niño*]. (F. Umbral)
The black market in white bread, as the coiners of phrases put it, was an exciting thing [in the eyes of a boy].

Aquella mujer... con los ojos vivos y alegres, negros como el pecado, que decía una antigua canción. (I. Aldecoa)
... as black as sin, as an old song puts it. / ... in the words of the old song.

5.3 *que* also forms part of the relator *aunque* and of a number of compound non-prepositional relators. Most of the other components of these relators are, in origin, single word adjuncts, phrasal adjuncts or past participles.

5.3.1

ahora que	*now that*
aunque / *bien que*	*although;* (2.18) *even if/even though*
como que / *como quiera que*	(See 5.4)
dado que	*since;* (2.12.4 Note) *assuming that; if*
excepto que	*except that*
puesto que	*since*

salvo que (SVE: 2.17.1)	*unless*
siempre que	*every time that;* (2.17.1) *providing that*
sólo que (coll.)	*except that; only that*
suponiendo que / *supuesto que*	*assuming that* (2.12.4)
una vez que	*once; when*
toda vez que	*since*
visto que	*seeing that; in view of the fact that; since*
ya que	*since;* (2.25.5) *although; if*

Ahora que tiene coche, está muy contento.

Aunque está lloviendo, voy a salir.
Although it's raining, I'm going out.

Aunque esté lloviendo, voy a salir.
Even if it IS *raining, I'm going out.*

—Mi querido Juan: No te habrás olvidado de mí, bien que los hombres sois egoístas y, por lo mismo, ingratos. (RPA)

Dado que el teatro es un espectáculo público y se ofrece a la comunidad, parece natural que exprese, examine y objetive lo que a esa comunidad le preocupa (J. Monleón)

—No hace falta que te lo diga, puesto que ya lo sabes. (Moliner)

Siempre que come mariscos se pone enfermo.

Quiso irse, sólo que no le dieron permiso. (R. Usigli, *Mex.*)

Suponiendo que la traiga, mañana mismo me la pongo. (L. Olmo)
[*la*=*la camisa*]

Como dramaturgo no puede ser juzgado plenamente, toda vez que se han perdido muchas de sus comedias... (Felicidad Buendía)

El rey, visto que no podía tomar por fuerza la villa, mandóla escalar una noche con gran silencio (Ramsey, 357)

Ya que no tenemos dinero, no podremos salir.

NOTES

1. *aunque* may also introduce a detached descriptive element or a verbless adjunct:

   La casa, aunque pequeña, nos gustó a los dos.

2. As was pointed out in 2.25.5, the concessive use of *ya que* in verbal adjuncts is all but obsolete. It survives, however, in verbless adjuncts consisting of *ya que no* followed by a noun or an infinitive. Translation will be by *but not, although not, if not,* depending on whether the adjunct

follows (as is normally the case) or precedes the noun, to which it adds a qualification:

> Esos mismos hijos, cinco lustros después, obesos y calvos..., herederos de la fortuna ya que no del talento... (J. Goytisolo)
> *These same sons, twenty five years later, have inherited the fortune but not the talent...*
>
> Ya que no otra cosa, debo tener lo que un delincuente cualquiera, valor. (Keniston, 270)
> *If nothing else, I must have what any criminal has: courage.*

5.3.2 The following relators have variant forms and are best listed separately:

antes (de) que (SVE: 2.22.1) *antes de* + infin./-DO	*before*
así que	*as soon as* (2.22.1); *and so*
así (SVE)	(2.18) *even if;* (2.32.2) *I hope*, etc.
caso que (SVE: 2.17.1) *caso de* + infin.	*in case; if* (See 5.11.3)
después (de) que *después de* + infin./-DO	*after* (2.22.1 and 2.23.3)
luego que *luego de* + infin.	*after* (See 2.22.1)
mientras (que)	*while, as long as* (2.22.1); *whereas* (also *mientras no: until* - 2.22.1)
nada más que (rare) *nada más* + infin.	*as soon as; right after* + -ING
no obstante que (rare) *no obstante* + infin.	*although; in spite of the fact that*
pues	*since*
pues que (rare)	*since*

> Antes de salir, cerró las ventanas.
>
> Así que vuelva, saldremos.
>
> No tenía dinero, así que no pudo comprar el vestido.
>
> Después de entrar, se quitó la chaqueta.
>
> Después de terminada la guerra, volvió a ver a su hermano.
>
> Ahora, un año y medio después de acaecida la muerte de su fundador, el Movimiento se ha detenido... (*Cambio 16*, 11-4-77)
> *And now, eighteen months after the death of its founder, the Movement has lost momentum.*

Luego que llegue la señora me daré una vuelta. (L. G. Basurto, *Mex.*)

—... y luego de haberme instalado, fui a buscarte y... cenamos en uno de mis restaurantes favoritos. (L. Spota, *Mex.*)

No puedo oír la radio mientras estudio. (Seco, 232)

—Te amo, mientras que tú me aborreces. (Seco, 232)

Él trabajaba, mientras que ella no hacía nada. (Seco, 232)

La Superiora entregó a Sonsoles, en el momento de partir, una caja de cartón... Le recomendó: «Escribe nada más que llegues. Los dulces son para la abuela.» (I. Aldecoa)

Nada más desayunar, empecé a dibujar. (R. Carnicer, 1969, 150)

Y llegaron penosamente. Era imposible continuar más allá, no obstante que Sánchez se había encaprichado en continuar el viaje hasta Suiza... (J. Imbert, *Arg.*)

No obstante fascinarle la política, su actuación en ella fue accidental. (R. F. Giusti, *Arg.*)

Me felicito de que pueda continuar la conversación, pues nos interesa a todos. (Keniston, 157)

Le quiero más que antes, pues ha cambiado mucho. (D. Sueiro)

Notes

1. *antes que,* when followed by an infinitive or a noun means *rather than/ sooner than:*

   Antes que pregonar delante de extranjeros los defectos de mis compatriotas, me arrancaría la lengua. (Alcina, 1005)

2. Other uses of *mientras* are worth noting:

   mientras (tanto): meanwhile (a meaning shared by *en tanto* and *entre tanto*);
   mientras followed by *más* or *menos* in parallel comparative clauses (cf. *cuanto más/menos* —2.22.2 Note 2): *the more/less... the more/less:*

   Poeta revolucionario fue Pablo Neruda mucho antes de hacerse comunista. Significativamente, mientras más comunista se ha vuelto, menos poeta revolucionario ha sido. (R. Marqués, *P. Rico*)

3. *pues* may also be used as a single word adjunct indicating resumption or continuation. In this function, *pues,* like one of its English equivalents, *then,* frequently follows the first element in its clause:

   Es, pues, asunto suyo.
   It is, then, his own affair. / So it is his own affair.

4. The verbless adjunct *nada más* is a synonym of *sólo (only)*. Influenced by this fact, the Spanish novelist J. A. de Zunzunegui seems to have coined his own variant for *nada más*+infin.: *sólo*+infin. This idiosyncratic adjunct is quite frequently found with this meaning in some of his novels:

> Sólo entrar se fue a los brazos de doña Eulalia. (*La hija malograda*, p. 67)

5.4 COMO

Next to *que*, *como* is the most versatile of general relators. Its most basic uses as a verbal relator are as follows:

a) in reference or comment adjuncts: Como dije antes, no es mío;

b) in reason adjuncts: Como no tenía tiempo, no lo hice;

c) to introduce an object clause after a verb of perception, etc. (often as a variant of *que*): Vio cómo lo hizo *(He saw how he did it/He saw that he did it/He saw him doing it).*

Other uses in verbal adjuncts are described below.

NOTE

For *como* followed by a subjunctive verb form, see 2.17.1, 2.22.1 and 2.25.4.

5.4.1 The following uses of *como* in comparative constructions are worth noting:

a) In sequences containing *tan, bastante, suficiente, demasiado,* etc. and *como para*+infinitive. (See also 2.16.2 and 5.4.3.)

> Soy lo bastante viejo como para recordar las varias ocasiones en que se intentó implantar en España un horario europeo. (GTB)
> *I am old enough to remember...*
>
> Sobre la UCD no puedo decir mucho porque bastante tenemos ya nosotros con las cosas nuestras como para ocuparnos, encima, de las de otros. (*Cambio 16*, 5-9-77)
> *... because we have enough to keep us busy without having to worry about other people's problems.*

b) *tan pronto como* and *tan luego como/que* are compound relators which introduce time adjuncts: *as soon as:*

> Tan luego que comí me sentí mal. (R. D. McWilliams, 77)

c) *tal (y) como* may be translated by *just as:*

> Todo pasó tal como había previsto.
>
> María, tal como yo lo esperaba, tardó en responder. (E. Sábato, *Arg.*)

NOTES

1. The use of *tan pronto* in one clause may be balanced by *como* in an accompanying clause. English: *at one moment..., the next...*; *he is just as likely to... as to...*:

 El Presidente del Consejo tan pronto apretaba en silencio las duras mandíbulas como levantaba el puño... (J. Torbado)

 Tan pronto se irrita como se tranquiliza.

2. In archaic and literary Spanish, *cual* may be found as a variant for *(tal) como*:

 ... y augura que vendrán los liberales
 cual torna la cigüeña al campanario. (AM)
 ... and he forecasts that the Liberals will get in as surely as the stork returns to nest in the belfry.

 For *cual si*, see 2.17.2.

5.4.2 Adjuncts consisting of a complement + *como* + a descriptive verb usually indicate a reason, less frequently a concessive statement *(although)*. In English, both uses are possible for the analogous pattern 'adjective, etc. + *as* + *to be*', but in the reverse order of frequency, i. e. usually with concessive meaning, less often to indicate a reason (e. g. *Drunk as he is, he can still walk straight*). In translation it will be important to decide which of these meanings in intended.

Sería mejor que no hable. Borracho como está, sólo va a decir idioteces. (L. Spota, *Mex.*)
It would be better if he didn't speak. Since he is drunk, he will only say something silly.

El tabernero encendió la luz eléctrica, que de día como era, tenía un aspecto raquítico. (J. L. Martín Descalzo)

Preocupado como estaba, todavía me atendió. (Moliner)
Although he was worried, he still took care of me. / Worried as/though he was...

NOTE

The stereotyped expression *como son* (less frequently *como ser*, which is possibly an *Am. Sp.* variant) introduces or accompanies examples. English: *for example*, etc.:

Este París tiene aspectos falsos, como ser los cabarets, los bulevares... (C. E. Kany,. 1951, 257)

5.4.3 *ccmo* occurs as part of the following compound relators:

como que (especially *coll.* or regional)	*since*
como quiera que / *comoquiera que*	*since* (See also 2.22.1 and 2.25.4 Note)
como si (SVE: 2.17.2)	*as if*
como para + infin.	*as if to*

Como que tenía amigos y familia entre el público, pude enterarme de algunos comentarios. (F. Candel)

Como quiera que no va a servir para nada, no me molesto en ir. (Moliner)

Lo decía como para convencerse a sí mismo.

NOTES

1. The following is a variant form of *como que:*

como + noun + *que* + descriptive verb. Translation will usually be by *since,* although the analogous pattern *like the* + noun + *he is* (etc.) may occasionally be appropriate:

Como lunes que era, en el Departamento de Finanzas reinaba la más absoluta paz. (R. Tamames)

... con viajes a Madrid, Londres, Barcelona, Vigo, lugares donde el padre estaba destinado, como funcionario que era del cuerpo de Aduanas. (A. Zamora Vicente)

2. When followed by -NDO, -DO, an adjective, or any verbless adjunct, *como* means *as if:*

... Bartola, parada cerca de mí, me miraba como despidiéndose. (M. Rojas, *Chile*)
... Bartola, standing close to me, was looking at me as if saying goodbye.

Simplemente se colaron en mi oficina como salidas del muro... (E. Wolff, *Chile*)

3. For *parecer como que (to seem as if),* see 2.12.5 Note.

hacer como que (to make/act as if; to pretend) is followed by an *indicative* form:

El notario Noguer hizo como que se espabilaba... (JMG)
... pretended to have just woken up.

4. For variants of *como si,* see 2.17.2.

5.5 SI

As a simple relator, *si* will normally be equivalent to *if, whether,* or *when* (Si llovía, se ponía triste). The following uses of *si* as part of a compound relator are described elsewhere: *como si* (5.4.3), *cual si/igual que si/lo mismo que si* (2.17.2), *por si* (5.15.2 and 2.17.1) and *siquiera* (2.18). Special care may be needed in translating the following uses of *si*:

si (bien) + finite verb or -DO	*although*
si ... es { *porque* / *para* + infin. }	*(I) merely/only ... because ...*

Por aquellos días acaeció en la casa donde vivía una desgracia, que, si bien no me tocaba de cerca, no dejó de impresionarme. (APV)
At about that time an unfortunate event occurred in the house and, although I was not personally involved, it still shocked me.

Tampoco era fuerte Albéniz en los dominios de la orquesta, si bien escribía magníficamente para el piano. (A. Carpentier, *Cuba*)

Si he expuesto con cierto detalle esta cuestión es para explicar el contexto en que hay que leer los dos trabajos aquí publicados...
(F. Rodríguez Adrados)

Si volvió al pueblo fue porque quería pagar sus deudas.

NOTES

1. The following stereotyped *si* clauses are worth noting:

   si he de serle franco/sincero: to tell you the truth/frankly;
   si mal no recuerdo/si no recuerdo mal: unless I am mistaken/I think.

2. *apenas si* is a variant form of the relator *apenas* (*hardly:* 5.6):

   Apenas si entendí una palabra.

3. Where *acaso* follows *si* (particularly in colloquial Spanish), in either a verbal or a verbless (elliptical) adjunct, its effect is to make the hypothesis sound more remote.
   English: *if by any chance, if at all, perhaps, if anything,* etc.:

   Si acaso viene antes que yo, que me espere. (Moliner)

   No sé si tendré algo de todo eso; si acaso, algún libro antiguo. (Moliner)

4. *si (bien)* may also be accompanied by a descriptive element (with ellipsis of *ser, estar,* etc.).

   Si bien pequeño, nos gustó.

5.6 Other relators without a prepositional base and without *que* are:

apenas	*scarcely, hardly, no sooner, (esp.Am.Sp.) as soon as* (2.22.1)
conforme	*while* (in both time and contrast adjuncts); *as (=como)*
cuando	*when* (2.22.1); (when the adjunct offers proof or reinforcement of the information in the accompanying clause): *since, seeing that, if*
aun cuando	*although;* (2.18) *even if*
siempre y cuando (SVE: 2.17.1)	*providing that*
no bien	*scarcely, hardly, no sooner, (esp.Am.Sp.) as soon as* (see 2.22.1)
siquiera (SVE: 2.18)	*even if*

Apenas hubo terminado, se durmió.

—Apenas llegues, avísame.

Apenas supe que había estallado la guerra, volví con mis hermanos a luchar... (C. Fuente, *Mex.*)

Conforme subía las escaleras, me iba cansando. (R. D. McWilliams, 94)

Conforme vemos en el mapa 2, hay ahora un menor número de provincias... (J. Rubio)

—No sé cómo se atreve a censurarte, cuando él hace lo mismo. (Moliner)

Aun cuando no lo traté íntimamente..., he formado sobre su carácter un juicio que... (R. F. Giusti, *Arg.*)

Los muchachos desaparecieron no bien se enteraron de la visita. (MB)

NOTES

1. The following verbless adjuncts containing *cuando* indicate estimates or comments:

   cuando más/mucho: at (the) most, at the outside;
   cuando menos: at least, at the very least.

   Cuando más, tardará cinco días. (Moliner)

   Cuando menos, le habrá costado medio millón. (Moliner)

2. For *así, mientras, nada más, no obstante* and *pues,* see 5.3.2.

3. *conforme a*+noun means *in accordance with* or *according to.*

SIMPLE AND COMPOUND PREPOSITIONAL RELATORS

5.7 A

This preposition has many uses both as a simple relator and as part of compound relators. These uses are dealt with in the following order:

a + infin.	...	5.7.1
a + time expression + *de* + infin.	...	5.7.2
al + infin.	...	5.7.3;
a and *al* in compound relators	...	5.8.

5.7.1 *a* + infin. *in order to; to*
if

The first of these uses, where *a* is basically a variant for *para*, may be taken as known: Corre a ver al niño. The second use represents a potential translation problem, although it is not common in contemporary Spanish (where it has been replaced by *de* + infin. —5.10.2) except in the fixed sequences *a ser* + adj. (especially *posible*), *a no ser que* (*unless:* see 2.17.1) and *a no ser por* + noun *(if it were not for; if it had not been for; but for)*. In translation, the appropriate tense for the *if* clause will be suggested by the tense of the main verb or in the context.

—¡Parece mentira! A no verlo, no lo creería... (MU)
It's incredible! If I didn't see it, I wouldn't believe it.

¿Y qué hubiera sido de mí a no proceder de esta manera? (R. J. Payró, *Arg.*)
And what would have become of me if I hadn't acted like that?

A ser cierto, este acontecimiento revolucionará la política mexicana. (R. Usigli, *Mex.*)

El mismo rigor y, a ser posible, el mismo respeto que también pido el día de mañana para los que me juzguen a mí. (G. Marañón)

A no ser por las cruces negras... nada hubiera distinguido aquel lugar del monte aledaño. (JFS)
If it hadn't been for the black crosses..., nothing would have distinguished that spot from the nearby hillside.

NOTES

1. The following stereotyped adjuncts contain *a* and an infinitive:

a decir verdad (to tell the truth); a más tardar (at the latest); a más no poder (completely; really; as ... as possible); a no dudar(lo) (without a doubt; doubtless); a saber (namely):

A decir verdad, yo también estoy asustado. (MB)

—Eres terco a más no poder. (Moliner)

Lo firma J. L. C., que, a no dudar, será José Luis Cano. (C. de Arce)

Las virtudes teologales son tres, a saber: fe, esperanza y caridad. (Moliner)

2. The following combinations of *a* + infin. occur as *relators: a juzgar por (to judge by/from, judging by, if one judges by); a partir de (as from, starting from).*

3. Although frequently censured by Spanish grammarians as an unacceptable use of the infinitive, the construction *a* + infin. is found in some written styles (notably in journalistic ones) as a noun adjunct (or qualifier) equivalent to English *to be* + -D, *which must be* + -D, or *un-* ... -D:

   Esta insistencia en un camino a seguir por cada personaje, indica una ideología determinista del autor... (R. Buckley)

   Sería otro punto a examinar. (Seco, 5: «uso incorrecto»)

   A seguir.
   To be continued. (e. g. at the end of a magazine story)

5.7.2 *a* + time expression + *de* + infin.

This very common time adjunct usually needs to be translated by English patterns like time expression + *after* + -ING/noun. In translating the verbless versions *a* + time expression (+ *de* + noun), *later, afterwards,* or *after* + noun will usually be needed. Most often the Spanish time expression consists of a definite article followed by a noun phrase denoting a period of time (e. g. *al año, a los cinco meses*) but *a poco (after a while; a short while later)* is also common.

> A los pocos días de estar allí, Miguel empezó a encontrar agradable la casa. (JFS)
> *After a few days there, Miguel began to like the house.*

> Elio y Loretta tuvieron dos hijos: primero, una niña, a los once meses de casarse; el segundo, un niño, a los cinco años. (R. Tamames)

> Al mes de haber empezado, terminó el manuscrito.

> A los dos años, volvieron.

> A poco, oyeron un ruido extraño.
> *Shortly afterwards they heard a strange noise.*

NOTES

1. The above use is derived from that of *a* before an expression of distance in space (e. g. Vive a diez kilómetros de aquí) and usually refers to the time 'distance' *following* something. Very occasionally, however, when the reference looks *forward* to a future event, it will be necessary to translate by *before* or *with (only) ... to go (before ...):*

   Por otra parte, a sólo diez días de abandonar la Presidencia, Echeverría puso en marcha un mecanismo de expropiación de tierras en el Estado de Sonora. (*Cambio 16,* 12-12-76)

A unas pocas semanas de las elecciones y antes de entrar en el torbellino de campañas y mítines, conviene hacer algunas reflexiones...
(*Gaceta Ilustrada*, 29-5-77)

2. A -DO form may be found in place of the infinitive:

Al año de terminada la guerra...
A year after the war finished / A year after the end of the war.

Note that in commercial language, *a treinta/noventa días vista* means *payable 30/90 days after receipt.*

3. *a los ... años* may also refer to a specific *age* (i. e. with the ellipsis of *de haber nacido* or *de nacer*):

A los doce años empezó a trabajar.
He began to work at the age of twelve. / When he was twelve...

5.7.3 *al* + infin. *when; on* + -ING;
because;
if.

The basic and familiar uses of *al* + infin. in time adjuncts present no difficulty. However, *al* + infin. may also be used to indicate a reason (especially when accompanied by *no* or another negative) and, occasionally, to convey a condition.

Al llegar a casa, saludó a su familia.

Al llegar su madre, la abrazó.

—Comprendo que esté usted extrañado al no haber recibido el último número del Boletín... (letter from A.E.P.E.)

Al haberme saludado, yo le habría correspondido. (C. E. Kany, 1951, 27)

Al no tener dinero, se pondría a trabajar. (Moliner)

NOTE

The stereotyped adjunct *al parecer* means *apparently:*

Al parecer, tiene mucho talento.

5.8 Some of the numerous compound relators with a prepositional base may convey a more precise meaning than simple prepositions; others, including newly coined compounds, may merely be stylistic variants for other more common relators and, with the passage of time, they may become cliches associated with particular styles (cf. *due to the fact that*, etc.). Compound prepositional relators are particularly frequent in non-literary written styles of Spanish (e. g. in *journalism*).

Those compound relators containing *a* or *al* as a base or as one of their components are illustrated below in two groups: those that also contain *de* (5.8.1) and those that do not (5.8.2).

5.8.1

a base de + infin.	*by*
a cambio de + infin. *a cambio de que* (SVE: 2.17.1)	*in return for; so long as; on condition that*
a condición de + infin. *a condición de que* (SVE: 2.17.1)	*on condition that*
a consecuencia de + infin. (rare)	*as a result of; because*
a (los) efectos de + infin.	*for the purpose of; in order to*
a falta de + infin. *a falta de que* (SVE: 2.22.1 Note 4)	*until such time as; since ... not; although ... not* (See example below)
a fin de + infin.	*in order to*
a fin de que (SVE: 2.16.1)	*in order that*
a fuer de + infin. (rare)	(See example below)
a fuerza de + infin.	*by* + -ING; *by dint of* + -ING; *through* + -ING
a(l) menos de + infin.	*short of* + -ING; *unless*
a pesar de + infin.	*in spite of*
a pesar de que	*in spite of the fact that*
a raíz de + infin.	*immediately after; as a result of*
a renglón seguido de + infin.	*immediately after*
a reserva de + infin.	*while retaining the right to*
a reserva de que (SVE: 2.17.1)	*on condition that; on the understanding that*
(aun) a riesgo de + infin. *(aun) a riesgo de que* (SVE: 2.18)	*(even) at the risk of; even if*
(aun) a sabiendas de + infin. *(aun) a sabiendas de que*	*(although) fully aware of the fact that*
a trueque de + infin.	*in return for; so long as*
al margen de + infin. *al margen de que*	*apart from the fact that; although*
al objeto de + infin.	*for the purpose of*
al objeto de que (SVE: 2.16.1)	*in order that*

Recuerdo (vagamente) un cuento austríaco de un hombre que, a cambio de adquirir una fortuna, vendió su propia imagen reflejada en el espejo. (RPA)

Tengo mucho gusto en dirigirme a Vd., a los efectos de comunicarle que... (official letter)

El presidente Carter ha expresado abiertamente su deseo de reunirse con Fidel Castro a fin de lograr un entendimiento con Cuba. (*Visión, Mex.*, 20-5-77)

A falta de desentrañar este misterio, tal vez pudiera yo aventurar una opinión... (JMG)

Since this mystery is still unsolved... / Although I cannot unravel this mystery...

Y aquel día, a fuer de parecer pedante, diré que «no leímos más allá»... (A. Carpentier, *Cuba*)

And that day, at the risk of sounding pedantic, I will add that «we did no more reading».

Antes y después de comer nos íbamos allí a oír la orquesta suiza, los viejos valses y unos tangos que parecían todavía más viejos a fuerza de ser tocados por aquellos ejecutores decrépitos. (E. Mallea, *Arg.*)

A pesar de que no sabía nada, no le dejaron en paz.

... a raíz de haber intentado curar a una mujer, los metieron a los dos en un manicomio. (E. Sábato, *Arg.*)

... cenaron a renglón seguido de acostarse los niños. (Marta Celorio and Annette C. Barlow, 346)

Por último, y a reserva de que el lector complete estas rápidas notas con sus propias observaciones, ¿qué duda cabe de que...? (A. Reyes, *Mex.*)

Finally, and on condition that the reader supplements these quick notes with his own reflections, what doubt can there be that...?

... parecía mentira, aun a sabiendas de que era verdad. (A. M. de Lera)

... fuimos invitados... a casa de éste, al objeto de continuar allí las conversaciones que sosteníamos sobre la muerte de Lorca. (J. L. Vila-San-Juan)

5.8.2

a medida que	*as* (for parallel action)
a(l) menos que (SVE: 2.17.1)	*unless*
al par que / *a la par que*	*at the same time as; while*
al paso que	*while; since*
a poco que (SVE: 2.22.2)	*if; if only ... a little; however little*
a que (mainly *coll.*) (SVE: 2.16.1)	*in order that; so that*
a(l) tiempo que	*while; just as*
a la vez que	*while; just as*
debido a que	*due to/owing to the fact that*
gracias a que / *merced a que*	*thanks to the fact that*
pese a + infin.	*in spite of*
pese a que	*in spite of the fact that*

A medida que se alejaba del frente, éste le parecía irreal. Sonaban lejos, a intervalos, disparos de mortero. (JMG)

El remojón [*soaking*] le cortó la frase. El borracho miró al cielo con gesto estúpido... y murmuró para sí, al tiempo que avanzaba carretera adelante: —Vaya, Paco, a casita. Ya está diluviando otra vez. (MD)

Casi a la par que Cortés reconquistaba Méjico y comenzaba su reorganización política, Magallanes y Elcano daban la primera vuelta al mundo...
(F. Morales Padrón)

—Al paso que vas a ver a tu hermano, llévale esto. (Moliner)

Siempre es «noticia» el problema del transporte, debido a que nunca se resuelve. (E. Acevedo)

Pese a no haber sido hallado responsable de un delito de homicidio..., Eleuterio fue condenado a muerte. (*Cambio 16*, 11-4-77)

NOTE

In the following example, *a la vez que* is similar in meaning to *además de:*

Él había querido, a la vez que darle una oportunidad de perdonar, darse también una oportunidad de quedar al día con los escrúpulos. (MB)

5.9 CON

5.9.1 *con* + infin. *by* + -ING;
(especially for *con sólo* + infin.): *if; as long as; provided that;*
although; in spite of

Con aumentar el número de las empleadas en las oficinas... está todo resuelto.
(C. Gorostiza, *Mex.*)

Con sacar para merendar ya me conformo. (MD)
If I get enough to afford a snack, I'll be satisfied.

Con probar no perderíamos nada. (Harmer, 290)

Con ser tan sencillas las reglas de la concordancia, nuestras gramáticas registran numerosas anomalías en la lengua hablada y literaria. (S. Gili Gaya)
Although the rules of agreement are so simple, our grammar books record numerous examples of anomalies in spoken and literary language.

Pero, con ser interesante este aspecto del problema, no es el que ahora ocupa nuestra atención. (J. Mondéjar)

5.9.2 *con* is used in the following compound relators:

con (sólo) que — *provided that; if*
(SVE: 2.17.1)
con miras a + infin. — *with a view to; in order to*

con objeto de+infin.	*with the purpose of; in order to*
con objeto de que (SVE: 2.16.1)	*in order that; so that*
con tal de+infin. / *con tal (de) que* (SVE: 2.17.1)	*provided that*
con vistas a+infin.	*with a view to; in order to*

Con tal de ganar dinero, es capaz de todo. (Seco, 95)

NOTE

Relators like *con el fin/propósito de,* which are extensions of a basic use of *con*+noun, present no comprehension or translation difficulties.

5.10 DE

Like *a, de* has a wide variety of uses as a verbal relator. These uses will be described as follows: *de*+infin. (below); *de* as part of a compound relator (5.11). *de*+infin. may indicate a reason (5.10.1) or a condition (5.10.2).

5.10.1 The use of *de*+infin. to convey a reason is an extension of one of the basic uses of *de* as a verbless relator; this use, particularly frequent in colloquial Spanish, indicates a cause:

De puro bueno, parece a veces tonto. (Moliner)
He is so good that sometimes he seems stupid. / Because he's so...

No se puede estar ahí dentro, del calor. (F. García Lorca)
It's unbearable in there, because of the heat.

Ronco de tanto gritar, se dejó caer sobre la césped. (Spaulding, 110)
Hoarse from shouting so much, he collapsed on the grass.

—Mira, sólo de pensarlo se me pone la carne de gallina. (Concha Alós)
Listen, just to think about it makes me shiver.

NOTE

Of similar origin is the compound relator *de que (as soon as),* which is no longer in common use but which may still be met in some Peninsular and American dialects:

La Anita, de que la vio, ya le puso cara de acelga. (MD)
The moment she saw her, Anita began to glare at her.

5.10.2 As a conditional relator, *de* has become very common in all styles of Spanish and, in this function, it has virtually replaced *a*+infin. (5.7.1). In translating these adjuncts, an English *if* or *unless* clause will usually be needed. The tense of the English verb must be gauged from that of the verb in the Spanish main clause and, if necessary, from the context.

El Sapo comprendió que de no terminar rápido iba a debilitarse peligrosamente. (C. Alegría, *Peru*)
El Sapo realised that unless he finished quickly he would become dangerously weak.

De no haber sido descubierta la banda, la droga hubiera seguido hacia los Estados Unidos. (*A B C*, 25-7-67)
If the gang had not been discovered, the drug would have continued on its way to the U.S.A.

Alfonso X hizo escribir sus *Cantigas* en gallego; de haberle sido posible, las hubiera escrito en castellano. (A. Castro)

NOTES

1. The stereotyped verbless adjuncts *de lo contrario* and *de no (esp.Am.Sp.)*, which may replace a negative conditional adjunct *(si no* + verb), and which mean *otherwise* or *if not*, are worth noting:

   —Debiste suponerlo, porque de lo contrario, ¿quién habría venido a contarme todo? (E. Caballero Calderón, *Colom.*)

   De no se hubiese tenido que pasar toda la noche sin pitar. (Ramsey, 347)
   Otherwise he would have had to go without smoking all night.

2. For *es de esperar*, etc., see 4.21.1.

5.11 *de* is also found in the following compound relators.

5.11.1 *de manera que*
de modo que
de suerte que

These compound relators have two different functions: to introduce adjuncts denoting purpose (*so that, in such a way that:* SVE: 2.16.1) or connecting adjuncts *(and so).*

—Hágalo de manera que no lo vean.
Do it in such a way that they don't see it.

No lo hizo, de manera que nos enfadamos con él.
He didn't do it, (and) so we got angry with him.

—Usted ya está enterado, de modo que firme y vuélvase a su pieza. (J. Cortázar, *Arg.*)

NOTE

For *de ahí/aquí/allí que* + SVE, see 2.33.2.

5.11.2 Another group of compound relators containing *de* introduce adjuncts which indicate additional or contrasting information. These are:

además de + infin. *además de que* *amén de* + infin. *amén de que* *aparte de* + infin. *aparte de que* *encima de* + infin. *encima de que* *fuera de* + infin. *fuera de que*	*as well as* *besides* *apart from*
lejos de + infin. *lejos de que*	*far from*

Pero, además de no ser justo matar a un hombre, sea quien sea, es inútil y peligroso. (J. Torbado)

Lo cual, aparte de ser difícil, no daría gusto y parecería cosa extraña.
(J. M. Lope Blanch, 1956, 331)

Aparte de que no podría hacerlo, tampoco lo intenta. (Moliner)

Y encima de robarle todo lo que llevaba, le golpearon despiadadamente.
(J. M. Lope Blanch, 1956, 330-331)

Fuera de sacarse el gusto de derramar sus insultos contra España, el ex empleado colonial... no consiguió grandes resultados de la visita a China.
(*Cambio 16*, 10-10-77)

Lejos de alegrarse, se enfadó con nosotros.

NOTE

Similar in functions are: *en vez/lugar de* (5.12.2) and the much less frequent *sobre* + infin./*que* (5.18).

5.11.3 Other relators containing *de* are:

so pena de + infin. *so pena de que*	*unless; (if you want to avoid)*
(SVE: 2.17.1)	
so pretexto de + infin. *so pretexto de que*	*with the pretext of/that*
caso de + infin.	*in case; if*

(This is a shortened form of *en el caso de* (5.12.2; see also 2.17.1)

—Tendrás que hacer lo que te digo, so pena de romper nuestra amistad.
(J. D. Luque Durán, II, 61)
You will have to do what I say, unless you want our friendship to end.

Me gustaría que algún sociólogo sin prejuicios de escuela (caso de haberlo) tratase el tema de las minorías exasperadas. (GTB)

NOTE

For *antes de, después de* and *luego de,* see 5.3.2.

5.12 EN

5.12.1 *en* + -NDO

Unlike the infinitive and the -DO form, most -NDO adjuncts are not introduced by a relator. However, although commoner in non-contemporary Spanish, the adjunct pattern *en* + -NDO may still be met occasionally in written styles (mainly in *Am.Sp.*) and, more frequently, in dialect and colloquial Spanish. The meaning is usually *when* or *as soon as* and, less often, *if.*

En viéndole llegar se adelantó a recibirle. (Moliner)

—En liquidando yo todo esto, nos vamos a vivir a El Escorial. (Spaulding, 102)

—En acabando mi cigarro, le acompañaré a usted. (Ramsey, 366)

Lo único que tengo es gaseosa... en no queriendo vino. (R. Sánchez Ferlosio)
All I've got is lemonade... if you don't want wine.

De filosofía habla, en queriendo... (Ramsey, 366)

5.12.2 Compound relators containing *en* and *de*:

en (el) caso de + infin.	*in case; if*
en (el) caso (de) que (SVE: 2.17.1)	*if*
en espera de + infin. *en espera de que* (SVE: 2.8. Note)	*in the hope of; waiting for*
en el supuesto de que	*assuming that* (see 2.12.4)
en lugar de + infin.	*instead of*
en previsión de que (SVE: 2.17.1 Note 5)	*in case*
en vez de + infin. *en vez de que*	*instead of*
en vista de que	*in view of the fact that; since*

Incluso se habla de que en caso de no llegarse a la solución de algo que parece tan difícil, estarían dispuestos a renunciar a sus cargos.
(*La Vanguardia Española,* 11-9-73)
There is even a rumour that if they do not resolve this very difficult problem they are prepared to resign.

En lugar/vez de vendérmelo, me lo regaló.

Le dirigí algunas preguntas acerca del capitán; me contestó con monosílabos, y, en vista de que no manifestaba muchas ganas de hablar, enmudecí. (PB)

5.12.3 Other compound relators containing *en:*

en cuanto	*as soon as* (2.22.1)
en seguida de + infin. *en seguida (de) que* (rare)	*as soon as; immediately after*
en tanto (que) *en tanto (no)*	*while; whereas; providing that; until; until such time as* (See 2.17.1 and 2.22.1)
en tanto en cuanto	*insofar as; inasmuch as*

La llamó en cuanto volvió.

—Te llamaré en cuanto vuelva.

Salieron en seguida que cesó el bombardeo. (Alcina, 1007)

En tanto el capataz encendía su cigarro, el muchacho acabó por dormirse. (JFS)

Toda renovación debe ser admitida como buena en tanto sea superior a lo que se pretende renovar. (Seco, 152)

Estos son útiles, en tanto que aquéllos son inútiles del todo. (Seco, 152)

En tanto no se lleve a cabo esta investigación, adelantamos esta hipótesis de cuáles podrían ser las zonas de contacto... (E. Lorenzo)

...el español no cree en Dios, cree en el fuego; en Dios no cree más que en tanto en cuanto le da argumentos para prender el fuego. (CJC)

NOTE

In journalistic Spanish, *en orden a* + infin. is sometimes used with the meaning *in order to.* This may be a recently adopted anglicism.

5.13 HASTA

The principal uses of *hasta* as a simple relator or as part of a compound relator are straightforward:

hasta + infin. *hasta que*	*until* (+ finite clause)

Se fue extinguiendo hasta no ser más que un punto... (JFS)
It gradually grew fainter until it was no more than a speck.

Se quedó hasta que terminaron.

It may be noted, however, that, especially in colloquial or informal language, a redundant *no* may accompany *hasta que* or *hasta tanto,* meaning *until* or *unless* (2.22.1).

> Pero no suspiró hasta que no sintió salir la muela. GGM)

Very occasionally, *no* may also occur with its literal meaning intact:

> —¡Soy un hombre de ciencia antes que nada! Mi proyecto no verá la luz hasta que no tenga fallas. (E. Lafourcade, *Chile*)
> *...My plan will not be revealed until it is free of flaws.*

NOTE

The use of *hasta* as an intensifying adjunct *(even)* must not be confused with its use as a relator:

> Pero aquella mañana, Pepeta..., se fijó en la ruina y hasta se detuvo en el camino para verla mejor. (VBI)

5.14 PARA

para + infin.	*for; in order to*
	and; only to; (followed by a negative) *never to*
para que (SVE: 2.16.1)	*in order that*

The use of *para* + infin. to denote purpose is basic. An interesting occasional use of *para* + infin., mainly restricted to sophisticated styles, and particularly to past narrative sequences, is as a variant for a coordinate *and* or *but* clause. Translation in these cases will be by an *and* or *but* clause or by the analogous English *only to* (or, for *para no* + infin., *never to*). In this use, *para* may often be accompanied by *luego, después, más tarde* or a similar time expression.

> ... la indiferencia de la Princesa era glacial para todos los pretendientes. Sólo uno... había logrado salvarse de su indiferencia para incurrir en su odio. (Harmer, 450)
> *...Only one of them had managed to avoid her indifference, only to incur her hatred.*

> Algunos días después, el ex dictador y la artista se fueron a vivir juntos, para trasladarse, más tarde, a Caracas. (*Cambio 16,* 29-4-76)

> Eleuterio Sánchez fue condenado a seis meses de prisión, para posteriormente ser puesto en libertad provisional... (*Cambio 16,* 11-4-77)

> ... la calefacción se apagó a finales de marzo para no encenderse más. (R. Tamames)
> *... the central heating was turned off at the end of March and was not turned on again.*

NOTES

1. Two uses of *como para* + infin. are described in 5.4.1 and 5.4.3. Note in the example below a use similar to that described in 5.4.1 but without a preceding *como* and with the adjective *muchos,* which must be translated as *too many:*

   Son muchos los compañeros socialistas que lo han dado todo en la lucha por las libertades democráticas para dejar pasar sin una respuesta adecuada esta afirmación. (*A B C sem.,* 19-8-76)
   Too many socialist comrades have sacrificed everything in the struggle for democratic freedoms for us to allow this statement to pass without comment.

2. Note the following stereotyped adjuncts meaning *to tell you the truth,* etc.: *para serte sincero/para serle franco.*

3. For the restricted use of *para* + -DO, see 4.21.3.

5.15 POR

5.15.1

por + infin.	*for* + -ING; *because*
	in order to; for the sake of + -ING
porque	*because* (See also 2.25.1 and 2.25.3)
porque or *por que* (SVE: 2.25.2)	*in order to; so that*

If we take as basic uses of *por* and *porque* those where they introduce a reason adjunct, we may concentrate here on the secondary uses which are more likely to cause difficulties. In their secondary uses, *por* and *porque/por que* may be seen as variants for *para* and *para que,* particularly when the sentence contains a verb or other expression denoting effort or with which *por* is usually associated.

Le metieron en la cárcel por robar.
They put him in prison for stealing.

Ciertamente, por ser muchos los significados del vocablo «memoria», caben en él tanto las historias ajenas como la propia. (R. F. Giusti, *Arg.*)
It is true that, because the word «memory» has many meanings, it can include other people's experiences as well as one's own.

Lo dice sólo por llevar la contraria. (Moliner)
He is only saying that to be difficult.

Además, ¿qué cosa en el mundo dejaría él de intentar por secar aquellos ojos puros...? (EPB)

—¡Cuánto daría por que no vinieran a buscarme! Me siento mal hoy. (F. Sánchez, *Urug.*)

Por su parte, la familia de Arturo lucha por que se detenga a los culpables... (*Cambio 16,* 15-8-77)

NOTES

1. For *por* + infin. as a descriptive element, see 4.21.2.

2. The following stereotyped uses of *por* + *infin.* are worth noting: *(o) por mejor decir* (followed by a correction): *or rather; por no decir* + adj./noun/adverb (used rhetorically or deferentially to suggest a 'near correction' for a term just used): *not to say/one might almost say/or very nearly:*

   Es difícil, por no decir imposible, señalar una línea de evolución constante en el proceso creador de cada novelista. (R. Buckley)

   Also, *por no* may be followed by infinitives like *nombrar, citar,* etc., and a noun, with the meaning *just to mention/name:*

   En francés, italiano, alemán e inglés, por no citar a los más conocidos... (E. Lorenzo)

3. The infinitive of a descriptive verb is often omitted, giving the verbless adjunct pattern *por* + adj., which may need to be translated by an English finite clause:

   Le despidieron por perezoso.
   They dismissed him for being lazy./... because he was lazy.

   Note also that, in sophisticated styles, *no por* + infin./adj./-DO indicates a rejected or insufficient reason. English: *not ... just because; even though ... still ... not ...*:

   El buen cura en vano trató de explicar que los escritos que publicaban, no por venir en letras de molde tienen el carácter de verdades reveladas. Los diarios suelen mentir de tres maneras distintas... (E. Caballero Calderón, *Colom.*)
   ... that the articles should not be taken as gospel truth just because they appeared in print...

5.15.2

por más (+ adj./adverb) + *que* *por mucho* (+ noun) + *que* *por muy* + adj./adverb + *que* *por* + *adj.*/adverb + *que*	*however* (*much*, etc.); *although* (See 2.22.2)
por cuanto (que)	*inasmuch as*
por si	*in case* (2.17.1)

Although the first four of these relators are most often accompanied by a subjunctive verb form, an indicative form is possible for *specific* references. Very often in such cases, the most suitable translation equivalents will be *although* or *in spite of the fact that.*

Ambas actitudes, por más opuestas que nos parezcan, poseen una nota común... (O. Paz, *Mex.*)

Las monedas llevan todavía la corona real de los tiempos del viejo rey Idris, refugiado cómodamente en Alejandría, por más que acaba de ser juzgado y condenado a muerte... (*Ya*, 7-7-73)

—¿Cómo ve el movimiento novelístico español de la actualidad?
—No me atrevo a sentar una opinión, por cuanto desconozco casi toda la producción novelística actual. (CJC)

—Si no te importa, voy a llamar a casa por si hay algún recado. (A. M. de Lera)

NOTE

Relators like *por miedo de que* and *por temor a que* may be taken as extensions of a basic use of *por*.

5.16 SEGÚN

Although similar to *como* in some of its verbal uses, *según* has others as well:

según — *as* (for parallel action, and for references)
según (que) — *depending on whether* (See 2.22.1)

Nos comíamos las patatas según las iban sacando de la sartén. (Moliner).

Según veremos, eso no es verdad.

Según que haga frío o calor. (Moliner)
Depending on whether it is cold or hot.

NOTE

The stereotyped adjunct *según parece* means *apparently:*

Según parece, su salud ha mejorado mucho.

5.17 SIN

sin + infin. — *without* + -ING; *if ... not; unless*
sin que (SVE: 2.16.3) — *without; if ... not; unless*

Pero como la descripción de los hechos sintácticos carecería de sentido sin buscarle su fundamento psicológico... (S. Gili Gaya)
... if one did not look for their psychological basis.

In addition to these general meanings and to those described in 1.9.2, 2.16.3 and 4.22.1, both *sin* and *sin que* may occasionally be better translated as *although not:*

Juegos de manos (1954), sin ser la mejor ni la más personal de las novelas de Goytisolo, es probablemente..., la más representativa... (E. G. de Nora)
... although not the best...

NOTES

1. The following stereotyped adjuncts with *sin* + infin. may be noted here: *sin ir más lejos (for example; take ... for example); sin querer (unintentionally)*:

   Ayer mismo, sin ir más lejos, me siguió un hombre por la calle. (A. de Laiglesia)

   Lo hizo sin querer.

2. The compound relator *sin perjuicio de*, accompanied by an infinitive or by *que* and a subjunctive verb form may be met in legal and other formal usage:

   Aceptaré este trabajo sin perjuicio de seguir buscando otra cosa mejor. (Moliner)

   I will take this job on the understanding that I can still go on looking for another one.

5.18 SOBRE

The use of *sobre* followed by an infinitive or by *que* and a finite verb form seems rare. When met, it will be similar in meaning to the relators listed in 5.11.2 (*además de*, etc.).

Esta idea, sobre ser arriesgada, es poco constructiva. (N. D. Arutiunova, 1965, 48)

As well as being risky, that idea is not very constructive.

... sobre que yo no soy muy hábil en el arte del mosaico, y sobre que... el aire se llevó por las nubes buena parte de los pedazos, la caligrafía de Carmelina desafía toda reconstrucción. (Alcina, 998)

5.19 TRAS

As a verbal relator, *tras* may be followed by an infinitive or, less frequently, by *de* and an infinitive and is a variant for *después de*.

Tras espantar la nube de mosquitos que cubrían el cuerpo, vio en el otro rostro unos ojos casi blancos... (JFS)

Tras de esperar cosa de media hora en una piececita que hacía las veces de antesala, irrumpimos en el despacho del Primer Jefe. (M. L. Guzmán, *Mex.*)

Tras haber permanecido unos quince días en el riñón artificial, Téllez se encontraba el pasado fin de semana... fuera de peligro. (*Cambio 16*, 19-1-76)

NOTE

Examples of *tras de que* offered by J. Polo (1969, 50) and of *tras de* + infin offered by Harmer (p. 443) need to be translated by *as well as*:

Tras de que no paga, está siempre quejándose.

Tras de venir tarde, regaña.
As well as/on top of arriving late, he tells us off!

FREE ADJUNCTS NOT INTRODUCED BY A RELATOR

5.20 In 5.0 three types of free adjuncts *not* introduced by a relator were briefly presented. Excluding those examples of free adjuncts already described in Chapter 2, namely *venga lo que viniese* (2.34.1) and *sea ... o sea* (2.34.2), this leaves two main types to be described. The first of these consists, broadly, of *descriptive elements* used not as complements but as non-essential additions to the sentence, that is, as *descriptive adjuncts*. Such descriptive adjuncts may be used either with non-descriptive verbs or detached by a pause (or comma, etc.) from the rest of the sentence. Among these descriptive elements is the -DO form, which, as we have seen in Chapter 4, may also be used as part of a verb group (e. g. *ser* + -DO, *tener* + -DO). Because of this dual role of the -DO form, all of its uses as a free adjunct will be grouped *together* under the label 'descriptive adjuncts' in sections 5.21-5.25. The second major type of free adjunct not introduced by a relator is that which consists of or includes an -NDO form. These are listed in sections 5.25-5.28.

DESCRIPTIVE ADJUNCTS

5.21 As adjuncts, descriptive elements add, in a condensed or practically concise way, the sorts of information that *could* also be expressed in coordinate clauses or in subordinate clauses (relative, time, reason, etc.) *In general*, Spanish makes more frequent and varied use of descriptive adjuncts than English, which often prefers to use adjuncts of a more *explicit* kind (i. e. relators followed by verbless, non-finite or finite elements). Such general tendencies must be borne in mind when translating these adjuncts.

The types of descriptive adjuncts to be described in the following sections are as follows:

descriptive adjuncts accompanying a verb ... 5.22;
detached descriptive adjuncts:

a) referring to a noun explicit or implicit in the accompanying clause ... 5.23-5.24;

b) accompanied by their own subject ... 5.25

5.22 In both English and Spanish, the concise addition of information concerning the state of the subject at the time of the 'action' or a circumstance under which the 'action' takes place may take the form of a descriptive element immediately following non-descriptive verbs. These *descriptive adjuncts* may be considered as alternatives for separate finite descriptive clauses (coordinate or subordinate). Compare, for example, the following:

Se acostaron cansados.

Estaban cansados y se acostaron.

Como estaban cansados, se acostaron.

Notice also the conciseness of *nacer pobre/rico* and *to be born poor/rich.*

Spanish use of descriptive adjuncts in this way seems more widespread and less dependent on *specific* combinations of verbs and adjectives than English, which will often prefer an explicit adjunct *form* in translation. Typical of the use of a descriptive adjunct with a non-descriptive verb are the following:

a) with primarily transitive verbs:

comentar risueño	*to remark with a smile*
decir impaciente	*to say impatiently*
esperar impaciente	*to wait impatiently*
rechazar enérgico	*to reject emphatically*

b) with primarily intransitive verbs:

caminar resuelto	*to walk with determination*
correr/huir despavorido	*to run (away) in terror/in a panic*
dormir tranquilo	*to sleep peacefully*
salir furioso	*to leave in a rage*
chillar despavorido	*to shout out in despair/to let out a desperate shout/cry*
gemir afligido	*to moan/groan with pain/sorrow*

Other examples for study:

Aguardé impaciente que comenzara la ceremonia. (Harmer, 479)

Su padre y la nodriza le siguieron silenciosos. (R. M. Macandrew, 76)

... el novio de la Mica le había dicho sonriente: «¡Bravo, muchacho!» (MD)

El centinela contemplaba el campo. Las voces de los muchachos le llegaban claras y distintas. (I. Aldecoa)

Teri le escuchaba pálida, con los ojos lacrimosos... (VBI)

Encima de mi cabeza, la vela se agitaba furiosa, como loca... (PB)

El tren pasó atronador.
The train thundered past.

Notes

1. The label *complement* given to the descriptive elements accompanying certain verbs in Chapter 4 (e. g. *yacer, vivir; andar, venir; seguir,* etc.) is a tentative one based on the systematic combination of such elements with such verbs as an *essential* part of the structure of the clause or sentence in which they are used. In addition, such combinations frequently modify the meaning of the verb, which must often be translated into English as *to be*. But for these considerations, some of these comple-

ments might be classified as adjuncts (particularly those that accompany verbs like *yacer* and *vivir*).

2. A descriptive element directly following the verb may also refer to the state of the direct object:

   Los guardias lo trajeron atado de pies y manos. (F. Benítez, *Mex.*)
   The policemen brought him in bound hand and foot.

3. Some more restricted combinations of a verb and an *invariable* adjective form describe the *manner* of the action only. In some cases, there is a similar combination in English; for others, an English adverb is necessary. For example: *trabajar duro: to work hard; pegar duro: to hit hard; llover fuerte: to rain hard; hablar claro/rápido/fuerte: to speak clearly/rapidly/loudly; ver claro: to see clearly; respirar hondo: to breathe deeply*. Note also that English has other fixed combinations like *to fall flat, to think straight, to break loose*, etc.
   Other combinations, like the following, are more limited to colloquial Spanish: *canta bárbaro: she sings very well; canta lindo (esp.Am.Sp.): she sings beautifully; canta fatal: she sings terribly.*

5.23 More often, a descriptive adjunct may be set apart or detached by a punctuation mark (comma, colon, hyphen, bracket, etc.) or, in speech, by a pause, from the rest of the sentence. Those detached descriptive adjuncts which *follow* the noun they describe are illustrated below; those which *precede* their reference, and which pose more potential comprehension or translation problems, are dealt with in 5.24.

5.23.1 The most basic types of detached descriptive adjuncts are those which follow the noun phrase (not necessarily the subject of the clause or sentence) to which they refer. Such usage is particularly frequent in literary descriptions and in other sophisticated or carefully composed writing and speech. In these cases, English usage is normally similar, although occasionally a descriptive relative clause will be needed in translation.

Cervantes, conocido autor español... (=Cervantes, que es un...)

Londres, capital de Inglaterra...

Era la hora de la siesta, pesada, dormilona, cargada de vapores del mar. (A. Barea)

—Entonces, ¿no piensa presentar una denuncia? —preguntó el conductor del camión, todavía pálido, todavía emocionado. (M. Lacruz)
... still pale and shaken. / ... who was still pale and shaken.

Even where the descriptive adjunct is separated by other sentence components from the noun phrase to which it refers, no great comprehension difficulties should arise, although sometimes an English -ING form or a verbless adjunct may be more suitable than adjectives or -D forms:

Las casas se apretaban, altas, rezumando humedad. (Carmen Laforet)

Los mozos portadores del equipaje se habían adelantado mucho, deseosos de llegar cuanto antes a Cebre y echar un traguete en la taberna. (EPB)
The luggage bearers had gone a long way ahead in their desire to reach Cebre as soon as possible to have a quick drink at the inn.

5.23.2 The following special cases should be noted:

a) A detached noun like *cosa*, when followed by a *que* clause, may (like *lo que* or *lo cual*) refer to the whole of the preceding clause or sentence and may need to be translated in one of the following ways: *(something) which: and this; a*+noun+*which.*

Tengo exactamente setenta y un años, cosa que no me hace ni pizca de gracia. (M. Mihura)
I am exactly seventy one years old, and I don't like the idea one little bit.

... sabía qué tenía que hacer a continuación, y lo hacía constantemente. Cosa que ustedes, funcionarios servidores del Estado, no han aprendido todavía, ni parece que vayan a aprender ya... (A. Roa Bastos, *Parag.*)

b) Also in apposition to a noun or clause, adjuncts consisting of the sequences noun + demonstrative pronoun + *que* + verb or noun + demonstrative pronoun + descriptive element may be translated as: *a* + noun + *which;* a relative clause; or, in more informal styles, by *a* + noun + *that/ this (one)*. (See also 4.18.4.)

... junto a la posible influencia de los diversos «Alfaguara» (premio éste que patrocina Cela), puede advertirse... (S. Sanz Villanueva)
... a prize sponsored by Cela... / which is sponsored by...

5.24 Where a detached descriptive adjunct *precedes* a clause and refers to a noun explicit or implicit in the clause (usually but not necessarily the subject) the detachment is of a more radical kind, denoting more deliberate sentence composition. A detached adjunct used in this way may not only describe but may also imply an adverbial relationship of time, reason, etc. Although similar uses of detached descriptive adjuncts are found in English (e. g. *Exhausted, he collapsed on the floor*), they seem to be less varied in meaning and less frequent in use than their Spanish counterparts. Consequently, a translation will often need to express more explicitly any adverbial or other relationship which is detected in the Spanish sentence. For this purpose, one of the following may be useful: a subordinate clause of time or reason, or, less frequently, of condition or concession; a coordinate clause. Because of the implicit nature of this relationship, the following additional remarks should be taken into consideration:

a) the context will be of importance in deciding on an adequate translation;

b) there may be more than one adequate translation (e. g. *when* OR *since; since* OR *if; and* OR *since*, etc.). The various possibilities are illustrated below.

5.24.1 In the following examples, the detached descriptive adjuncts are either adjectives (which present few translation problems) or noun phrases.

Y vinieron, inexorables y agobiantes, los largos días de sequía.
(C. Alegría, *Perú*)

Trémulo, acongojado, contento, culpable, satisfecho, penetré en casa.
(E. Valadés, *Mex.*)

Cada cien pasos, inmóvil bajo un cobertizo o en el quicio de una puerta, veo un un gendarme. (VBI)

—Un día supe cómo se llamaba usted... Dueño de ese nombre, estaba más tranquilo. (E. Mallea, *Arg.*)
...Since I kenw that name... / Once in possession of the name...

... es militar retirado con la graduación de comandante. Católico practicante, tiene siete hijos. *(Cambio 16)*
He is a practising Catholic and he has seven children.

—Hombre, le hubiera defendido. (Spaulding, 106-107)
If I had been a man, I would have defended him.

Gran pagano,
se hizo hermano
de una santa cofradía. (AM)
Although a well-known atheist, he became a member of a Holy Guild.

Curiosamente, conversador tan extraordinario, era moroso y largo en las conferencias. (FDP)
Strangely, although he was a brilliant conversationalist, as a lecturer he was uninspiring and long-winded.

Profundamente británico, ha sabido entender espléndidamente la vida y las costumbres españolas. (*Triunfo*, 9-4-77)

NOTES

1. Occasionally, the descriptive element may be followed by a noun phrase or the subject pronoun to which it refers and which is also the subject or object of the finite verb of the accompanying clause:

Perteneciente Rusia a la periferia de Europa..., siempre mostró cierta similitud con España. (E. Sábato, *Arg.*)
Situated on the edge of Europe, Russia has always had something in common with Spain.

Alteño él, no conocía el mar. Lo arrastraba. (A. Yáñez, *Mex.*)
Since he was a highlander, he had not seen the sea. It was like a magnet to him.

2. In the following example, the reference of the descriptive adjunct is to a person already known in the context and represented in the accompanying clause by the references *sus* and *su:*

> Vegetariano y sobrio, me aseguraban sus amigos que ni una gota de alcohol penetraba en su organismo. (S. de Madariaga)
> *He was a vegetarian and a tee-totaller, and his friends assured me that not a drop of alcohol ever passed his lips. / Since he was a vegetarian...*

5.24.2 A detached -DO form preceding a finite clause and referring to a noun phrase present, referred to or implicit in that clause (usually the subject or object) may, like the descriptive adjuncts just examined, imply relationships of time or reason or, less frequently, condition or coordination. They will need to be translated by clauses or by other adjunct types in those cases where an English -D form would produce a stilted version.

> Presidida por el Ministro..., se celebró el sábado pasado la inauguración oficial de la XXVII Feria... (*A B C sem.*, 5-10-67)
> *With the Minister officiating, the 27th. Fair was opened last Saturday.*

> Alucinada, me parecía que caras gordas flotaban en el aire... (Carmen Laforet)
> *In my hallucination, it seemed to me that huge faces were floating around.*

> Ya decididos, compramos queso, pan y una botella de vino. (PB)
> *Now that our minds were made up... / Since our minds were...*

> Acostumbrados a no alejarse de las orillas, carecían del instinto de orientación. (J. E. Rivera, *Colom.*)
> *Since they were trained not to stray from the banks of the river, they lacked a sense of direction.*

> No obstante, ensoberbecida por la desairada situación en que había quedado, optó por la violencia abierta... (R. Gallegos, *Venez.*)

> Visto así, a la ligera, el pueblo no se diferenciaba de tantos otros. (MD)
> *When/If seen like that, superficially...,*

A -DO form may be followed by the noun phrase or subject pronoun to which it refers and which is also the subject or object of the accompanying clause:

> Puesta a votación la propuesta del señor B., resultó adoptada por unanimidad. (Ramsey, 356)
> *When Mr. B.'s motion was put to the vote, it was adopted unanimously.*

> Ahora, retirado él, tenía una tierrecita en el cerro de los Corvos. (Keniston, 50)

NOTES

1. Detached descriptive adjuncts of this type preceded by *una vez* or *ya* may be translated as *once* + -D or by a time clause:

> Una vez terminada, la venderán.
> *Once (it is) finished, they will sell it.*

(See also 5.24.3)

2. The use of the following types of -DO forms, although derived from or similar to this usage, may be taken as stereotyped:

   a) where the implicit subject of -DO is something referred to in or by a preceding or accompanying clause (='*this*'): *bien mirado* (and other -DO forms denoting a point of view): *when you come to think of it, really;* dicho de otra manera: *in other words; (o) mejor dicho: or rather, that is; debido a (que): due to (the fact that), because of:*

   Bien mirado, tiene razón.

   —Bueno, pero el papel, ¿dónde está?
   —El papel, yo lo tengo. Mejor dicho: lo tiene mi hermana... (F. Ayala)

   Debido al carácter universal de la religión católica... la sociedad colonial logra convertirse por un momento en un orden. (O. Paz, *Mex.*)

   b) where the -DO form refers to an animate subject deducible from the context: *puestos a*+infin.: *while/once we are*+-ING:

   Puestos a teorizar, diré que el español, en general, es valiente. (L. Romero)
   Since we are speaking theoretically/Theoretically speaking...

   Y puestos a hacer reformas en el terreno de la enseñanza, tampoco estaría mal que... se les exigiese a los mocitos... electricidad casera y... fontanería. (Mercedes Ballesteros)
   And while we are suggesting educational reforms, it wouldn't be a bad idea if boys were made to study practical electricity and plumbing.

3. A subordinate clause may also occasionally be needed to translate a detached -DO form which *follows* the noun or pronoun to which it refers:

   —Yo me lo figuraría puesto en tu lugar. (Spaulding, 106)
   I would think that if I were in your situation.

5.24.3 A detached descriptive adjunct consisting of one of the following may precede or follow the explicit or implicit reference:

a) A prepositional phrase indicating a characteristic (deriving from the descriptive pattern: Su esposa es de una paciencia increíble: *His wife is unbelievably patient*).

b) An adverb or prepositional phrase indicating position (derived from the patterns *Estaba allí* and *Estaba en el tren*). These may also be accompanied by additional time or place adjuncts.

a)

De un egoísmo frenético, se consideraba el metacentro del mundo. (PB)
A tremendous egotist, he considered himself the centre of the world.

b)

Una vez en el tren, se encontró mejor.
Once on he train, he felt better.

Una vez allí, descansarán.
Once they get there, they will rest.

De nuevo en el recibidor, Plinio se apartó a un rincón con don Lotario. (FGP)
When he came back into the parlour, Plinio withdrew into a corner with Don Lotario.

NOTE

The relators *de, desde,* and *cuando* may introduce more explicit time adjuncts referring to a stage in the life of the subject or object of the clause or sentence. English: *as a* + noun, or a descriptive time clause *(when ... was):*

De niño, no le gustaba la música.

Cuando niño, jugaba con su hermano.

No lo parecía de soltero. (Keniston, 43)

De recién casados, vivieron con ella en su casa. (Coste, 346)

Desde joven era muy ambicioso.

5.25 Also characteristic of Spanish and of particular interest for translation are those detached adjuncts which display their own (internal) *subject-complement* relationship. The examples given below show the different types of information which such adjuncts may add to the sentence or clause which they precede, follow, or interrupt.

5.25.1 Adjunct patterns:

adj./-DO + noun; noun + adj./-DO;
noun + adj./prepositional phrase;
adj. + pronoun.

In the examples below, the detached adjuncts represent physical descriptions of people referred to in the accompanying finite clauses or in the context. Such usage is especially frequent in literary descriptions and is a variant for the more explicit adjunct pattern *con* + noun + adj./-DO/prepositional phrase (e.g. *Con los ojos cerrados, escuchó la radio*). Once these patterns are recognised, translation by similar English adjunct patterns is possible, e.g.

(with) + *his,* etc. + noun + adj./-D/prepositional phrase. (Note the frequent need for a possessive adjective in English.)

Se presentó, erguida la cabeza, ante el tribunal que había de juzgarle. (Gili, 202)
(With) His head held high, he appeared before the court which was to try him.

José, los ojos centelleantes de ira, gritó... (Spaulding, 105)
His eyes flashing with anger, José shouted...

Tentaleando los muros, vacilante el paso, pálida la faz, entró el anciano. (M. Azuela, *Mex.*)

Groping his way along the walls, with faltering steps, his face pale, the old man entered.

Hundida la nariz en su bufanda, don Francisco caminaba con pasos presurosos... (W. Fernández Flórez)

With his face muffled up in his scarf, Don Francisco was walking briskly...

5.25.2 Adjunct patterns:

(most frequent): -DO + noun/subject pronoun;
(less frequent): adj. + noun/subject pronoun;
noun/subject pronoun + adverb/prepositional phrase (of place);
prepositional phrase + noun.

Most frequently, these patterns of detached adjuncts will need to be translated into English by finite subordinate clauses of time, condition or reason (according to the context) rather than by the similar but less used English patterns

the + noun { *being* / *having* } + -D (e. g. *The war having finished*);
with the + noun + -D/adverb/prepositional phrase (e. g. *With the war over*).

Where both a time and a conditional relationship seem possible from the context, a clause introduced by *Once* may prove particularly useful in translation. The use of *una vez* or *ya* in such adjuncts, however, usually points explicitly to a time relationship.

Terminada la guerra, los prisioneros volvieron a Francia.

Esto sucedía en la casa del hato, poco después de la comida, congregada la familia bajo la lámpara de la sala. (R. Gallegos, *Venez.*)

This happened in the farmhouse, shortly after dinner, while the family was assembled under the light in the living room.

Admitidas sus limitaciones..., la novela no sólo es aceptable, sino elogiable. (GTB)

Once one admits its limitations, the novel is not only passable but praiseworthy. / If one admits...

Una vez sabido esto, se irán.

Una vez sabido eso, se fueron.

Limitada mi exposición a cincuenta minutos, apenas si pude esbozar los problemas planteados. (M. Alvar)

Since my lecture was limited to fifty minutes, I only just had time to outline the problems involved.

Dada su tendencia práctica, era un poco paradójica esta insistencia suya a ser protegido... (PB)

El 8 de agosto del mismo año, libre ya la capital de franceses, volvió a publicarse el Diario. (Ramsey, 356)

—Interno tú en el colegio, había aparecido una tarde en la finca a pedir trabajo. (J. Goytisolo)
While you were away at boarding school, he had turned up at the farm one afternoon asking for work.

—Tú allá, quizá sea más fácil para mí arrancar. (N. D. Arutiunova, 1965, 61)
Once you are there... / With you there, perhaps it will be easier for me to get started.

En prensa este trabajo, me llegó el nuevo libro de Pérez.
While this article was at the printer's...

NOTES

1. Detached descriptive adjuncts of this type are not frequently used to imply a concessive meaning. Note, however, the following example (from a popular biography) where such a meaning is implicit:

   Conviene que el lector, antes de adentrarse en el texto que tiene en su mano, sea advertido de que, nada novelesco el personaje y menos novelescas aún... las circunstancias que sirven de fondo a la acción, este libro ha de ser leído como una novela. (L. de Galinsoga)
   ...although the subject is not at all fictitious and the background circumstances are even less so...

2. The use of *dado que, puesto que, supuesto que* and *visto que* as stereotyped relators is derived from this adjunct pattern. For examples, see 5.3.1 and 2.12.4.
   Note also the following stereotyped relators:
   habida cuenta de (que): in view of the fact that, taking into account that; excepción hecha de: with the exception of, except for:

   ...la sangre de un señor que hace diez años padeció una hepatitis... puede infectar a quien la recibe, habida cuenta de que el virus es muy resistente... (*Cambio 16*, 27-9-76)

3. The stereotyped detached adjunct *así las cosas* may have several meanings: *in view of this; at this juncture; in this situation*; *things being like this,* etc.:

   Así las cosas, llegó a Madrid don Jaime de la Guardia. (N. D. Arutiunova, 1965, 62)

4. The adjunct pattern *previo* + noun phrase may be translated as *after/on* + noun phrase:

   Y previas algunas consultas, tomó su decisión. (JMG)
   And after some consultations, he made up his mind.

5.26 In addition to their functions as components of verb groups like those described in 1.7-1.9, -NDO forms may be used (with or without accompanying elements) as free adjuncts in much the same ways as -DO forms, i. e. in close association with another verb form or detached from the rest of the clause which they precede or follow. As with -DO adjuncts, the understood subject of -NDO adjuncts may be a noun explicit or implicit in the rest of the sentence (most often the subject of the accompanying verb) ... 5.27; or -NDO may be accompanied by its own 'independent' subject ... 5.28.

NOTE

For the use of *en* + -NDO, see 5.12.1.

5.27 In the following cases, the subject of -NDO is most usually the (explicit or implicit) subject or the object of the accompanying clause.

5.27.1 Since Spanish and English -NDO and -ING forms have many functions in common, we may take as basic and familiar those uses of -NDO which indicate actions or states occurring concurrently with, or shortly before or after those represented by an accompanying verb. Here the understood subject of -NDO is usually the same as that of the accompanying verb. Where English -ING is not suitable, translation will normally be by more explicit adjuncts like *by* + -ING, *when* + -ING or a finite subordinate clause of time, reason, condition or concession (e. g. *When he was* + -ING). Occasionally, a coordinate clause preceded or followed by *and* or *but* will be necessary.

Vino corriendo.

Entró sonriendo.

Pasando ayer por la plaza, encontré a doña Carmen... (Ramsey, 361)
Passing through... / When I was passing through...

Aturdido por la noticia, José Arcadio Buendía permaneció inmóvil, tratando de sobreponerse a la aflicción... (GGM)
Shocked by the news, J.A.B. stood motionless, trying to overcome his grief.

Viendo que tenían razón, les di el dinero.

Dejó que su caballo marchara al trote, abandonándose a su suave vaivén. (M. Rojas, *Chile*)
... letting himself go with the gentle swaying. / ... and he let himself go...

Los hombres se hacen infelices deseando lo que no necesitan. (Ramsey, 365)

—Apretando de este modo, lo romperás. (Moliner)
By squeezing like that, you'll break it. / If you squeeze it...

No estando seguro, decidí esperar.
Not being sure, I decided to wait. / Since I was not sure...

Roque, teniendo únicamente treinta y cinco años, está calvo. (Coste, 463)

NOTES

1. When the other verb is accompanied by *se* and may be translated by an English passive form or by a 'general' subject (i. e. *one, you,* etc.), the -NDO form may also indicate a passive or 'generalised' meaning, even if there is no *se* attached to it:

   Tomando los datos promedios... se obtienen los resultados que se presentan en el cuadro... (J. Rubio)
   If one takes the average figures... / If the average figures are taken... / Taking the average...

2. When -NDO is preceded by *aun,* translation will usually be by *(even) when, (even) if,* or *even though.*

3. Also basic is the use of -NDO forms in variants for relative clauses referring to the direct object (or to another noun which is not the subject) of the sentence in which they appear. Although no comprehension problems are involved, it should be noted that English -ING forms are much more widely used with this function than -NDO forms, which are mainly restricted to those sentences containing a verb of perception (e. g. *ver, oír*), comparison *(parecer),* or *haber.* Although occasionally found with other types of verbs, such usage is censured by Spanish grammarians.

   Veo a los niños jugando en la plaza. (Ramsey, 362)

   ... oíase gran murmullo de alas rozándose contra la pared y chocando en el techo. (Harmer, 325)

   Me la imaginé entrando por primera vez en el piso vacío, que olía aún a pintura. (Coste, 459)

   ... el padre Martín, por el contrario, parecía un pachá recorriendo sus dominios... (Alcina, 751)

   Era la época de la vendimia y en la estación había gente del pueblo facturando cajas de uva. (L. Goytisolo Gay)

5.27.2 In the uses of -NDO described in 5.27.1 the two actions or states are closely linked in time. Another use of -NDO, increasingly more frequent in non-literary written styles (particularly in journalism, but also in historical and biographical writing), describes an action or state which is the result of, or which takes place long after, the action expressed in the preceding verb. This usage, which is often far from elegant and which is a variant for a coordinate clause, has been roundly condemned by several grammarians, but in spite of this official censure, it is flourishing *in the styles mentioned.* In translation, a coordinate sequence (i. e. ... *and* ...) will usually be necessary, although occasionally a relative clause may be appropriate for the -NDO 'clause'.

Miguel González Garcés nace en La Coruña, en 1916, cursando allí el Bachillerato. (*La Estafeta Literaria*, 15-2-77)
M.G.G. was born in Corunna, in 1916, and completed his secondary education there.

Durante la huida, el homicida chocó contra un chalet en el kilómetro 10 de la carretera de La Coruña, resultando herido de gravedad. (*Cambio 16*, 21-3-77)
During his escape bid, the murderer crashed into a house on the Corunna road ten kilometres out of Madrid and was seriously injured.

Había nacido ella en un pueblo de Guadalajara, de padres labradores, viniendo a servir a Madrid cuando sólo contaba veinte años. (BPG)

Aquella misma tarde, Silvestre ocupó su sitio en el coche de los ingleses, que se dirigió hacia Irún, tomando después en el cruce la carretera de Behovia. (PB)

An English coordinate sequence linked by *and* or even consisting of two separate sentences may also be needed where *siendo* refers to the subject or object of the accompanying verb and where one or two '*se*-passive' forms are present:

Es miembro del Parlamento de las Bahamas, siendo el encargado de recibir y atender a Sus Altezas Reales... (*A B C*, 25-7-67)

...los dos goles se marcaron en la segunda parte, siendo el del [*equipo de*] Oviedo de 'penalty'. (*A B C*, 25-7-67)

Por otra parte, se sabe igualmente que la esposa del militante del MIR... ha sido detenida por la policía boliviana, ignorándose más detalles sobre su muerte. (*Triunfo*, 22-5-76)

5.28 Contrasting with the -NDO adjuncts illustrated in 5.27 and parallel with -DO adjuncts described in 5.25 are those in which the -NDO form is accompanied by its own 'independent' subject. Such usage needs more careful attention either because it does not correspond exactly with any of the functions of the English -ING forms or because of the different logical relationships which may be implied between the -NDO adjunct and the accompanying clause (i. e. relationships of time, reason, condition or concession).

5.28.1 Adjuncts which convey physical or circumstancial descriptions may occur in the following patterns:

-NDO + indirect object pronoun + definite article + noun;
con + definite article + noun + -NDO.

With the replacement of the definite article by a possessive adjective where necessary, these correspond to the English pattern: *(with) his/my* + noun + -ING.

Castañeteándole los dientes, salió del agua.
(With) His teeth chattering, he climbed out of the water.

Nuevamente, sirviéndoles de orientación las luces del aeródromo, reanudaron la caminata, buscando la carretera y las afueras de la ciudad. (T. Salvador)
Once again, guiding themselves by the aerodrome lights, they set off, looking for the main road and the outskirts of the city.

5.28.2 In most other cases where a detached -NDO form is accompanied by a subject which is not the subject of the accompanying verb, a subordinate clause may be necessary in translation. However, it should be noted that, because the relationship of the adjunct to the rest of the sentence is implicit, a choice of clause type may often be available (i. e. between time or condition, time or reason, etc.). Therefore, close study of the context is necessary.

—Estando tú, sobran los libros. (Keniston, 50)
When you are with me, I don't need books. / If you... / Since you...

—Rosario no se opondrá, queriéndolo yo. (N. D. Arutiunova, 1965, 56)
Rosario won't object, if I want it.

Aquel día la compra duró algo más; pues habiéndole anunciado Maximiliano que almorzaría con ella, pensaba hacer un plato que a entrambos les gustaba mucho... (BPG)
That day the shopping took longer to do because, since Maximiliano had told her that he would have lunch with her, she intended to prepare a dish which they were both very fond of. / ... because M. had told her... and she intended...

Frequently a Spanish indirect object pronoun attached to the -NDO form may refer to the subject of the accompanying verb; less frequently, the expressed or implicit subject of the -NDO form may be represented by an indirect object pronoun in the accompanying clause.

No ocurriéndome por hoy más a las mentes, doy esto por terminado y me despido. (MU)
Since I can't think of anything else for today, I will finish here and say goodbye.

Detestándolo [*yo*], nunca me fue indiferente. (E. Sábato, *Arg.*)
Although/Since I loathed him, I was never indifferent to him.

Occasionally, the impersonal or 'general' subject of -NDO may be implicit or may be referred to by *se* accompanying the other verb. This sub-pattern seems to occur particularly when a conditional or time meaning is implicit.

Siendo tan tarde, no iré.

Teniendo en cuenta su juventud, no me extraña su respuesta.

Cambiando de residencia, cambia la suerte, muchas veces. (E. Barrios, *Chile*)

Que es un muchacho que conociéndolo... se hace hasta querer.
(R. Sánchez Ferlosio)
When/If you get to know him, he's a boy you can actually like.

Sí, todos los hombres, sabiéndonos llevar, somos unas malvas.
(J. A. de Zunzunegui)
Yes, if you know how to deal with us properly, you women can twist all men round your little fingers.

NOTE

Various stereotyped forms originate from this usage. Most common are: *suponiendo que: assuming that, if we assume that; hablando de: talking of; resumiendo: summing up, in conclusion; andando el tiempo: in time, with the passage of time; mejorando lo presente/salvando a los presentes: present company excepted.*

5.28.3 Translation by a coordinate sequence of clauses linked by *and* is a further possibility.

> El padre Anselmo no ignoraba sus extravíos, contribuyendo esto a hacer más respetable a sus ojos a la prudente y sufrida señora. (JV)
> *Father Anselmo was aware of his aberrations and this helped to make the prudent and long-suffering lady more acceptable in his eyes.*

5.28.4 Worthy of separate treatment are the following uses of *siendo:*

a) *siendo* followed by its own subject (and, often, by a contrastive adjunct like *en cambio: on the other hand*);

b) *siendo así que* followed by contrasting information;

c) *siendo de notar* (etc.) *que.* (See 4.21.1.)

Translation will be as follows:

a) *but/although ... is; whereas ... is ...;*

b) *but the fact/truth (of the matter) is that; when* (in a contrastive sense); *and yet; whereas;*

c) *and it is to be noted* (etc.) *that.*

> No supo contestar, siendo tan fácil la respuesta. (Ofelia Kovacci, 1965, 34)
> *He did not know what to say, although the answer was so easy.*

> Por un error inexplicable, se ha creído que la anarquía proviene de las literaturas regionales, siendo éstas, al contrario, esfuerzos en pro de la disciplina. (AG)
> *... whereas (the truth is that) the latter are really attempts to achieve discipline.*

> En diez años, las importaciones en alimentos han doblado prácticamente, siendo así que las exportaciones en alimentos no siguen la misma evolución. (*Mundo Nuevo*, marzo-abril 1971)

> Costello perdió la ciudadanía en 1959 porque cuando se naturalizó había declarado no haberse dedicado nunca a actividades ilícitas, siendo así que se dedicaba al contrabando de bebidas alcohólicas. (*Informaciones*, 18-2-73)

> Veinticinco personas había en la mesa, siendo de notar que los convidados ofrecían perfecto muestrario de todas las clases sociales. (BPG)

NOTE

María Moliner (II, 1147) lists *siendo así que* as a synonym of *puesto que (since)*. The following example is the only one I have found where this is strictly true:

—Imposible que no reparara que vigilabas sus pasos, siendo así que, por varios días, había vuelto rápidamente la cabeza y te había descubierto emboscado en la espesura. (J. Goytisolo)

He couldn't help but notice that you were spying on his movements since, on several occasions in the space of a few days, he had quickly glanced round and seen you lurking in the bushes.

Nevertheless, it is interesting that this example could also be translated with a contrastive clause beginning with *when the truth is that.*

SUPPLEMENTARY EXAMPLES FOR STUDY AND TRANSLATION

EXERCISE 1. SECTIONS 5.0-5.19 (General examples).

1. Pasó una semana, durante la cual no volví a casa de Diego, bien que Diego fuese diariamente a la mía. (N. D. Arutiunova, 1965, 115)
2. Visto que no hay títulos, ni tesis doctoral de la soldadura, ni licenciados en persianas, tal vez la solución sería darles trato de artistas. (Mercedes Ballesteros)
3. —Yo no sé por qué a esta casa la llamaron "Miralago" —dijo don Lotario—, pues, desde aquí, salvo que yo esté ciego, no se columbra lago alguno. (FGP)
4. Así que traían el desayuno, liaba el primer cigarro y echaba una ojeada al A B C, ya se sentía otro. (FGP)
5. No llegaron a tiempo, así que salimos sin ellos.
6. Después de dos años en Mendoza y luego de trabajar como peón en el Ferrocarril Transandino..., atravesé a pie la cordillera y llegué a Chile... (M. Rojas, *Chile*)
7. Veinticuatro horas después de iniciado el movimiento militar..., el país comenzó a recobrar la normalidad. (*Economist para América Latina*, 29-10-69)
8. Seguiré la pista del asesino mientras que me sostengan las piernas. (Ramsey, 429)
9. La filosofía de Séneca no es española, sino greco-romana, pues todo el pensamiento filosófico de Roma era helénico en su raíz. (A. Castro)

10. Como era de esperar, al marcharse el médico, la Jerónima comenzó a desahogarse. (R. J. Sender)

11. Para él, el Gobierno actual no ha hecho lo suficiente como para ganarse el apoyo incondicional de las "Trade Unions" en esas discusiones. (*El País*, 23-4-77)

12. La red fluvial y el tráfico de cabotaje facilitaron las comunicaciones..., tal como sucedía en las colonias británicas. (F. Morales Padrón)

13. Dotado como está de una sensibilidad extrema, necesita constantemente saberse entre amigos. (Angela B. Dellepiane, *Arg.*)

14. El coche va saltando de hoyo en hoyo, quizá porque Virginia no sabe evitarlos o porque, preocupada como va, apenas se da cuenta. (JFS)

15. La vieja mira el campo, cual si oyera
pasos sobre la nieve. Nadie pasa. (AM)

16. Y de vez en cuando echaba una ojeada a los acompañantes, como para cerciorarse de que estaban allí. (FGP)

17. A pie y detrás del carro, como vigilando por si caía algo de éste, marchaban una mujer y una muchacha alta. (VBI)

18. Además, ¿de qué hubiera servido separarme de Fernando si quedaba la posibilidad de casarme con otro igual a él? (Luisa J. Hernández, *Mex.*)

19. Si bien era verdad que la obra de Galdós no ha gozado en España de la popularidad que merece, no es menos cierto que a medida que avanza el tiempo su obra empieza a ser más considerada por el pueblo español. (*España Hoy*, abril 1970)

20. —Le expliqué que si me encontraba trabajando fuera era porque la lluvia de la noche anterior había inundao [=*inundado*] toda la barraca. (J. Corrales Egea)

21. —Si he de serle franca, estas situaciones no son sino muestras de confianza que me da Federico. (C. Fuentes, *Mex.*)

22. Pero las dos damas desconocidas no levantaban los ojos del plato y apenas si llevaron bocado a la boca. (Ramsey, 584)

23. Apenas se apagó el relámpago, se hizo un silencio temeroso en espera del trueno... (FGP)

24. Ha caído un aguacero durante la noche. Conforme avanza el día, va aclarando el cielo. (A. Ferres)

25. La subida por la cuesta de los Perros era bastante fatigosa, y el viejo se detuvo varias veces a descansar. (PB)

26. Julián no se hubiera encargado jamás de tan ingrata comisión, a no parecerle que iba en ello la salvación de don Pedro. (EPB)

27. A mí mismo me dieron ganas de irme, y lo hubiera hecho, a ser de su provincia y de sus allegados. (R. J. Payró, *Arg.*)

28. ... a no ser por su intervención..., el comandante... y los diecinueve oficiales... habrían figurado, aquella madrugada, entre las víctimas yacentes en las avenidas del cementerio. (JMG)

29. Ruiz, sin volverse, le soltó un codazo que debió romperle el diafragma, a juzgar por los síntomas de asfixia del escritor... (T. Salvador)

30. La historia del depósito de ese oro ha sido uno de los grandes problemas a resolver entre España y Rusia. (*Ibérica,* New York, 15-4-71)

31. A las pocas semanas de llegar al Departamento de Finanzas, Hervás convocó el Comité de Dirección... (R. Tamames)

32. "El camino hacia la democracia no es nada fácil, porque todavía hay poderes fuertes que pueden obstaculizarlo", advirtió Suárez a los pocos días de celebradas las elecciones. (*Visión, Mex.,* 1-7-77)

33. Al mes justo de esta conversación y de esta lectura, se celebraron las bodas de don Luis Vargas y de Pepita Jiménez. (JV)

34. —A poco, mientras cruzábamos el Canal [*de la Mancha*] y yo me atrincheraba detrás de una revista, me pareció escuchar que tus amigas cuchicheaban mi nombre... (L. Spota, *Mex.*)

35. Las remesas de los emigrantes también han descendido al no absorber tanta mano de obra otros países europeos. (*Visión, Mex.,* 11-2-77)

36. Han sido añadidas más páginas, he aclarado otras a fin de evitar, en lo posible, dificultades de comprensión. (A. Castro)

37. El empresariado, a medida que el margen de beneficios se le reducía, acudía al simple y elemental método de bloquear los salarios... (*Cuadernos,* 22-5-76)

38. A pesar de que nada dijo y de que la llama del carburo desfiguraba sus facciones, Inés adivinaba su irritación. (JFS)

39. El auto de procesamiento añade que "al objeto de ocultar los hechos y evitar la acción de la justicia se intentó hacer pasar el delito por suicidio. (*Cuadernos,* 24-4-76)

40. La cosa se le presentó súbitamente fácil: con no utilizar la puerta todo quedaba [=*quedaría*] resuelto. (A. Palomino)

41. Con ser uno de los sastres más caros de Madrid, esos pollos lo tienen siempre en la ruina. El los viste gratis y encima les da dinero para que se acuesten con él. (A. M. de Lera)

42. —Yo hago lo que quieras con tal de que no te separes de mí. (Coste, 447)

43. Se le ha metido la idea de que su [*your*] esposa tal vez consentiría en

cederle un lugarcito en su cama. De tanto desearlo, se le ha vuelto obsesión. (E. Wolff, *Chile*)

44. No me gustan esas sillas funcionales, con unas patas ridículamente inestables, que se desmoronan de sólo mirarlas con rencor. (MB)

45. De permanecer ambos en el Gobierno, se agravaría la desairada situación en que éste se hallaba... (J. M. Gil Robles)

46. Como es de suponer, tal liberalización, de lograrse, supondría de modo automático el fin de los cuerpos profesorales y sobre todo el de numerarios. (A. de Miguel)

47. En la mañana del veintitrés de noviembre yo cumplía mi guardia. Hacía cuatro días que el Jefe no aparecía por el despacho; de modo que me hallaba solo y tranquilo, leyendo una revista y fumando mi rubio. (MB)

48. Pecaría de soberbia si creyese que... Y lo que es más grave para mis lectores, además de pecar de soberbia, me equivocaría. (CJC)

49. Pero aparte de que dibujando he podido dar más libertad a mis pensamientos, lo cierto es que hay otra razón por la cual no he trabajado durante estos días en la historia de Elio... (R. Tamames)

50. En entrando, un aroma desagradable y ácido mezclado con vapores alcohólicos les hizo adivinar lo que iban a ver. (L. Martín-Santos)

51. Y en habiendo espantado la bestia, se sentó en el brocal del pozo y dio libre curso al llanto. (R. Gallegos, *Venez.*)

52. Se ve poca gente, en cuanto cae la tarde. Anochece casi de golpe. (A. Ferres)

53. ... al empezar la semana santa, la gente se aleja de las ciudades en largas hileras de vehículos, que se esparcen por todo el país, en tanto que la vida oficial se paraliza. (R. Tamames)

54. Volvió Manuel Benítez a Madrid con la idea firme de ir a trabajar a Francia, en vista de que cada vez eran más los inconvenientes que encontraba para torear. (M. Gómez-Santos)

55. Los hombres llegaban tarde... Se reunían a la puerta hasta estar todos y con la misa empezada entraban por grupos. (JFS)

56. ... las casas, blancas como la nieve, rebozadas de cal, reverberaban una luz vívida y cruel hasta dejarle a uno ciego. (PB)

57. Pedimos dos bocadillos con cerveza y estuvimos en silencio hasta que nos los trajeron. (Coste, 446)

58. Hablamos de todo... Hasta me aconsejó, pésimo juez de mi vocación intelectual, escribir una novela que tuviera por asunto los trabajos del campo argentino. (R. F. Giusti, *Arg.*)

59. Quedó un momento en equilibrio, sentada donde estaba, para caer al pronto contra el suelo de la cocina. (CJC)

60. Un autocar... se salió de la carretera para empotrarse contra unos talleres de carpintería que destruyó por completo. (*Ya,* 18-3-73)

61. Claro que han cambiado las coordenadas políticas, pero no lo suficiente para arrancar de muchas cabezas entramados ideológicos cultivados a lo largo de años. (*Triunfo,* 2-7-77)

62. ... entonces recordé que Descartes, buscando la verdad, se retiró a un lugar solitario por creer que nunca la encontraría en el trato de los hombres. (Harmer, 289)

63. He hecho todo lo posible por despistarlos, pero creo que éstos son más listos que los de antes. (M. Aub)

64. Joaquín por quitarse el calor metió la cabeza bajo uno de los caños y bebió largo trago de agua... (Coste, 363)

65. De haber vivido sus padres, por complacerles, quizá por evitar discusiones..., hubiera adoptado una actitud distinta ante la vida. (JFS)

66. Por eso muchas gentes darían cualquier cosa porque se sospechara de él. (R. Usigli, *Mex.*)

67. La criada había enmudecido, miraba a Pilar, por si su rostro podía añadir algún dato a sus palabras. (JFS)

68. Según tendremos ocasión de ver... en el capítulo siguiente, éstas... se componen de verbo auxiliar más infinitivo. (J. Roca Pons)

69. Al atardecer, tras acompañar a Inés hasta su casa, Miguel quedó sentado en las gradas solitarias de la iglesia... (JFS)

70. Tras ganar en New Hampshire, Ford se autocalificó de centrista y repudió a Reagan como un extremista de derechas... (*Cambio 16,* 19-5-76)

EXERCISE 2. SECTIONS 5.0-5.19 (Specialised examples).

1. La tarea era ardua, tanto más cuanto que debía llevar de frente, al propio tiempo, las averiguaciones de lo que tramaba la oposición, y hacer o inventar una buena oportunidad para poner presos a los cabecillas. (R. J. Payró, *Arg.*)

2. ... son la sal y la pimienta de una campaña [*electoral*] donde la ausencia de enfrentamientos dramáticos, más que revelar un alto grado de educación política, parece indicar una desoladora falta de imaginación. (*Cambio 16,* 13-6-77)

3. Pagados que fueron los médicos, las deudas y el entierro..., quedaron para Elisa aproximadamente cuatrocientos pesos. (MB)

4. Tiene el muchacho los mismos ojos saltones y negros de su padre, sólo que los de éste están inyectados de cólera más que de sangre. (E. Caballero Calderón, *Colom.*)

5. Y toda vez que desconocemos todavía los mecanismos biológicos de los que brotan la belleza y el talento, lo más sensato es atribuirlos al azar. (GTB)

6. Consideraba luego don Paco, y esto le lisonjeaba y le ponía muy orondo, que Juanita, ya que no le amase, se deleitaba con su conversación. (JV)

7. Yo seguí insultando; pero sumido a esa extraña somnolencia de los epilépticos, que permite ver y oír, ya que no hablar o moverse. (Alcina, 1007)

8. Ya que no su vida, escasamente ejemplar, su muerte le sirvió al menos para recobrar la confianza de la gente. (GTB)

9. Nada más nacer me di cuenta de que mi madre hablaba en andaluz... (M. Mihura)

10. Según él, el régimen de Brucio tenía los días contados. La verdad es que aún duró años; porque no obstante ser profesor de la Universidad, Pastizales no se había percatado de que mientras la burguesía siguiera fiel a Brucio, éste tendría muy poco que temer de la oposición democrática. (R. Tamames)

11. Una vez me paré frente a una iglesia. Supuse que debía ser muy antigua, pues las figuras labradas en las piedras de su fachada me traían una vaga nostalgia de nuestra parroquia. (Ana María Matute)

12. Lope de Vega desempeñó tal función junto al duque de Sessa, pero con un carácter muy particular: el de "secretario secreto", diríamos con pleonasmo obligado, pues que Lope no figuró nunca "asentado" en los libros administrativos de la casa de Sessa... Por ello nunca tuvo emolumento especificado. (G. de Torre)

13. ... y, como sorprendiera en el rostro de César Fuentes una mueca de rebelión, intentó tranquilizarle. (MD)

14. Los adelantos científicos han alargado la vida de los humanos... No soy tan cerril como para pensar que con cataplasmas y sanguijuelas las cosas iban mejor... Pero el pobre enfermo necesita algo más que ciencia... (Mercedes Ballesteros)

15. También la televisión, que retrata muchas veces la realidad pelada, tal y como está sucediendo en el mismo instante, tendrá su ocaso. (Mercedes Ballesteros)

16. Esta diversidad de proporciones produce un efecto extraño. Galdós, poseído como estaba por el tema y la figura de Doña Perfecta, no se dio

cuenta de este desequilibrio, en el cual Pepe Rey pierde todo relieve. (J. Casalduero)

17. Y sucio y asqueroso como estaba, le repartió en el rostro unos cuantos besos. (APV)

18. Yo hago crítica de literatura castellana en *A B C* de Madrid... Estas páginas literarias son muy vigiladas y atendidas por la gente, y como quiera que recibo muchos más libros de los que puedo reseñar, el hecho de hacerlos aparecer en mi sección tiene ya el valor de una primera selección. (G. Díaz-Plaja)

19. Pero como artista que era, le convino más decirlo inconscientemente por medio de figuras simbólicas... (H. A. Murena, *Arg.*)

20. Mi juicio sobre el narrador no ha variado, y si he referido estas intimidades que no afectan al honor del escritor es porque contribuyen a iluminar un carácter en torno al cual tanto se afana la crítica... (R. F. Giusti, *Arg.*)

21. ... Menéndez y Pelayo, un español de criterio tan amplio y generoso, que hubiera sido capaz de hacer estricta justicia hasta a los herejes más empedernidos si acaso hubiera topado con algunos en sus investigaciones. (AG)

22. Yo he defendido la candidatura de doña María Moliner en la Academia y de la misma manera que se ofrece la córnea o los riñones para los trasplantes, le he ofrecido mi sillón *post mortem,* si bien rogándole que no tenga mucha prisa en ocuparlo. (J. Calvo Sotelo)

23. ... iba poniendo todas las cosas una tras otra, conforme las sacaba, alineándolas delante de los papeles del Secretario, encima de la mesa. (R. Sánchez Ferlosio)

24. Alguien, con malicia, había señalado: —Muy segura ha de estar de su triunfo cuando se ha atrevido a venir. Si no tuviera la certeza de salir con el premio, no se hubiera presentado. (C. de Arce)

25. Escritor autodidacta, se ha empleado en la tarea de inventar historias y contárnoslas hermosamente, cuando su propia vida es todo un material novelable. (*La Estafeta Literaria,* 1-4-77)

26. ¿Estaría muerto?... ¡No! Cuando mucho, sufriría un largo desmayo y la herida sería fácil de curar. (R. J. Payró, *Arg.*)

27. Se le tenía por refractario al amor, o, cuando menos, al matrimonio. (AG)

28. No bien sintió Pepita el ruido y alzó los ojos y nos vio, se levantó, dejó la costura que traía entre manos y se puso a mirarnos. (JV)

29. Varias veces me dijeron que fuera a ver los trabajos y excavaciones que se hacían en el pueblecito vecino; pero no tenía gran curiosidad, y no

hubiese ido por allí a no aconsejarme mi madre que fuera, aunque por otra causa. (PB)

30. ... por el momento, sin embargo, al no existir en esos países unos programas de sanidad adecuadas a las necesidades de la población y al ser la renta *per capita* incomparablemente más baja que en los países industrializados, esa zona económica atrae sólo de modo relativo a las multinacionales. (*Triunfo,* 10-5-75)

31. No puedo presumir de una larga experiencia universitaria ni mi dedicación a las tareas académicas ha sido demasiado intensa, al ser yo más un investigador... que un profesor, y estar la investigación bastante alejada de las preocupaciones del Alma Mater... (A. de Miguel)

32. Luego nos dispusimos a reconocer el barco. El *Stella Maris* estaba hundido por la proa y levantado por la popa. La cubierta se hallaba rajada a consecuencia de haberse venido abajo los palos y las poleas. (PB)

33. ... incluiré, aun a fuer de pecar de extenso y machacón, su resonancia a través de la Prensa barcelonesa y madrileña. (C. de Arce)

34. Desgraciadamente, en éste, como en tantos otros problemas de la Psicología, la palabra [*'inteligencia'*] ha pasado a carecer de significado a fuerza de tener tantos. (B. Subercaseaux, *Chile*)

35. Aunque me resisto a creerlo, por viejo y por escéptico, tengo que admitir sus poderes telepáticos a menos de atribuir su éxito a una casualidad aún más asombrosa. (J. Cortázar, *Arg.*)

36. —A poco que me hubieras estimado, Mario, nunca hubieras metido en casa a esa mujer... (MD)

37. Pienso también en los que a renglón seguido de profesar el máximo de respeto personal a la lengua catalana, aseguran que, objetivamente, sería mejor que todos los españoles hablásemos un solo idioma. (M. Falcón)

38. ¿Cuáles son nuestras observaciones? Por lo pronto, y aun a reserva de volver cuantas veces sea necesario sobre el tema..., son las siguientes... (*A B C sem.,* 16-9-76)

39. A veces, y a sabiendas de esta diferencia que con Europa hay, el americano [=*el norteamericano*] cree mostrar su familiaridad con las costumbres chillando al camarero... (FDP)

40. Voy a tener que escribirle diciéndoselo, aun a sabiendas de que le voy a dar una desilusión. (J. L. Martín Vigil)

41. La corte hacía manga ancha con los que le hacían la corte, a trueque de seguir recibiendo sus doblones. (A. Roa Bastos, *Parag.*)

42. Cuba, en 1961, era elevada por Castro al rango de primera república democrática socialista de América, a la par que se repudiaba, por anticuada, la Constitución de 1940. (F. Morales Padrón)

43. Por las tardes he andado por las mismas tabernas. Debido a que hoy es domingo, después de comer había más animación. (A. Ferres)

44. El capitán cayó en medio de aquella turba; la tripulación entera se echó sobre nosotros como perros, y gracias a que el piloto tenía la puerta de la sobrecámara abierta, pudimos refugiarnos allá y salvarnos. (PB)

45. ... algunos grupos armados... ocuparon el alto de Montejurra con más de veinticuatro horas de antelación. Y pese a que eso pudo ser sin duda conocido por las autoridades responsables del orden público, nada se hizo, al parecer, por evitarlo. (*Cuadernos*, 11-5-76)

46. Llevaba una boinilla insignificante y sus manos eran tan enormes y huesudas que más se iban los ojos a ellas que a cualquiera otra parte de su cuerpo con ser todas de pareja fealdad. (FGP)

47. El Gobierno, con objeto de subrayar el carácter nacional de su acción y [*sus*] fines, así como de despejar equívocos sostenidos por la propaganda adversa... elaboró un programa, conocido con el nombre de *Los Trece Puntos de Negrín.* (M. Tuñón de Lara)

48. —Descuide usted, que de que venga le doy el aviso.
—¿Irá pronto? (Mercedes Ballesteros)

49. —Encima de obligarte a cenar, no te dejan beber tranquilamente. ¡Viva la libertad! (J. García Hortelano)

50. Había comprado a plazos el televisor y ahora no podía pagar las mensualidades, so pena de reducir sus raciones alimenticias. El dinero cobrado en el Centro era escaso. (J. Torbado)

51. El Jefe... entreabrió la puerta del coche y dijo a manera de saludo:
—Bueno, en comiendo nos vemos en el [*bar*] San Fernando a tomar café. (FGP)

52. —Claro, eso es lo que una dice: en habiendo alegría y salud, lo demás, ¿qué importa? (CJC)

53. En seguida de llegar a las peñas he sabido que todos estos malditos marineros ingleses han sido salvados por los remolcadores. (R. Pinilla)

54. Muchas veces he dicho que en vez de que alguna vez se diga de mí "habla como un libro", prefiero que de alguno de mis libros, y a poder ser de todos, se diga: "¡habla como un hombre!" (MU)

55. De todo ello se tenían algunas noticias en La Colmena, aunque confusas y exageradas, como de costumbre. En tanto algunos mencionaban disparos y hasta muertos, para otros se trataba únicamente de reyertas sin importancia. (J. Torbado)

56. Se concede amnistía por todos los delitos... en tanto no hayan puesto en peligro o lesionado la vida o la integridad de las personas o el patrimonio económico de la Nación... (*Boletín Oficial del Estado*, 4-8-76)

57. Hasta que no se lavó con agua bien fresquita y se tomó un café doble no volvió en sí. (FGP)

58. ... el pueblo entiende, pero... se flagela en señal de arrepentimiento, y vuelve a caer en la postración para no levantarse más. (E. Rivas, *Mex.*)

59. Han pasado muchos años para seguir rigiéndose conforme al tan cacareado "hombre del Renacimiento". Los siglos no pasan en balde... (Mercedes Ballesteros)

60. Por la calle principal llego al café. Desde la puerta echo una mirada, por ver si ha caído por aquí alguno de mis compañeros viajantes, pero no hay nadie. (A. Ferres)

61. Por muy rápidamente que el médico introdujo las dos láminas del fórceps e hizo la extracción, el niño salió muerto. (PB)

62. En cuanto al género, conviene observar que el idioma español conserva... el género natural de los sustantivos, por cuanto señala con especial cuidado el sexo de los animales. (J. M. Pérez-Rioja)

63. ... el volumen publicado recientemente por F. González Ollé no tiene utilidad para nuestro propósito, por cuanto que recoge muestras del español "coloquial" de la lengua escrita por autores españoles contemporáneos. (J. M. Lope Blanch)

64. La evolución de los premios literarios en España es un fenómeno que no puede comprenderse sin tener una exacta idea de lo que era nuestra literatura hace veinticinco o treinta años. (C. de Arce)

65. Una muchacha desconocida estuvo mucho tiempo delante de mi cuadro sin dar importancia, en apariencia, a la gran mujer en primer plano. (E. Sábato, *Arg.*)

66. Juntos a la puerta estaban Isabelita y Alfonsín, aterrados, mudos, sin atreverse a dar un paso. (BPG)

67. Durante cuatro días permanecí metido en un entresuelo de techo bajo, sin poder asomarme a las ventanas que daban a la calle. (VBI)

68. —Rarezas... ¿Quién está libre de ellas? Mire usted: sin ir más lejos, una buena señora que vive en mi casa tiene el capricho de lavarse la cara y las manos con agua de Seltz. (S. and J. Álvarez Quintero)

69. ... un día me manifestó que, sin perjuicio de realizar con fidelidad su tarea burocrática, sus ideas políticas no coincidían con las del Gobierno... (R. Serrano Súñer)

70. Lo más admirable era que Juana, sobre ser la más sabia cocinera y repostera del lugar, era también su primera modista. (JV)

EXERCISE 3. SECTIONS 5.20-5.28.

1. Y la señora francesa, con el perro bajo el brazo, se levantó muy digna, hizo una inclinación de cabeza y se marchó. (FGP)
2. Ignacio soñó aquella noche que de los montes circundantes bajaban a la villa tropeles de aldeanos y que Rafaela corría despavorida, mientras gemía desesperado su padre, contemplando el saqueo de su almacén... (MU)
3. Asimismo los cristales saltaron hechos añicos y las puertas volaron como si se tratase de papel. (*A B C sem.*, 18-11-76)
4. —En cuanto a tus consejos, dos tengo que agradecerte infinito, porque... contribuyeron a resolver dos graves situaciones de mi vida. (R. J. Payró, *Arg.*)
5. Y quiso atraerlo y abrazarlo; pero el chiquillo, muy asustado, se refugió en el regazo de su madre. (M. Azuela, *Mex.*)
6. La pesada lluvia continuaba cayendo, pareja y constante, móvil como la falda de una bailarina de los mares del Sur. (L. Spota, *Mex.*)
7. Cuando se reunían más de dos, cosa que sucedía a menudo, el tiempo, aunque largo, se hacía llevadero. (J. Torbado)
8. Son las agencias de contratación las que, de hecho, canalizan... la emigración española a Inglaterra. Hecho éste reconocido, de forma más o menos velada, por los propios organismos oficiales españoles. (*Cuadernos*, junio 1974)
9. La crítica o denuncia de los aspectos sociales a que nos hemos referido anteriormente se basa en un testimonio, palabra ésta tan traída y llevada que conviene explicar en qué consiste para evitar mayores confusiones. (P. Gil Casado)
10. Despierta todavía, le oí salir antes de que las sirenas de las fábricas rompieran a pitidos la neblina de la mañana. (Carmen Laforet)
11. Respetuosa de la libertad de los otros, prefirió morirse en soledad, como, por otra parte, lo hicieron siempre las mujeres de mi familia, y por las mismas razones. (GTB)
12. En Tomelloso nunca hubo escudos ni nobleza. Pueblo nuevo, vivió en perpetua democracia agrícola. (FGP)
13. Cumplidor en el aspecto exterior, hábil, atento y obsequioso, se había atraído la simpatía y hasta la admiración de los altos jefes. Se le reputaba como un excelente funcionario. (S. J. Arbó)

14. Película correcta, no alcanza, claro está, las calidades de la que este país presentó el año pasado y que obtuvo el máximo galardón del certamen. (*A B C*, 18-7-61)

15. Su retraimiento era completo cuando alguna mujer se colaba en el ruedo... Ya caduco y tembleque, las descubría en seguida. (A. Roa Bastos, *Parag.*)

16. En este país nuestro, donde tantos mediocres se encumbran y envanecen, Paco Antón era un ave rara. Viajero de primera, nunca intentó salir de tercera. (MD)

17. Libre ya Colón para elegir sus protectores, dio la preferencia a Fernando e Isabel. (O. L. Tornero)

18. Antagonistas perpetuos, su lucha, como la de los dictadores romanos, no debía terminarse sino con la pérdida y muerte del uno. (EPB)

19. Nuevamente acostado, mirando el cielo raso, me representaba los últimos años transcurridos. (A. Carpentier, *Cuba*)

20. A la peluquería llegaban, llevados por las vecinas, todos los chismes de la calle. De la peluquería salían, transformadas y desorbitadas, noticias que habían sufrido la corrosiva acción de la charla de los clientes. (I. Alcoa)

21. Si algo nos enseña el estudio de una lengua en plena vitalidad es que, vista como una instantánea fotográfica, es algo mate. (E. Lorenzo)

22. Considerado el problema desde un punto de vista docente, adquiere mayor interés. (F. Lázaro Carreter)

23. Rosalía... la incitó a que explicara el motivo de tanta desdicha, para ver si, conocido de una manera clara y concreta, era fácil buscarle remedio. (BPG)

24. Con las manos unidas por los dedos entrelazados, lo golpeó en la cara repetidas veces y, ya tirado, los pistoleros lo patearon sin misericordia. (F. Benítez, *Mex.*)

25. ... pero, acostumbrado a la vida claustral del seminario y de la metrópoli compostelana, la Naturaleza le parecía difícil de comprender. (EPB)

26. Los terroristas y guerrilleros no tienen otra norma que obtener su victoria por los métodos más sangrientos, más atemorizadores, más repugnantes. Cogidos con las armas en la mano, se les tiene que someter a la ley penal vigente. Pero no más que a ella. (*Visión, Mex.*, 29-7-77)

27. Una vez volcado, el tranvía perdió su interés y la gente corrió hacia el otro, que esperaba su destino con las luces apagadas, las ventanillas rotas, los vidrios hechos polvo. En ese momento apareció o volvió la policía. (M. Rojas, *Chile*)

28. De pie en el puente, junto a los oficiales amigos, me sentía ganado por una inmensa tristeza. (JMG)

29. Era tal la acumulación de pasajeros, que, ya en el interior del coche, me costó algún trabajo dar con el mozo que viajaba conmigo a guisa de asistente. (M. L. Guzmán, *Mex.*)

30. De joven soñó con la jubilación, y ahora, de jubilado, soñaba con la juventud. (Coste, 346)

31. No nos veíamos desde chiquitines. (Keniston, 137)

32. Me dijo que desde chico había visto crecer todos aquellos olivares... (A. Ferres)

33. Volvió el oficial por donde había venido, y Fierro, pistola en mano, se mantuvo alerta, fijos los ojos en el estrecho espacio por donde los prisioneros iban a irrumpir. (M. L. Guzmán, *Mex.*)

34. Luego [*el moribundo*] quedó estirado, rígido, indiferente, la cabeza torcida, entreabierta la boca por la respiración, el pecho agitado. Todos permanecimos de rodillas, irresolutos, sin osar llamarle ni movernos por no turbar aquel reposo que nos causaba horror. (RVI)

35. Pepeta, insensible a este despertar que presenciaba diariamente, seguía su marcha, cada vez con más prisa, el estómago vacío, las piernas doloridas... (VBI)

36. Apoyado en el brazo de su señora, andaba con lentitud, la vista perturbada, indecisa el habla. (BPG)

37. Vacante la Jefatura del Estado, asumirá sus poderes un Consejo de Regencia... (*Ley de Sucesión*, Spain)

38. Llegada la hora de la verdad, las masas se negarán a empuñar el fusil contra los invasores. (J. Goytisolo)

39. Examinadas imparcialmente las cualidades de aquel aprovechado niño, era imposible no reconocerle mérito. (BPG)

40. Dirigido este libro a lectores de habla española, hemos procurado también ilustrar cada fenómeno... con ejemplos españoles. (E. Alarcos Llorach)

41. —No, mujer —respondió Plinio, conciliador—; pero, dada la hora en que ha ocurrido el accidente, debo pensar que puede tener algo que ver con la llegada del tren... (FGP)

42. Es también de dudosa utilidad, habida cuenta del fin perseguido hasta ahora por la *Gramática* de la Academia, el capítulo "De la entonación"... (R. Carnicer)

43. ... me asomé a la portezuela y vi el andén desierto, excepción hecha de los empleados de hoteles, con los nombres dorados de los establecimien-

tos en sus gorras, pugnando con un dedo en el aire por predominar sobre los demás y atrapar al cliente. (E. Mallea, *Arg.*)

44. Así las cosas, una tarde de mediados de noviembre estalló un incendio en la montaña. (F. Benítez, *Mex.*)

45. El certificado permitirá matricularse... previa la aprobación de las pruebas que se determinen. (*España Semanal,* 27-2-67)

46. —Alejándote, en cambio, puedes conseguir que ese muchacho piense en ti. (R. Usigli, *Mex.*)

47. Estudiaba el medio de explotar su liberalidad sin venderse. Consiguiendo esto, sería la mujer más lista del orbe. (BPG)

48. Soy a veces la mala conciencia de los amigos que, teniendo que decir, no dicen. (A. de Miguel)

49. Pero aun constituyendo un llamativo rasgo sintáctico de la misma [=*de esta novela*], no es privativo del novelista vallisoletano. (V. Bejarano)

50. ... y se escuchó una carcajada estridente como el relincho de una manada de caballos asustados, el ruido de todos los vidrios del mundo rompiéndose a la vez... (F. Benítez, *Mex.*)

51. Parecía que... toda aquella maleza era un sudario ocultando debajo de él centenares de cadáveres. (VBI)

52. Horas después, en Bilbao, tomaron un taxi, y en las cercanías de Llodio asesinaron a su conductor..., dirigiéndose en el mismo automóvil hasta Burgos, donde lo abandonaron. (*El País,* 23-4-77)

53. Una bala le atravesó el muslo y cayó, siendo, como es natural, abandonado por sus camaradas. (R. Arlt, *Arg.*)

54. Un miliciano dijo: "Fidel es hombre bueno. Podría matar a los prisioneros de Playa Girón y no lo hace, prefiriendo cambiarlos por tractores." (JMG)

55. —¿Pero es que crees que se me ha olvidado, adoquín, cómo se te arrimaba [*ella*] en el cine estando yo delante? (MD)

56. Faltando este requisito, no surtirá efecto si no se hace por escrito. (*Código Civil,* Spain)

57. Hubiera querido disponer de tiempo y de espacio para estudiar toda su obra; pero, faltándome lo uno y lo otro, he querido limitarme a la novela citada... (R. Gullón)

58. No gustándole ninguno de los dibujos de monumento fúnebre que en su colección tenía, resolvió hacer uno. (BPG)

59. —¿Y hay gente que se atreve a hacer esas cosas?
—Pagándole, la gente se atreve a todo. (R. Arlt, *Arg.*)

60. Con el pitillo en la boca, cayéndole la ceniza por entre la pelambre cenicienta del pecho, Mariano oía solamente su sudorosa y fatigada respiración. (D. Sueiro)

61. Escritas [*las Memorias*] en breve tiempo, me las leía, y admirando en ellas la solidez del juicio, me exasperaba lo tosco y pedestre del lenguaje. (BPG)

62. Excluyendo la comida agusanada, los mayores tormentos solían ser el hedor de las letrinas y el sueño en voz alta de algunos detenidos durante la noche (JMG)

63. Teniendo en cuenta que no han ahorrado mucho, es probable que no puedan hacer el viaje este año.

64. ... cuando uno de mis hijos era chico, me preguntó por qué ahora no había grandes hombres: debiéndole yo explicar que por lo general los grandes hombres empiezan a serlo cuando se mueren... (E. Sábato, *Arg.*)

65. En todas las lenguas se dan sinónimos, que unas veces se distinguen y otras se confunden, produciéndose, cuando llega la identificación ideal, una tendencia a la eliminación de uno... (V. García de Diego)

66. De allí [=*de los colegios privados*] han salido también muchos ingenios iconoclastas y rebeldes, pudiendo afirmarse que, de no haber recibido en su juventud la educación que en aquellos colegios se impartía, serían hoy ciudadanos intachables. (L. Carandell)

67. A la entrada de las tropas en Madrid, finalizada la contienda, ocupé la subdirección en *A B C*, siendo director el Marqués de Luca de Tena. (M. Halcón)

68. Por eso, la "materia"... de la "vanguardia" es la misma, siendo en cambio distinta la forma de vivirla e interpretarla por [*sic*] los autores que merecen ser tenidos en cuenta. (J. Monleón)

69. Ya se entiende que cualquier cambio en la actual situación depende de la voluntad de las dos partes, siendo así que el Gobierno mejicano mantiene una actitud hostil, que el [*gobierno*] español soporta con paciencia. (*Hoja del Lunes*, Madrid, 21-5-73)

70. Pero, la autopsia vino a ensombrecer más aún el misterio que rodeaba a los hechos, al revelar que la muerte de Carolina se remontaba, como mucho, al domingo día 4 de enero, siendo así que el accidente ocurrió el 20 de diciembre. (*A B C sem.*, 15-1-76)

6

WORD ORDER

6.0 Another important and complex set of features of Spanish which often create comprehension and translation problems for English-speaking students of Spanish is the variety of orders or patterns in which major and minor components of clauses and sentences may occur. Variation in word order is also found in English, but if we take as 'standard' or most 'usual' the clause and sentence patterns

subject-verb
subject-verb-object/complement
subject-verb-free adjunct
free adjunct-subject-verb (-object/complement-free adjunct)

and observe in what ways and with what frequency these basic orders are varied in both languages, it becomes apparent that certain types of variation of the relative order of major components are either peculiar to Spanish or occur more often than in English — particularly when the purpose of the variation is to indicate a special stress or emphasis for which English tends to employ special patterns of voice stress.

This chapter examines the question of word order in Spanish, with particular attention to those clause and sentence patterns which involve *major* components (i. e. *verb, subject, object, complement* and *free adjunct*). Certain other variations in the order of *minor* components of clauses and sentences, which also present comprehension and translation problems, will also be considered briefly.

6.1 In an attempt to clarify the main reasons for word order patterns, we may turn for help to the most penetrating analyses of Spanish word order, namely those by Bolinger (1954-5), Fish (1959), Hatcher (particularly 1956*c*), Kahane, and H. Contreras — see Bibliography for details.

The most important point revealed, in different ways, by these scholars, is the need to begin with a consideration of the information content of clauses and sentences and of the two concepts TOPIC (i. e. what it talked about in the clause or sentence: the 'theme', more or less) and COMMENT (i. e. the main information given in the clause or sentence, usually concerning the *topic,* if one is presented). A further useful distinction between *topic* and *comment* is that, while the former usually presents information which is known, less emphatic, or of less 'news value', a *comment* presents new or more interesting information. However, although every clause and sentence presents some sort of comment, it need not necessarily present a *topic* (particularly in Spanish, where subject pronouns — which are commonly presented as *topics* in English — are not required, except for emphasis). At this point, some simple sentences may help to illustrate these two basic concepts more clearly:

Su hermana no lo cree.	No lo cree.
María se compró un piso.	Se compró un piso.
Ayer tuvimos una fiesta.	Tuvimos una fiesta.

The three examples on the left present both a *topic* (i. e. *Su hermana, María* and *Ayer*) and a *comment* (the rest of the sentence); the examples on the right present *comment* only. Moreover, in the left-hand examples, both *topic* and the final part of the *comment* carry stress, but, unless special voice stress is added to give contrastive emphasis to the topic (e. g. *Su* HERMANA *no lo cree*), the major stress falls on the final part of the *comment (cree, piso* and *fiesta).*

In Spanish, each of the major clause and sentence components may appear in at least two *primary* word order patterns, depending on its role as *topic* or *comment* and on whether special contrastive emphasis is needed or not. Other variations of major components and of minor components are *secondary* and may be used for emphasis or for aesthetic reasons (e. g. as stylistic choices — for balance, originality, elegance, etc.).

NOTES

1. Variation in the word order of sentence components in English is more confined to secondary uses (for example in spontaneous colloquial usage and in carefully composed written styles). As a reminder of some of the possibilities available in English, the following examples are offered:

   And very cosy it is too!

   Ambitious he may be, but that's no excuse!

   The sea they conquered, but it needed an iron will to hold on to the conquest. (P. Grosvenor and J. McMillan)

   These things I hold dear.

   One man the drink and excitement rendered quite dangerous, and he was locked up in the forepeak until the next morning. (G. Souter)

   His manuscripts relating to the two former countries, he courteously allowed to be copied for me. (W. H. Prescott)

2. For variation in the positioning of object pronouns, see 3.18.

PRIMARY PATTERNS OF MAJOR COMPONENTS

6.2 In this brief and simplified examination of primary and secondary word order patterns involving the major components of clauses and sentences, the following symbols will be used:

V — verb; S — subject; *s* — subject pronoun; O — object; *o* — object pronoun; C — complement; A — free adjunct.

PRIMARY PATTERNS WITH V

6.3 As the central sentence and clause element, V has limited flexibility. Other components are more likely to 'revolve' around it in different patterns. In fact, the most frequent information role of V is as the unstressed part of the *comment* (e. g. in S - V - O, V - A, etc.) or as the sole component of the sentence (e. g. *Se fueron; Vino*). Where the verb represents important new or contrastive information, however, it will occur in final position with comment stress. These various primary patterns are illustrated below.

V-S:

Llegó la carta. (See 6.4.2)

V-A:

Llegó ayer.

S-V-O:

El chico recibió la carta.

V:

No contestaron.

S-V:

La carta llegó.
The letter ARRIVED.

El Gobierno ha dimitido.
The Government has RESIGNED.

6.4 PRIMARY PATTERNS WITH S

6.4.1 S-V:

One of the primary information functions of S is to present a *topic* (or *subject,* as its grammatical name reminds us) on which a *comment* is to be made. In such cases, minor stress falls on S and major stress is reserved for the final part of the comment. This produces the following primary sequences:

S-V:

El chico llegó.

S-V-O:

El chico recibió la carta.

S-V-C:

El chico es alto.

El chico está en el jardín.

S-V-A:

El chico está leyendo en el jardín.

6.4.2 V-S:

At other times, S may be presented as the most important, emphatic or most newsworthy information in the clause or sentence. In such cases, S takes the strong stress of a comment to contrast it with other possible items. Most frequently the V-S pattern is equivalent to English S-V with strong contrastive stress on S. It should be noted that, in Spanish, V-S is a basic and general pattern; in English it is found only occasionally, e. g. "*Hello*", *said the man.* Moreover, failure to identify the V-S pattern may cause serious misunderstandings.

Llegó la carta.
The LETTER *arrived.*

—¿Vino tu hermano?
Did your BROTHER *come?*

No la dejó venir su madre. (R. Sánchez Ferlosio)
Her MOTHER *wouldn't let her come.*

Esta es la casa que prefiere su madre.
This is the house that her MOTHER *prefers.*

With some Spanish verbs which take an indirect object but no direct object (e. g. *gustar*), V-S is the normal or expected order, since with these verbs S usually represents the most important part of the information — which may help to explain why some of them correspond to English S-V-O patterns.

Me gustan las manzanas.

Me duele la cabeza.

Le ocurrió una idea.

Me quedan cien pesos.

Le faltan cien pesos.

Le sobra dinero.

No me conviene el trabajo duro.
Hard work isn't good for me.

Indeed, with such verbs it is often the S-V order and voice stress which is used to give major emphasis to S or V:

La CABEZA me duele.
My HEAD *hurts.*

La cabeza me DUELE.
My head HURTS.

—¡Tiempo me queda para descansar! (Anna G. Hatcher, 1957, 326)
I've got PLENTY *of time to rest!*

The pattern V-S is also particularly frequent in *se* patterns with non-animate grammatical subjects. (See Chapter 3.)

No se veía el mar.

Se le olvidó el regalo.

NOTES

1. In the following types of non-finite adjuncts, V-S is obligatory:

   Al salir su madre, Juan lloró.

   Terminada la guerra, todos volvieron a Francia.

   Also in newspaper headlines (particularly those of a more sensational nature), the non-finite sentence pattern already mentioned in 4.18.2 (i. e. -DO + S) is common:

   Detenido el presunto autor de un crimen. (*Ya*, 27-3-73)
   Suspect Arrested.

   Herido el piloto de una avioneta que cayó a tierra. (*Ya*, 27-3-73)
   Plane Crash. Pilot Injured.

2. For the very frequent pattern A-V-S, see 6.6.2.

3. If a subject pronoun is used, there is usually automatic emphasis on it (as topic or comment):

   O-V:

   Lo hizo. (*He* DID *it.*)

s-o-V:

Él lo hizo. (HE *did it.*)

o-V-*s*:

Lo hizo él. (HE *did it.*)

6.5 PRIMARY PATTERNS WITH O AND C

6.5.1 Since a major information function of O and C is to provide important news or comment, these components are most characteristically placed after the verb (as in English):

V-O:

Recibió la carta.

S-V-O:

El chico recibió la carta.

(S) V-C:

(El chico) Es alto.

A-V-O:

Por la mañana recibió la carta.

A-V-C;

Entonces era rico.

If an indirect object is also present, it usually follows the direct object and takes even greater comment stress (like A in final position — see 6.6.2). It may therefore be noted that, in general, the build up of stress tends to be cumulative. For example, in the sentence

María dio el dinero al chico

María has topic stress, *el dinero* has weak comment stress and the final component, *al chico,* has strong comment stress. This automatic stress for the final component is also noticeable if a free adjunct follows the C or O (or the indirect object):

María le dio el dinero ayer.

María dio el dinero al chico ayer.

Los padres de María eran ricos entonces.

6.5.2 Where O represents known or relatively unimportant information another primary pattern may be used in order to reserve comment stress for another component. In this alternative pattern, O is placed before the verb and is also represented by a resumptive object pronoun which normally precedes the verb. If the verb is then the last component of the clause or sentence, it will take comment stress; if, however, the verb is followed by S, A, or S-A, major stress will fall on the final component, again in a cumulative way. Symbolically, these primary patterns involving O may be described as

O-*o*-V; O-*o*-V-S (or O-*o*-V-*s*); O-*o*-V-S-A; O-*o*-V-A.

Such patterns occur particularly frequently when O is a demonstrative pronoun (which by nature is unemphatic and refers to something already known). For translation purposes, English voice stress or, sometimes, a passive construction will be needed.

O-*o*-V:

Al príncipe le han matado. (Ramsey, 101)
The prince has been KILLED.

—Eso lo soñaste.
You DREAMT *that.*

O-*o*-V-A:

Esto lo compró ayer. (G. T. Fish, 1968, 866)
He bought that YESTERDAY.

O-*o*-V-S:

Al príncipe le han asesinado los anarquistas.
The prince has been assassinated by the anarchists.

El daño lo hizo su hijo.
The damage was done by his son. / His SON *did the damage.*

La gente, casi toda, aseguraba que la razón la tenía el violinista. (GGM)
Nearly all the people asserted that the VIOLINIST *was right. / ... that it was the* VIOLINIST *who was right.*

O-*o*-V-*s*:

Esto lo hice yo.
I *did this.* / **I** *made this.*

O-*o*-V-S-A:

Eso lo dijo su jefe ayer.
His BOSS *said that* YESTERDAY.

O-*o*-V-*s*-A:

Eso lo dije yo ayer.
I *said that* YESTERDAY.

Where a compound verb group is involved, the resumptive object pronoun may follow the infinitive or the -NDO form (especially in verb groups denoting necessity or compulsion), giving the variant patterns O-V-*o* (-S) (-A). These variants also occur when an object pronoun is appended to an imperative (in colloquial Spanish) or to a finite verb form (in literary Spanish: see 3.18).

Y eso habrá que hacerlo pronto.

Esto tenía que haberlo escrito un americano. (JLCP)
This must have been written by an American.

—Esa solución debiste haberla hallado tú. (A. Carpentier, *Cuba*)

—Eso déjalo.

Esta doctrina apoyábala Fourrier. (Keniston, 69)

The *indirect* object may also occur in initial position with a following resumptive object pronoun. The resulting pattern is then similar in effect to both O-*o*-V (etc.) and A-V-S (6.6.2) in that the indirect object takes topic stress and the final component takes major comment stress. Sometimes this pattern can be rendered by an English passive construction.

A los pueblos en trance de crecimiento les ocurre algo parecido. (O. Paz, *Mex.*)

A cualquier cosa le tomaban gusto los americanos. (JLCP)
AMERICANS *took a liking to* ANY*thing.*

A Adolfo Suárez no parece hacerle falta que le anime «el viejo profesor»
(*Cambio 16*, 4-4-77)

NOTES

1. In complex sentences the pattern O-*o*-V is also found where certain types of *que* clauses are object of the verb. (See 2.28.3):

   Que aprendió bien la lección dada por Valera lo demuestra toda la obra posterior. (M. Bermejo Marcos)

2. A peculiarity associated with the pronoun *todo* is that when it is the direct object of a verb it is accompanied by an obligatory pronoun, either resumptive or anticipatory (i. e. in the sequences *todo lo* + verb and *lo* + verb + *todo*). In the first of these uses (which is most common when the clause or sentence has no expressed subject) *todo* has the same *major* stress as an object in the secondary pattern O-V (6.8.1) has:

   Es un hombre de negocios y todo lo trata como un negocio. (A. Palomino)
   He's a businessman and he treats EVERY*thing as business.*

   Todo lo despreciaba y olvidaba contemplando sus tierras. (VBI)

   —Tú eres joven y todo lo ves muy fácil. (R. Rodríguez Buded)

3. Note also the variant pattern O-S-*o*-V which occurs when two consecutive components are presented as topics:

El chiste que yo contaba, nadie lo había oído antes. (MB)
A Genaro, el peligro, aun el imaginario, lo envalentonaba. (JLCP)

6.6 PRIMARY PATTERNS WITH A

Of all the major clause and sentence components, A (whether verbless, non-finite or finite in form) is the most flexible. Not only may most free adjuncts be found in a great variety of sentence positions but any number of adjuncts may occur in a single sentence. However, the primary positions of A are: after the verb, as major comment (6.6.1), or initial, especially where (like O in O-*o*-V, etc.) it is presented as a topic in order to allow comment stress to fall on a later component (which is usually S or another free adjunct) (6.6.2). Where this second pattern is used, it is frequently to build up a gradual impression.

6.6.1

V-A:

Llegó ayer.

Contestará si tiene tiempo.

S-V-A:

El chico llegó ayer.

Juan contestará si tiene tiempo.

6.6.2

A-V:

Mañana llegará.

Si tiene tiempo, contestará.

A-V-A:

Mañana vendrá sobre las diez.

A-V-S:

Ayer llegó mi tío.

Detrás del tío Juan había aparecido otra mujer flaca. (Carmen Laforet)

Poco a poco le han amansado las hijas y las penas. (G. T. Fish, 1959, 584)

A-V-O:

Ayer recibió una carta.

A-S-V:

A los quince años mi padre trabajaba.
When he was fifteen, my father was WORKING *(for a living).*

NOTES

1. When used with emotional emphasis, A-V may be very similar in effect to O-V (6.8.1):

—¿Y para eso me ha hecho usted venir hasta aquí? —rugió.
(W. Fernández Flórez)

2. The verbless clause patterns described in 5.25.2, which may be symbolised as A-S and A-A-S, seem fixed:

En prensa ya este libro, aparece la obra de Goytisolo, *Señas de identidad.*
(R. Buckley)
While this book was in the proof stage, Goytisolo's work... was published.

SECONDARY PATTERNS OF MAJOR COMPONENTS

6.7 Primary patterns of Spanish word order are, as we have seen, quite varied and serve mainly to convey particular common stress patterns, including some which English normally conveys by voice stress. Other variations in the order of major clause and sentence components serve either to stress particular components, to make the content of complex clauses and sentences clearer, or to demonstrate stylistic originality, elegance, etc. In the main, these other variations, like those found in English, are restricted to particular situations or styles. The rarest of them are associated with creative literature — in particular with poetry.

6.8 O-V (-S) and C-V (-S)

6.8.1 O-V and C-V are used quite frequently to convey heavy emotional stress, particularly in colloquial Spanish and in exclamations and exclamatory questions. These patterns are especially frequent when the O or C is

a) a noun qualified by an adjective denoting quality or quantity, e. g. *bueno, malo, poco, mucho, demasiado, tres;*

b) a demonstrative, indefinite or negative pronoun, e. g. *eso, algo, poco, demasiado, nada,* which by their nature are unemphatic.

In addition, C-V often occurs when the complement is

a) an adjective qualified by an intensifier like *tan* or *muy;*
b) an adjective which echoes one just used (i. e. in a response);
c) an adjunct *form* which is the complement of *estar* (or another verb used descriptively).

English translation of O-V and C-V will most often be by strong voice stress on the English equivalent of the Spanish direct object or complement, sometimes with the addition of an intensifying word like *very* or *really*. It should be remembered that in colloquial English similar patterns are available and may be appropriate in translation sometimes.

O-V:

—Buena tarea habéis hecho. (G. T. Fish, 1959, 587)
You've done a FINE *job! / A* FINE *job you've done!* (These may be ironic.)

—Mala suerte hemos tenido. (Anna G. Hatcher, 1956*c*, 33)
We've had REALLY *bad luck.*

Firmó el contrato. Ochocientas pesetas le daban. (G. T. Fish, 1959, 587)

¿Eso dijo?
Did he say THAT?

Poco dijo.
He said very little.

Nada tenían.

Algo habrá.
There must be SOME*thing.*

—Vino no hay, pero cerveza tenemos.
There's no WINE, *but we* DO *have* BEER.

C-V:

—¿Tan tarde es?
Is it THAT *late?*

Ese es.
THAT'S *the one.*

—No lo veo tan fácil.
—Fácil no es, pero... (PB)

—¿Está enfermo el niño?
—Enferma me va a poner a mí si lo dejo. (A. Arrufat, *Cuba*)

—¿Has visto a Juan por aquí? En el bar no está.

NOTES

1. It is important to distinguish clearly between the primary patterns O-*o*-V, O-V-*o*, etc. (6.5.2) and this use of O in initial position for special emphasis. The following pair of examples further illustrates the difference in emphasis:

   —Hijo, cuando un hombre muere, se le debe más respeto.
   —A los hombres vivos, padre, hay que respetar: y él no lo hacía.
   (L. Romero)
   It's the LIVING *who should be respected...*

   A los hombres vivos hay que respetarlos.
   Living men should be RESPECTED.

2. As noted in 6.5.2 Note 2, when the indefinite pronoun *todo* is direct object of the clause or sentence, it is accompanied by a resumptive *lo* even if the intention is to give the sort of emotional stress available in the O-V pattern:

   Todo lo ve negro.
   He sees EVERY*thing pessimistically.*

6.8.2 The patterns O-V-S and particularly C-V-S may represent expansions of O-V and C-V for emotional emphasis, e. g.

—¡Mala noche ha pasado hoy don Eugenio! (Anna G. Hatcher, 1956*c*, 34)

—¡Tan importante es mi respuesta?

However, these patterns may also be used as necessary or convenient ways of retaining stress on O or C in sentences which contain long or complex subjects or adjuncts (or indirect objects), which might otherwise reduce the information value or impact of O and C. Such patterns, which are especially to be found in carefully composed styles, may also be the result of a deliberate stylistic choice to vary the basic orders S-V-O and S-V-C. For accurate comprehension and translation, it is necessary to *recognise* these patterns. Occasionally, translation by an English passive form will be possible or advisable.

O-V-S:

Extraordinario brillo adquiere en este período la literatura. [=O-V-A-S]
(P. Henríquez Ureña, *Dominican Republic*)
Literature acquired a particular eminence in this period.

Consideración aparte merecen las propinas como relativo factor compensatorio del insuficiente nivel de salarios. (M. Gaviria)
Special attention needs to be given to tips as a relative compensating factor for unsatisfactory wage rates.

Vendedores precisa agencia internacional.
Salesmen needed by International Agency.

Especial énfasis ha dado el Gobierno Federal al estímulo del desarrollo industrial en la frontera Norte del país y en los litorales.
(L. Echeverría Alvarez, *Mex.*)

C-V-S:

Muy distinto fue el proceso en los pueblos de lengua española. Larga y sangrienta fue la lucha para conquistar la independencia.
(P. Henríquez Ureña, *Dominican Republic*)

—¿Tan importante es lo que [*vos*] tenés que hacer? (C. Gorostiza, *Arg.*)

Cuatro parecen ser los principales cargos de la requisitoria.
(P. Laín Entralgo)

Largo y tedioso sería enumerar aquí todas las investigaciones hechas hasta ahora en torno al español hablado en el Nuevo Mundo.
(J. M. Lope Blanch, *Mex.*)

Inútiles fueron ya todos sus esfuerzos para atraer el sueño. (M. Azuela, *Mex.*)

NOTE

Where a non-animate object is preceded by the preposition *a* (especially when the verb used is *seguir* or a synonym), an English passive may be needed. This pattern may be regarded as either O-V-S or A-V-S:

Al acto impulsivo y brutal siguió una timidez extrema. (R. J. Payró, *Arg.*)

Al período de los Reyes Católicos sucede el de Carlos V.
(P. Henríquez Ureña, *Dominican Republic*)

6.9 Other patterns of the major clause and sentence components are either less frequent than those described so far, or they are less generally found, that is, they are more restricted to sophisticated styles of Spanish. Such variations as those described below *may* be due to a desire for special emphasis but they are more likely to be produced by the practical need to avoid ambiguity or awkwardness in complex sentences and clauses (e. g. to accommodate long or complex subjects, objects or complements) or to a stylistic choice (for originality, elegance, etc. or, particularly in poetry, to achieve special sound effects, e. g of rhyme or metre). The variations to be described are, in descending order of frequency:

V-O-S/V-C-S (6.9.1)
V-S-O/V-S-C (6.9.2)
S-C-V/C-S-V/O-S-V (6.9.3)

6.9.1 V-O-S/V-C-S:

The slight pause noticeable after the O or C (particularly after the latter) shows that major stress in these patterns is on the O or C (as would be usual in two-part patterns) and that the subject, which describes relatively unimportant or known information, is added almost as an afterthought or parenthesis. Although especially frequent in colloquial Spanish, the patterns are also used in formal styles, where they often serve to build up an impressionistic picture and to accommodate complex subjects. Also, V-O-S seems particularly frequent when the verb and the direct object form a close-knit lexical unit or item (e. g. *tener razón, tener gracia, hacer daño, llamar la atención*). The verb *tener*, whose descriptive uses were noted in 4.6, seems especially frequent in the V-O-S pattern.

V-O-S:

—Tiene suerte tu hermano.
Your brother's LUCKY. / *He's lucky, your brother.*

Tenía sus parroquianos la pobre mujer esparcidos en toda la ciudad. (VBI)

En el verano, bajo la parra, al atardecer, bebía lentamente su porrón de vino blanco Juan Martín, padre de Felisa... (I. Aldecoa) [=A-A-A-V-A-O-S]

V-C-S:

Está imponente el agua.
The water's GREAT [*to swim in*].

Es preciosa la niña.
The girl is very pretty. / How pretty the girl is!

Fue inútil la intervención de José Arcadio Buendía, que había rectificado su primera impresión sobre Pietro Crespi... (GGM)

—Parece hermoso el pueblo.
—No es malo. (CJC)

El marido de Margot sospechaba su conducta, pero era tal el desprecio que tenía por ella, que jamás le hizo la más leve advertencia.
(J. A. de Zunzunegui)

6.9.2 V-S-O/V-S-C:

Of the two patterns, which are very often preceded by a free adjunct (=A-V-S-O/A-V-S-C), the more frequent seems to be V-S-C. Both are used predominantly in sophisticated styles, especially in poetry, as stylistic rearrangements or variants of S-V-O and S-V-C. Once the pattern is recognised, translation is straightforward.

V-S-O:

Tenía el campo el color ardiente de los rastrojos. (R. Sánchez Ferlosio)
The fields had the burnished colour of stubble.

Es una noche de invierno.
Azota el viento las ramas
de los álamos... (AM)
It is a winter night. The wind is lashing the branches of the poplar trees.

v-s-c:

Era Cándida una de las más constantes visitas de los Bringas. (BPG)

Fue la tertulia algo más animada que las anteriores. (Spaulding, 24)

—Es usted muy bueno conmigo.

NOTE

In reading, listening and translation, elementary care must be exercised to distinguish between v-s-c and v-s followed by a slight pause (or a comma, etc.) and a noun in apposition to the subject:

Era Cándida una de las más constantes visitas...
(This) Cándida was one of the most frequent visitors...

Era Cándida, una de las más...
It was Cándida, one of the most...

6.9.3 The relatively infrequent patterns s-o-v and c-s-v, and the very rare o-s-v pattern are most likely to be the result of deliberate stylistic choice of sentence or clause word order and are mainly to be found in sophisticated prose styles and in poetry.

Esas palabras muchas lágrimas me costaron y mucho me hicieron pensar.
(J. L. Martín Vigil)

Ambos los ojos alzaron
llenos de espanto y sorpresa. (AM)
Both of them looked up in alarm and surprise.

Padres los viejos son de un arriero
que caminó sobre la blanca tierra... (AM)

NOTE

For an example of o-s-v, see No. 63 in the Supplementary Examples to this chapter.

DISLOCATION OF OTHER COMPONENTS

6.10 Emphatic and stylistic effects may also be achieved by certain other variations in the positioning of minor sentence components or *parts* of *major* components, both of which are normally closely *bound* to other components or elements. In all cases, the bound component or part is placed before another component or other components which normally precede it. Since, in these variations, the minor component or part is dislocated from its expected place and anticipated in the clause or sentence, such variations may be termed *dislocations* or *anticipations*. Dislocation involving the anticipation of minor components is described below; dislocation of parts of major components is described in 6.11 and 6.12.

Note

Other sentence and clause patterns previously described (e. g. o-*o*-v and o-v, described in 6.5.2 and 6.8) also involve dislocation and anticipation, but of *major* sentence components.

6.10.1 The dislocation and anticipation of the subject of certain types of subordinate clauses, particularly in spontaneous language, is similar in effect to the focussing of attention on a sentence topic by means of relators like *en cuanto a* and *con respecto a (as for; as far as ... is concerned).* Such dislocations are most frequent when a subjective attitude is expressed in the sentence (e. g. *creo que, parece que, puede decirse que, es posible que, se espera que*) and also when the grammatically 'main' verb *hace/hacía* is followed by a time expression and *que* (1.1.2 and 1.2.2). Quite often these dislocations are the result of a sudden change of mind or an afterthought on the part of the speaker or writer, e. g. Esta ... creo que es ... vs. Creo que esta es ... (English: *This, I think, is ...* vs. *I think that this is ...*).

Esta anécdota, que es la primera vez que la cuento, creo que contiene una dimensión muy humana y simpática. (J. Ruiz Giménez)

El hombre parece que no tenía ganas de marcharse. (Moliner)

Él se ve que sabe mucho. (J. Polo, 1969, 156)
He obviously knows a lot.

El trabajo aseguran que santifica al hombre. (Harmer, 507)

Si el tema es bien común, el personaje principal puede decirse que carece de un alma interesante. (G. Sobejano)

Tres españoles de cada cuatro puede decirse que se alimentan de una manera desequilibrada. (*Hoja del Lunes*, Madrid, 23-7-73)

Yo hace por lo menos cinco años que no voy a Asunción. (G. Casaccia, *Parag.*)

6.10.2 Less frequently, the direct object or complement of a subordinate verb may be similarly dislocated. The object in these cases may then be represented by a resumptive object pronoun (cf. 6.5.2).

Mis señas, supongo que las conoce. (J. Calvo Sotelo)
You know my address, I assume.

Pues otra cosa me parece que no debe de haber. (PB)
Well, I don't think there can be anything else.

Note

In the following example, it is a free adjunct of the subordinate verb that is anticipated:

—Había salido en coche a las ocho. Demasiado pronto me parece que cuentas con él. (J. Calvo Sotelo)

6.11 The extreme flexibility of free adjuncts has been noted in 6.6. Bound prepositional adjuncts, on the other hand, most often follow the sentence component or element (verb, noun, pronoun, adjective or -DO form) with which they are closely associated. However, for emotional, emphatic or stylistic purposes, bound adjuncts consisting of a preposition and a noun phrase may also be dislocated and anticipated.

> Y en esta originalidad estriba la mayor virtud de la novela. (A. Iglesias Laguna)
> *And this constitutes the novel's greatest quality.*
>
> A agravar el problema contribuye el ideal utilitario en la democracia capitalista. (R. Marqués, *P. Rico*)
>
> A seis idiomas fueron traducidos sus libros. (*A B C*, 20-5-71)
>
> De la cara sólo se veía la parte superior de la nariz y los ojos inmóviles... (J. Torbado)
>
> —De tu padre nada quiero saber.
>
> De tontos no tienen un pelo. (J. López Rubio)
> *They are not at all stupid.*
>
> Del viento del otoño el tibio aliento
> los céspedes undula, y la alameda
> conversa con el viento... (AM)
>
> —De que lo conseguiría estaba yo seguro, pues no eras la primera, ni serías la última, cuya fe podría yo destrozar. (L. Spota, *Mex.*)
>
> Pero de traidorzuelos, frustrados y fantasmones está lleno el mundo. (J. Torbado)
>
> ... [*escribí*] varios capítulos de ellas conforme al plan por él trazado. (VBI)

NOTES

1. The distinction between free and bound prepositional adjuncts (and therefore between the above pattern and A-V-S) may not always be clear, but the stress pattern is the same. For the following example a C-V-S classification is more appropriate:

> De gran importancia es su respuesta.

2. The following dislocation is even more radical, since only the first part of the bound adjunct is anticipated:

> A punto estuvieron los telespectadores de no poder ver el encuentro Spartak-Atlético de Madrid el pasado día 2. (*Cambio 16*, 14-3-77)
> *Viewers very nearly missed seeing the match between...*

6.12 Other forms of dislocation, mainly confined to sophisticated styles and especially to poetry, involve the radical splitting of a compound verb group or a noun phrase into two parts. Such dislocations are most usually the result of a stylistic choice.

The non-finite form of a verb group may be placed before the finite form:

Sabido es... Conocido es... (See also 4.3.2 Note 1)

Soñando está con sus hijos,
que sus hijos lo apuñalan... (AM)

Liando estaban los cigarros cuando un «gris» les avisó que ya tenían el coche. (FGP)

They were rolling a cigarette when a 'cop' told them that the car was ready for them.
(Note the curious contrast of stylistic effects: mundane subject matter, 'elegant' dislocation and the colloquial term *gris.*)

Pregonada fue a tambor y trompeta la guerra contra el rey de España. (J. de Bruyne, 1972, 39)

Esto le habría dicho si encontrádole hubiera. (BPG)

—¡Tuerta maldita! Bruja. Desollarte debería. O quemarte viva. Tú has traído el mal de ojo a esta honrosa mansión. (RPA)

Much less common is the dislocation of noun phrases which consist of a noun and an adjectival qualifier:

Amigas tenía pocas doña Inés... (JV)

NOTES

1. Parts of verb groups may be separated by other sentence components (particularly the subject or a one-word adjunct) but they usually retain their relative order (i. e. finite form precedes non-finite form):

   Y después del fracaso de las prácticas de defensa antiaérea, podrá nuestro general declarar que no habrá guerra. (A. Carpentier, *Cuba*)

   Iba la criatura saliendo de esa edad en que los niños parecen un lío de trapos. (EPB)

   Volverán las oscuras golondrinas
   en tu balcón sus nidos a colgar. (G. A. Bécquer)
   The dark swallows will once more nest in your balcony.

2. Dislocation has produced some stereotyped cliches (like *sabido/conocido es,* noted above) and variant clauses patterns like the following: -DO *que hubo,* etc. (5.2.1), noun + *que era* (5.2.1), adj. + *como estaba,* etc. (5.4.2), *como* + noun + *que era* (5.4.3 Note 1).

3. Double dislocations (e. g. of bound adjuncts —6.11— and of verb groups) may be met in poetry, song lyrics and rhetorical language:

   De mi alta aristocracia dudar jamás se pudo. (M. Machado)

OTHER EMPHATIC SENTENCE PATTERNS

6.13 An alternative way of giving strong *contrastive* emphasis to major sentence components other than by voice stress alone is by using them in special emphatic sentence patterns containing a relative pronoun (or *como, donde, cuando* or *que,* see 6.13.4) and a finite form of *ser*. In general, these patterns correspond closely to English emphatic sentence patterns, but a study of the following types and examples will reveal the main similarities and the slight differences between the two languages.

NOTE

For emphatic sentence patterns containing *si (bien)* and *ser*, see 5.5.

6.13.1 Stressed component + *to be/ser* + relative pronoun + verb:

Greed is what motivates him. (Cf. GREED *motivates him.* / *He is motivated by greed.*)

Interesting essays are what he likes.

He is the one who did it.

El lujo es lo que sostiene la industria. (Keniston, 95)

Ese es el que necesitamos.

Mi hermano fue el que lo hizo.

6.13.2 *It* + *to be* + stressed component (+ relative pronoun) + verb
ser + stressed component + relative pronoun + verb

It was the HOUSE *(that) he liked.* (Cf. *He liked the* HOUSE.)

It is your BROTHER *(that) they are looking for.*

Es la jaulita la que ha de abrirse. (Keniston, 94)

It is the CAGE *that has to be opened.*

Fue él quien lo hizo.

6.13.3 Relative pronoun + verb + *to be/ser* + stressed component:

What they want is to be happy. (Cf. *They want to be* HAPPY.)
Lo que quieren es estar contentos.

What they want is for you to go and see them.
—Lo que quieren es que vayas a verles.

The one (that) I want is that one.
El que quiero es ése.

The one who came was John.
El que vino fue Juan. / Quien vino fue Juan.

Note

The following types may also be noted here:

Lo interesante fue que no vino nadie. (See 2.27)
The interesting thing is that no one came.

(Yo) Lo que quiero es irme.
What I want is to go.

Lo que hizo fue olvidarlo.
What he did was forget it.

6.13.4 When the stressed component is an adverb or a prepositional phrase indicating manner, place or time, the finite form of *ser* is followed by *como, donde, cuando*, or, particularly in colloquial and informal Spanish, by *que*.

Así es como hay que contestar.
That is how we should answer.

Fue así como se conocieron.
That was how they met.

Allí es donde viven.
That is where they live.

Fue allí que tuvo lugar la primera sorpresa. (MB)

Ayer fue cuando lo dijo.
Yesterday was when he said it.

En tales momentos era cuando tenía más miedo. (G. T. Fish, 1962, 743)

Durante aquella ausencia del alguacil fue cuando el molinero estuvo en el molino. (N. D. Arutiunova, 1966, 16)

... es alrededor de esta idea que debe girar la charla. (J. Polo, 1968, 259)

In other cases where the stressed component is preceded by a preposition (i. e. with prepositional objects of verbs, prepositional adjuncts of adjectives and nouns, etc.), the preposition is usually *repeated* in Spanish following *ser*. Care will be needed in translating these patterns.

—Si a usted le parece [*bien*], aviso al médico.
—¡A la guardia civil es a quien habría que avisar! (L. Olmo)
It's the POLICE *(that) we should be calling!*

A la única que besó fue a su hermanita. (N. D. Arutiunova, 1966, 15)

Por el que menos me preocuparía sería por mí mismo. (J. L. Martín Vigil)
I would be the one (that) I'd be LEAST *worried about!*

Precisamente con eso es con lo que hemos de acabar. Lo que no sé es cómo. (R. Tamames)
That's EXACTLY *what we have to put an end to. But I don't know* HOW.

De lo que estoy asqueado es de mí. (J. L. Martín Vigil)
What I'm sick of is MYSELF.

—No sabéis que para lo que está en el mundo una mujer es para casarse y tener hijos... (I. Aldecoa)
What you are unaware of is that a woman's purpose on earth is to get married and have children.

—No es por amor ni por celos por lo que te lo digo... (AG)
It's neither love nor jealousy that prompts me to tell you (this).

SUPPLEMENTARY EXAMPLES FOR STUDY AND TRANSLATION

1. —A tu madre la enterraremos como digo yo. (I. Aldecoa)
2. No me conviene su oferta.
3. —¿Quieres tomar algo? Leche no queda, pero te puedo dar una copita de anís. (A. Buero Vallejo)
4. Pasado el breve estupor que tan insólitos ruidos le produjeron, Rosalía corrió hacia Gasparini. (BPG)
5. Desarticulado el aparato central de propaganda del partido comunista. (*Informaciones*, 5-2-73: headline)
6. Estaba tan desasosegada, que la conversación de su amiga apenas la entendía. (I. Aldecoa)
7. A Llaque lo tuvieron preso dos años, a Washington lo desterraron a Bolivia. (MVL)
8. Supongo que esta mujer se encuentra en un estado de afasia. La lesión la tiene en el lado izquierdo del cerebro... (PB)
9. El "esperanto"... lo inventó el doctor Luis Zamenhof, oculista de Varsovia. (E. Acevedo)
10. Y como, por otra parte, los días de escuela resultaban endiabladamente monótonos, mis primeras vivencias y emociones me las deparó el campo. (MD)
11. ... la obra literaria hay que juzgarla por lo que consigue y no por lo que se propone... (S. Sanz Villanueva)
12. Ha llegado a decirnos que todos los extranjeros saben muy bien que a los mexicanos hay que gritarnos para hacernos entrar en razón. (C. Gorostiza, *Mex.*)
13. Comenzaron a verse fragmentos de la gran ciudad. El núcleo principal ocultábanlo unas colinas. (VBI)
14. A los campesinos que no había despojado, porque no le interesaban sus tierras, les impuso una contribución que cobraba cada sábado con los perros de presa y la escopeta de dos cañones. (GGM)

15. Con nosotros, los agentes, se portaba como un miserable, pero a los clientes les cobraba unos honorarios que ponían los pelos de punta. (M. de Pedrolo)

16. A la sensación de inferioridad y de miseria que le domina, viene a unírsele ahora algo parecido al remordimiento de una mala acción. (Dolores Medio)

17. Que Ponte no había servido nunca para nada, lo atestiguaba su miseria. (BPG)

18. Sin embargo, aunque deformada, parece letra de una de ellas. No sé decir cuál, porque todo lo hacen muy semejante. (FGP)

19. Para mí, contestó, el estudio es un apoyo, un aliciente, una diversión, que todo me lo hace olvidar. (Ramsey, 168)

20. En efecto, puesto que la nieve lo cubre todo, no les queda más remedio que convertir las casas en jardines, que llevarse el jardín al interior del hogar. (JMG)

21. —¿Qué es Dios para ti?
—¡Hum...! —Julián semicerraba los ojos y se entretenía limpiando la cazoleta de la pipa—. Eso nadie ha sabido explicármelo hasta ahora... (JMG)

22. En el manchado espejo del lavabo se reflejaba el bajo techo. (Carmen Laforet)

23. Un día al año subía ese mismo sacerdote a oír los pecados que las mujeres le iban volcando precipitadamente en la penumbra de la iglesia, tras una rejilla de tablas... (JFS)

24. Mala impresión debimos producir. (G. T. Fish, 1959, 587)

25. Más de trescientas mil empleadas de hogar hay en España; de ellas, unas noventa mil en la capital. (*Ya*, 13-3-73)

26. Demasiado tengo que hacer, hijo, para ocuparme de esas cosas. (J. Mármol, *Arg.*)

27. —Todo el mundo trabaja; si te lo propones, algo vas a encontrar. (R. M. Cossa, *Arg.*)

28. —Eso es cosa tuya y de tu padre.
—Padre no tengo. (J. Torbado)

29. Por doña Iluminada sabré quién es la moza. Garrote merecía [=*merecería/merece*]. He de vengarme, a poco que pueda. (RPA)

30. España es, sin duda, el país que más interés y pasión suscita en Europa, por estar a sus puertas, y por su peso económico. (*Visión, Mex.*, 15-11-76)

31. ... al abuelo se le presentó ocasión de comprar once jamones a un precio irrisorio. Muchos jamones eran para las pocas personas que entonces habitaban su casa... (FGP)

32. —¿Le parece a usted imposible?
—No; imposible quizá no es. Habría que estudiarlo. (PB)

33. —Es usted muy bueno conmigo..., demasiado bueno...
—Demasiado bueno no se es nunca; demasiado simple, en todo caso, es lo que soy yo. (S. and J. Álvarez Quintero)

34. Lugar especial ocupa otro historiador mexicano, Joaquín García Icazbalceta (1825-1894), que se consagró al estudio de los comienzos de la cultura española en México... (P. Henríquez Ureña, *Dominican Republic*)

35. Presión grande hubo de hacer sobre su espíritu la desgraciada mujer para resignarse a tan atroz desventura. (BPG)

36. La careta negra se quitó la niña,
y tras el preludio de una alegre riña
apuró mi boca vino de su viña. (R. Darío, *Nicaragua*)

37. —¿No puedo saber quién es?
—¿Tan poca confianza y respeto te merece tu abuela? (RPA)

38. Tan confusa era la situación, que el señor Embajador fue llamado por su Cancillería para que informara personalmente. (A. Carpentier, *Cuba*)

39. Prueba del auge... es la aparición de dos libros durante 1970... (S. Sanz Villanueva)

40. Conocido es el prestigio de que el habla madrileña goza en toda el área española. (E. Lorenzo)

41. Tres universitarios madrileños muertos ha sido el trágico balance de un accidente ocurrido a las cinco de esta madrugada. (*A B C sem.*, 14-3-76)

42. (To Negro slaves being transported to U.S.A.):
... no os alarméis por las penalidades que os toca sufrir: esclavo será vuestro cuerpo, pero libre tenéis el alma para volar a la morada feliz de los escogidos... (J. Goytisolo)

43. El estupor siguió a la alegría, y al estupor siguió una especial tristeza cuando del frente... comenzaron a regresar en camiones, como habían ido, los primeros heridos. (I. Aldecoa)

44. —Tiene gracia eso que usted me dice. (AG)

45. Casi ya tenía un siglo de existencia nuestra novela cuando aparece en el campo de la picaresca, con su *Historia de la vida del Buscón*, en 1626, don Francisco de Quevedo. (D. Pérez Minik)

46. Protegían sus piernas recias polainas de cuero, abrochadas con hebillaje hasta el muslo... (EPB)

47. Ha sido un tema común en la campaña electoral la lucha contra la corrupción. Incluso han enarbolado esta bandera los que tendrían que sonrojarse ante la simple mención de la palabra. Por eso ha sufrido una cierta devaluación la expresión. (*Cambio 16*, 29-8-77)

48. Despertóle a Ignacio al día siguiente, molido y apoltronado en su camota, después de pesadillas de lujuria, la voz del tío cura que le gritaba: "¿Qué tal? ¿Se ha pasado la mona? (MU)

49. —Os mando que calléis. Son insoportables vuestras explicaciones. (RVI)

50. Parecía una casa de brujas aquel cuarto. (Carmen Laforet)

51. Recoge este libro versos escritos por su autor en los primeros lustros de nuestro siglo... (P. Laín Entralgo)

52. Entre los robles muerden
los negros toros la menuda hierba,
y el pastor que apacienta los merinos
su pardo sayo en la montaña deja. (AM)

53. Tendida mi blanca vela,
casi vuela mi barquilla,
y va dejando su quilla
sobre las ondas la estela. (R. Darío, *Nicaragua*)

54. A ambos lados del altar de Santo Domingo admiraban los fieles multitud de ex votos, claro testimonio de la potencia milagrosa de su celestial abogado. (JV)

55. En verano vuelca el sol torrentes de fuego sobre la Mancha, y a menudo la tierra ardiente produce el fenómeno del espejismo. (J. Ortega y Gasset)

56. Era el suyo un pueblecito pequeño y retraído y vulgar. (MD)

57. Era aquella noche una de las más fuertes del invierno. (Keniston, 139)

58. Era este Pez el hombre más correcto que se podía ver. (BPG)

59. ... cuando es precisamente la novela el género sobre el que están recayendo las mayores atenciones y cuidados por parte de los especialistas en literatura de todo el mundo. (S. Sanz Villanueva)

60. Para Marcela, según iba creciendo, fueron el jardín y la huerta su mundo. (Elena Quiroga)

61. El viento la puerta bate,
hace temblar el postigo,
y suena en la chimenea
con hueco y largo bramido. (AM)

62. Sobre la casa
de Alvargonzález, los olmos
sus hojas que el viento arranca
van dejando. (AM)

63. Albo rocío guardaba
entre su cáliz la rosa,
y a la azucena olorosa
céfiro blando besaba. (R. Darío, *Nicaragua*)

64. El uso de *sorprender* en castellano no creo que se remonte más allá de finales del siglo XVII. (J. Casares)

65. ... no entiendo su intervención en este caso... Nadie creo que duda que mi ex novia se suicidó. (FGP)

66. El vistoso superávit que nos produce a los españoles el turismo yo creo que se produce porque nosotros no podemos todavía ser turistas. (J. M. Pemán)

67. Jesús Fernández Santos puede decirse que ya no vuelve a los terrenos del realismo social. Publica poco después una nueva novela... (S. Sanz Villanueva)

68. ... las tiendas permanecían cerradas. Algunas hacía meses que no levantaban para nada sus puertas metálicas. (Concha Alós)

69. Todos los que estaban allí habían olvidado lo que era una noche seguida [*unbroken*] de sueño tranquilo. Los nacionalistas hacía más de un mes que bombardeaban continuamente. (Concha Alós)

70. —Noches como ésta sólo es posible verlas, sentirlas en el desierto, ¿verdad, Julia? (L. Spota, *Mex.*)

71. Explicaciones que intenten dar razón de esto puede haber muchas. (J. Ricci, *Urug.*)

72. De mucho valor tenía que revestirse para atreverse a dar aquel paso. (JV)

73. A esta situación no se ha llegado de la noche a la mañana. (*Visión*, *Mex.*, 11-2-77)

74. De la frase verbal 'acabar de + infinitivo' se han ocupado ya muchos gramáticos, y hasta figura, desde hace años, en manuales extranjeros destinados a la enseñanza del español. (E. Lorenzo)

75. A caracterizar la mayoría de los tipos contribuyen los apodos o epítetos constantes que a sus nombres se agregan indefectiblemente. (G. Sobejano)

76. De todo tenía la culpa el amo de la tierra, aquel don Salvador, que de seguro ardía en los infiernos. (VBI)

77. De esta subversión de valores de que la sociedad española es culpable por su eterna manía al intelectual, empiezan a ser víctimas hasta los estudiantes. (E. Acevedo)

78. De promesas debía de tener don Inda llenas las gavetas de su mesa, pero el dinero y los alimentos seguían escaseando. (J. Torbado)

79. ... aún escucho tus palabras
y tus promesas de ayer;
aún de tus besos dulcísimos
siento en mis labios la miel... (R. Darío, *Nicaragua*)

80. Bajo la nevada, un hombre
por el camino cabalga;
...
Entrado en la aldea, busca
de Alvargonzález la casa,
y ante su puerta llegado,
sin echar pie a tierra, llama. (AM)

81. ¿... y ve su nave hender el mar sonoro,
de viento y luz la blanca vela henchida? (AM)

82. Discutiendo están dos mozos
si a la fiesta del lugar
irán por carretera
o campo a traviesa irán. (AM)

83. ... hallábase acurrucada junto al pote una vieja, que sólo pudo Julián Alvarez distinguir un instante... (EPB)

84. Ese es el que buscaba

85. —¿No comprendes... que soy yo la que debo perdonarte a ti? (Mercedes Salisachs)

86. Fue mi tía la que dio más luz al asunto. (Mercedes Ballesteros)

87. Lo que no es posible es que le respondan satisfactoriamente. (Keniston, 168)

88. Lo que más me amarga es que la botaran por mi culpa. (MVL)

89. —Tú lo que debes pensar... es en lo que puede pasar. (JLCP)

90. Hoy limpiaré la bombilla. Cochinas moscas... No hay modo de terminar con ellas. Dice Pablo que no pulverizo bien. Lo que no puedo es desinfectar la casa de los vecinos. (Dolores Medio)

91. Es en sus obras, no en sus actos o palabras, donde se refleja cómo sienten y piensan respecto a la realidad circundante. (R. Marqués, *P. Rico*)

92. Fue por entonces cuando supe que como consecuencia de la caída me había fracturado nueve costillas... (R. Tamames)

93. Fue al cruzar el pueblo hacia sus casas... que vieron el gato. (MD)

94. No es de eso, sin embargo, de lo que quiero hablar ahora. (E. Sábato, *Arg.*)

95. Yo no me quejo de la reina ni del cura. De quien me quejo es de aquella embustera gazmoña de doña Inés. (JV)

96. ¿De eso es de lo que quiere convencerse? (C. Gorostiza, *Arg.*)

97. De lo que no podemos dudar es de que la melancolía era un mal reconocido en la época. (A. Valbuena Briones)

98. A lo que no me puedo habituar es a que los hijos discutan las opiniones de sus padres. (G. T. Fish, 1962, 743)

99. —Hombre, para lo único que tienes talento es para engañar y para manejar las personas a tu gusto. (AG)

100. A donde no llegará nunca [*tu nombre*] es al libro que escriben los dioses para la inmortalidad. Y a ése precisamente es al que tú aspiras. (R. Marqués, *P. Rico*)

7

SUPPLEMENTARY EXAMPLES FOR STUDY AND TRANSLATION

SECTION A. LITERATURE AND LITERARY CRITICISM

EXERCISE 1. LITERATURE: 1870-1936.

1. Lejos de dejar de ir a casa de Pepita, voy más temprano todas las noches. Se diría que los demonios me agarran de los pies y me llevan allá sin que yo quiera. (JV)

2. Atinada anduvo Antoñona en no decir que iba a venir sino hasta poco antes de la hora. (JV)

3. —Pasaría, pues, de castaño oscuro el que resultase tu hijo rival tuyo. Esto sería un escándalo monstruoso... (JV)

4. Era alto, enjuto de carnes, ágil y recio; con poquísimas canas aún; atusados y negros los bigotes y la barba; muy atildado y pulcro en toda su persona y traje, y con ojos zarcos, expresivos y grandes. No le faltaba ni muela ni diente, que los tenía sanos, firmes y muy blancos e iguales. (JV)

5. De sobra reconocía él que Juanita, si no le había dado calabazas, era porque él no se había declarado en regla. (JV)

6. La finura de sus modales era otra reminiscencia que la hacía tolerable, y a veces agradable, si bien no tanto que me hiciera desear sus visitas. (BPG)

7. Mi primer intento fue saludarla; mas ella, como avergonzada, se recató de mí, haciendo como que no me veía, y volvió la cara como para hablar con la verdulera. (BPG)

8. Con estar yo tan fascinado como los demás oyentes, no dejaba de comprender que el brillante discurso, sometido a la lectura, habría de pre-

sentar algunos puntos vulnerables y tantas contradicciones como párrafos. (BPG)

9. Lo peor era que Bringas no había de autorizar un gasto tan considerable en cosa que no era de necesidad absoluta. (BPG)

10. ... porque su honor estaba comprometido..., y en caso de que Rosalía no pudiera cumplir, se vería precisado a pedir dinero a don Francisco. (BPG)

11. ... y en el mismo portal le recibía en sus amantes brazos doña Perfecta, anegado en lágrimas su rostro, y sin poder pronunciar sino palabras breves y balbucientes. (BPG)

12. ... y como en el Casino abundaba la gente graciosa, al cuarto de hora de estar allí el nuevo socio ya se habían dicho acerca de él toda suerte de cuchufletas. (BPG)

13. —Dado tu carácter arrebatado, dada tu incapacidad para comprender, debí abordar la cuestión de frente y decirte: "Sobrino mío, no quiero que seas esposo de mi hija." (BPG)

14. *Benina* se proponía, como siempre, acomodarse al son que le tocara la otra, y a poco de estar junto a ella, cambiadas las primeras frases, se tranquilizó. (BPG)

15. En otro se colocó la mesa electoral en un descanso de la escalera; los votantes no podían subir sino de uno en uno, y doce paniaguados de *Trampeta* [=*el cacique*], haciendo fila, tuvieron interceptado el sitio durante toda la mañana, moliendo muy a su sabor a puñadas y coces a quien intentaba el asalto. (EPB)

16. Se deslizó... por la cocina y subió la escalera a escape. Llegado que hubo a las habitaciones altas..., de tal manera supo amortiguar el ruido de sus pisadas, que el oído más fino lo confundiría con el susurro del aire al agitar una cortina. (EPB)

17. Como no tenía gran interés en ocultar la derrota, pues ya se había disipado en parte la vergüenza que me produjera, concluí por confesarlo todo. (APV)

18. Hasta se confesaba, en principio, partidario de las teorías de Darwin, cosa que tenía sorprendidos e inquietos a algunos de sus timoratos amigos..., aunque esto mismo contribuía a infundirles más respeto y admiración. (APV)

19. ... y a no haberme engañado la idea que de él tenía preconcebida, hubiera desde luego comprendido que su rara sabiduría, que era su mayor rareza, no se había formado en el retiro de un pueblo, sino que era el resultado de una larga experiencia cosmopolita. (AG)

20. En la historia de familia de Pío Cid, que corría como verdadera, había la falsedad evidente de presentarlo como hijo único, siendo así que tuvo por lo menos una hermana, con la que vivió algún tiempo en Madrid. (AG)

21. Su padre, don José María, no había podido dar a sus hijos una educación brillante; pero harto hiciera por ellos, pues que sabían lo referente al negocio, y entre otros conocimientos la lengua francesa. (MU)

22. Absorta la atención de Ignacio en este tiempo por el Casino, apenas veía más que de paso a sus antiguos compañeros, compartiendo sus ocios con Celestino y Juan José... (MU)

23. —¡Me marea el olor de esas rosas, hijas mías!
Y señalaba los floreros que estaban sobre el tocador. Abierta la ventana, una ligera brisa entró en la estancia. (RVI)

24. Aquella ruina apenaba el ánimo, oprimía el corazón. Parecía que del casuco abandonado fuesen a salir fantasmas en cuanto cerrase la noche; que de su interior iban a partir gritos de personas asesinados; que toda aquella maleza era un sudario ocultando debajo de él centenares de cadáveres. (VBI)

25. Pepeta iba a seguir adelante..., pero hubo de permanecer inmóvil en el alto borde del camino, para que pasase un carro cargado que avanzaba dando tumbos. (VBI)

26. Habiéndome hecho buscar por la Policía mi familia, volví a Valencia al cabo de unos seis meses, tomando desde aquella época parte muy activa en la política republicana, si bien estudiando con poquísimo celo en la Universidad, de la que acabaron por expulsarme, lo cual no impidió que me aprobaran de abogado. (VBI)

27. Como Guzmán reconviniera a Lope por su inútil crueldad, el feroz vasco, que no admitía reconvenciones, se vengó de él asesinándolo... (PB)

28. —Ahora te darán dos o tres libros en francés para traducir..., pero vete aprendiendo el inglés, porque dentro de unos meses te encargarán alguna traducción de este idioma. (PB)

29. —Déjela que haga lo que quiera. Muy disgustada me tiene. Es testaruda y majadera. Ha de salir siempre con la suya. (RPA)

30. Hablase doña Marica por hablar, según su costumbre..., o bien estuviera de verdad enojada con su nieta, ello es que Tigre Juan lo tomó tan a pechos que se le puso la sangre en ebullición. (RPA)

31. De los gruesos cordeles suspendido,
pesadamente, descender hicieron
el ataúd al fondo de la fosa
los dos sepultureros... (AM)

32. La fuente cantaba: ¿Te recuerda, hermano,
un sueño lejano mi canto presente?
Fue una tarde lenta del lento verano. (AM)

33. El agua de la fuente,
sobre la piedra tosca
y de verdín cubierta,
resbala silenciosa. (AM)

34. Murió don Guindo, un señor
de mozo muy jaranero,
muy galán y algo torero;
de viejo, gran rezador. (AM)

35. No tardaría, por mal de mis pecados, en conocer aquellos proyectos, que habían de darme los primeros días desgraciados de mi vida. (R. J. Payró, *Arg.*)

36. A pesar de los motivos que tenía para aborrecer Altamira, doña Asunción no había querido vender el hato. Poseía esa alma recia e inmodificable del llanero, para quien nada hay como su tierra natal... Por lo demás, administrado por un mayordomo honrado y fiel, el hato le producía una renta suficiente. (R. Gallegos, *Venez.*)

37. Dominado por la terrible serenidad del padre, seguro de que llevaría a cabo su amenaza si disparaba y erraba el tiro, o arrepentido, quizá, de su violencia, Félix volvió el arma a su sitio y abandonó la sala. (R. Gallegos, *Venez.*)

38. Poco faltó para que Hilario se precipitara a arrebatársela de los brazos de Osuna, tanto más cuanto que éste bailaba muy ceñido a la pareja [*his partner*] y con una expresión de voluptuosidad casi obscena... (R. Gallegos, *Venez.*)

39. —¿De qué vale cerrar las puertas —se había dicho— si a culatazos pueden echarlas abajo si les da la gana? Puede que, por el contrario, encontrando abierta la pulpería, y resignándonos nosotros a perder un poco de aguardiente, para que se saquen el miedo que traigan en el cuerpo..., nos respeten lo demás... (R. Gallegos, *Venez.*)

40. Alessio y yo, agobiados como nos encontrábamos por la desvelada y el frío, acaso hubiésemos preferido la inmediata taza de brebaje caliente, comprado en el puesto más cercano, a toda aventura aleatoria de opíparos desayunos. Pero Hay, que había dormido en cama... nos dominó. (M. L. Guzmán, *Mex.*)

Exercise 2. Contemporary Literature: 1940-.

1. Nada me extrañaría que ese hermano suyo que le escribe cartas misteriosas esté enrolado entre esos grupos de bandoleros que se nos cuelan de Francia. (JLCP)

2. Quince días ha querido la Providencia que pasaran desde que dejé escrito lo que atrás queda, y en ellos, entretenido como estuve con interrogatorios y visitas del defensor por un lado, y con el traslado hasta este nuevo sitio, por otro, no tuve ni un instante libre para coger la pluma. (CJC)

3. Las golondrinas pasan raudas entre los hilos del telégrafo, sin miedo a tropezar, y, cuando ya va siendo de noche, los murciélagos, que se han pasado el día en la bodega, colgados como si fueran chorizos, dibujan veloces líneas quebradas en el aire, detrás de los mosquitos y de las hormigas de alas. (CJC)

4. En las últimas tres o cuatro semanas ha habido más de setenta asesinatos políticos, esto la gente sí lo sabe, pero no acaba de creérselo del todo. (CJC)

5. En la redonda cara reposaban dos grandes ojos castaños y serenos, y pese al pelo rubio, cejas y pestañas las tenía negras. (A. Cunqueiro)

6. En ese instante sonó el disparo, cuyas resonancias se multiplicaron en el valle. El pájaro dejó flotando en el aire una estela de plumas y sus enormes alas bracearon frenéticas, impotentes, en un desesperado esfuerzo por alejarse de la zona de peligro. (MD)

7. Pero nada más abandonar la finca del Indiano... Daniel... comprendió que la voluntad del hombre no lo era todo en la vida. (MD)

8. Así es que tampoco tenía nada de particular que don Moisés... se embutiese cada día en el mismo traje con que llegó al pueblo, todo tazado y remendado, diez años atrás. (MD)

9. Por supuesto, nada de lo dicho significa que con esta segunda parte yo haya dicho adiós definitivamente a Lorenzo, el Cazador, dado que el muchacho no está todavía muerto ni enterrado. Y hasta es posible que yo ofrezca a este personaje la oportunidad de envejecer conmigo. (MD)

10. Empezaron a limpiarlos uno a uno, con cuidado, poblando a poco la manta, extendida en el suelo, de las piezas que fueron desmontando. (JFS)

11. Acababan de llegar dos guardias con el caballo de su capitán; traían los verdes uniformes mojados de sudor en la espalda, los pañuelos colgando, tras la nuca, bajo el tricornio. (JFS)

12. Cruzó entre unas gallinas, que se apartaron cloqueando, enhiesto el gallo, a medio girar, erizados los espolones, y al ruido salió un hombre con una vara en la mano y le tiró una piedra. (JFS)

13. Tras él surgieron cuatro siluetas, tres hombres y una mujer, que luego de mirar a ambos lados de la vía, saltaron a la cuneta. A su espalda, el tren, negro, envuelto por el soplido del vapor, permanecía quieto en la llanura solitaria. Cuando, por fin, tras de un suspiro poderoso, el convoy se estremeció, emprendiendo la marcha, las cuatro sombras rompieron a andar por la cuneta, siguiendo el curso de la vía. (JFS)

14. Solía decir la Rocío que, a su burro, de tanto dar vueltas [*alrededor de la noria*] con los ojos tapados, se le había olvidado morirse. (FGP)

15. El *Giacondo,* realias *Cachondo,* estaba como un Nazareno, clavado sobre su única muleta, la melena caída sobre el rostro, sudando. Tenía las manos, la boca y la nariz ensangrentadas. (FGP)

16. —Si tuviéramos cinco o seis vidas, no me importaría que mi Agustinillo fuera albañil en la primera... Pero no habiendo más que una vida, al menos en la que se coma, mi Agustinillo no va a ser albañil. Lo juro por éstas... (FGP)

17. Y después de relatarles sus andanzas por Heidelberg, por Francfort, por Colonia y otras ciudades, de pronto volvió a referirse al lastre de la guerra... para desembocar finalmente en la impresión increíble, aterradora, que le produjeron sus reiteradas visitas a los campos de exterminación de Dachau, Auschwitz, Buchenwald... (JMG)

18. Fue una escena dura, más dura, si cabe, que la de la cárcel, puesto que tenía lugar entre miembros de la misma sangre. Y sin posibilidad de que nadie tendiera un puente de aproximación, por cuanto Rosy no soportó la brutal reacción de Rogelio, lo que la llevó a no acertar tampoco con el tono adecuado. (JMG)

19. —... no hay nada tan hermoso y tranquilo para la mujer como el matrimonio, aunque el marido sea malo.
—¿Aunque pegue?
—Aunque te mate a palos. Siempre será tu marido y todo el mundo te compadecerá. Cásate cuanto antes, Mercedes... (A. M. de Lera)

20. Fue en aquella época cuando algunas señoras de la nobleza... dieron en jugar a socialistas. Tenían la impresión de que adoptando tal actitud se les acrecentaba la importancia. (Mercedes Salisachs)

21. Encontró un día al cura en la abadía cambiándose de sotana, y al ver que debajo llevaba pantalones, se quedó extrañado y sin saber qué pensar. (R. J. Sender)

22. Ahítos los manifestantes de gritar, fueron retirándose en grupos reducidos hacia las afueras de Madrid. No habían logrado nada, cosa que tenían ya prevista, pero al menos se sentían contentos de haber mostrado su desacuerdo con un gobierno que tan mal pagaba los servicios prestados... (J. Torbado)

23. Nunca se supo que se socorrieran entre ellos; avaros de sus desperdicios, como todo mendigo, preferían darlos a los perros antes que a sus compañeros de infortunio. (M. A. Asturias, *Guatemala*)

24. Reían en torno de ella los militares y reían algunas de las personas alineadas en las aceras, frente a la casa de las Mercado, no sin que entre éstas se vieran caras de enojo y protestas por aquel alegrarse del mal ajeno. (M. A. Asturias, *Guatemala*)

25. —... yo sé que es importante para vos y te aseguro que está siendo importante para mí; estás enamorado y sufrís; yo no estoy enamorada... pero también sufro. (MB)

26. (A middle-aged man is contemplating his slim chances of interesting a much younger woman):
—Además, está el novio, el ex novio. ¿Qué pasa con él?... Además, están la diferencia de años, mi condición de viudo, mis tres hijos, etc. (MB)

27. A las dos semanas, esta situación embarazosa tomó un sesgo que me atrevería a calificar de dramático si las circunstancias de mi vida anterior no hubieran desgastado ese adjetivo hasta despojarlo de sentido. (F. Benítez, *Mex.*)

28. La vieja espadaña estaba entablillada por un andamio, pues desde hacía, muchos años la venían descargando para levantar una construcción más elegante, de ladrillo y cemento en lugar de calicanto. Obra de grande aliento que inició ochenta años atrás uno de los curas a quienes el pueblo consideraba beneméritos de la localidad. Su memoria se guardaba celosamente, de generación en generación, entre los vecinos, así fueran liberales como lo habían sido pocos años atrás. (E. Caballero Calderón, *Colom.*)

29. Pronto se supo que aquellos vehículos siniestros, recientemente adquiridos por el Gobierno, habían venido a sustituir los primitivos coches celulares, de mulitas... que hasta ahora se hubiesen empleado en recogidas de borrachos, rateros y maricones. (A. Carpentier, *Cuba*)

30. Le llamó al atención que un cine como el Opera diera otra vez esa película, pero en el [año] 47 Buenos Aires ya andaba escaso de novedades. (J. Cortázar, *Arg.*)

31. Aunque ya era centenaria y estaba a punto de quedarse ciega por las cataratas, conservaba intactos el dinamismo físico, la integridad del carácter y el equilibrio mental. Nadie mejor que ella para formar al hombre virtuoso que había de restaurar el prestigio de la familia, un hombre que nunca hubiera oído hablar de la guerra, los gallos de pelea, las mujeres de mala vida y las empresas delirantes, cuatro calamidades que, según pensaba Ursula, habían determinado la decadencia de su estirpe. (GGM)

32. ... Sotís... era partidario de hacerlo por cualquier lado que pudiese, sin que le importara siquiera que hubiese que ir hacia el centro de la tierra. (H. A. Murena, *Arg.*)

33. Recuerdo haberlo visto hace poco tiempo en una película de actualidad. Tenía en el rostro todo lo que se ha dado en decir de él: la energía, el misterio, la astucia, etc. (J. C. Onetti, *Urug.*)

34. A ciertas horas... se alcanza a ver el rancho del Cristo en lo alto, recortado contra la chapa incandescente del cielo. (A. Roa Bastos, *Parag.*)

35. Después supimos que eran ametralladoras aquellas carabinas que disparaban ahora sobre nosotros y que dejaban hecho una coladera el cuerpo de uno. (J. Rulfo, *Mex.*)

36. Enérgicamente, penetré en el edificio y esperé que bajara el ascensor; pero a medida que bajaba noté que mi decisión disminuía... De modo que cuando la puerta del ascensor se abrió, ya tenía perfectamente decidido lo que debía hacer: *no diría una sola palabra.* (E. Sábato, *Arg.*)

37. ... y luego... advertía que ella había empezado a serme indispensable... para convertirse más tarde, una vez que el temor de la soledad absoluta ha pasado, en una especie de lujo que me enorgullecía...; del mismo modo que cuando alguien se está muriendo de hambre acepta cualquier cosa, incondicionalmente, para luego, una vez que lo más urgente ha sido satisfecho, empezar a quejarse crecientemente de sus defectos e inconvenientes. (E. Sábato, *Arg.*)

38. Esa impresión de enormidad gelatinosa se acentuaba por la cara de bebé. Como si a uno de esos chiquitos gordos y rubios, de piel blanquísima y ojos de un celeste acuoso, que se suele ver en las natividades de los pintores flamencos, se lo vistiera de hombre, con gran dificultad se lo pusiese de pie, y luego se lo observara a través de un colosal lente de aumento. (E. Sábato, *Arg.*)

39. Tomaba el desayuno con él y adoptaba actitudes diferentes según el carácter [*mood*] de su padre. Si lo notaba sonriente, la frente lisa, los ojos sosegados, le hacía preguntas que pudieran halagarlo, lo escuchaba con profunda atención, asentía, abría mucho los ojos y le preguntaba si quería que le limpiara el auto. (MVL)

40. Por asustar a la recién casada..., por sondearla y acaso por buscar un resquicio de simpatía, Sotero dio en visitarla de sorpresa cuando sabía que Ricardo estaba ausente. (A. Yáñez, *Mex.*)

EXERCISE 3. LITERARY CRITICISM.

1. Habitualmente se viene repitiendo que no existe la crítica en nuestro país, con lo cual se quiere dar a entender que es mala. (J. L. Alborg)

2. ...; disquisición que si en sí misma no está mal y nos proporciona inte-

resantes conocimientos, es excesiva a todas luces dentro de un relato novelesco. (J. L. Alborg)

3. El motivo de que surgieran en España estos concursos de novelas nació de la necesidad de encontrar creadores, novelistas, que llenasen el vacío existente en el mundo editorial y en el ambiente literario de la posguerra. (C. de Arce)

4. ... mientras que América Latina busque, así sea caóticamente y a empujones, su propio destino y su mínima felicidad, permítasenos que sigamos pensando en el escritor como en alguien que enfrenta una doble responsabilidad: la de su arte y la de su contorno. (MB)

5. Ni sus más enconados impugnadores... serían capaces de negar la aguda sinceridad de los planteos de Sábato. Más aún, es esa sinceridad la que paradójicamente lo convierte, para muchos, en un elemento intolerable, fastidioso. (MB)

6. Que tal cosa sucediera en 1907... no nos extrañaría tanto, pues por entonces dicha obra debió resultar muy nueva. Pero que, en nuestros días, críticos tan perspicaces como Eugenio de Nora caigan en tan ingenua trampa, nos parece difícil de creer. (M. Bermejo Marcos)

7. Recordemos que aquel romántico aprendiz de escritor... se iba acercando ya a la cuarentena; y nada más tentador como posible protagonista de la que iba a ser su primera obra larga que la romántica figura del más popular conquistador español. (M. Bermejo Marcos)

8. Aun cuando no le niego la razón al crítico, debo confesar que, para mi gusto hila muy fino para llegar a la conclusión de su ensayo, pero se queda corto en cuanto a señalar las más ocultas intenciones del autor. (M. Bermejo Marcos)

9. Al no conversar, es decir, al no hacer mella las ideas de unos sobre otros, los personajes no evolucionan. Este hermetismo es, pues, una autodefensa del personaje para conservar su individualidad, ya que todo cambio supone una pérdida de la personalidad inicial. (R. Buckley)

10. Que, al menos en parte, la catarsis es una especie de terapéutica del alma, lo acredita el hecho de que... se le haya reconocido realidad en los gabinetes psicoanalíticos. (A. Buero Vallejo)

11. Me gustaría que este libro que vamos construyendo a lo rompecabezas y a lo loco resultara un libro ameno y divertido, o, a lo mínimo, interesante, eso de cara a mis lectores en general, pero, al mismo tiempo, útil para mis exegetas, que ya los empiezo a tener. (F. Candel)

12. Fuera de casos excepcionales (tan excepcionales como lo fuera, en el siglo XIX, la muy lograda *Cecilia Valdés* del cubano Villaverde), nuestras novelas nativistas eran ecos de otras cosas que ya habían sonado en el viejo continente. (A. Carpentier, *Cuba*)

13. Por otra parte, si hasta no hace mucho los autores llamados clásicos tuvieron olvidado al niño, o cuando se acordaron de él lo consideraban como a un hombre pequeño, demostrando con ello que ignoraban la psicología del niño, sus gustos y sus intereses, hoy ya no es así. (C. Castro Alonso)

14. Es posible que la única definición sensata que sobre este género pudiera darse fuera la de decir que "novela es todo aquello que, editado en forma de libro, admite debajo del título, y entre paréntesis, la palabra *novela*". (CJC)

15. ... esos sueños que, sabiéndolos interpretar, son algo así como la llave de la personalidad del pintor. (Angela B. Dellepiane, *Arg.*)

16. Feo, pero con una personalidad que se impone desde el primer instante, aun detrás de los gruesos lentes de pesado marco; de facciones punzantes, con dos ojos que se mueven sin cesar, y que parecen querer traspasarlo todo; nervioso —tanto que su nerviosidad se comunica al que está a su lado—, con las manos constantemente trazando círculos extraños o buscando el pañuelo para limpiar los anteojos, Ernesto Sábato es un hombre vital, lleno de calor humano que derrocha con sus amigos, sencillo, enérgico, pero a la vez muy débil, muy sensible. (Angela B. Dellepiane, *Arg.*)

17. El Siglo de Oro de las artes españolas, con ser tan admirable, es sólo un asomo o un anuncio de lo que hubiera podido ser si, terminada la Reconquista, hubiéramos concentrado nuestras fuerzas y las hubiéramos aplicado a dar cuerpo a nuestros propios ideales. (AG)

18. Ya se trate de una obra científica, ya sea literaria, el autor tiene obligación de aspirar a que su libro aparezca sin defectos, corrigiendo todo lo que es de su inmediata incumbencia... (F. Huarte Morton)

19. Sin ser acaso obra culminante, debilitado su valor novelesco por la relativa ausencia de invención, y el ideológico por las habituales filias y fobias del pensamiento barojiano, contiene esta trilogía muchas de las páginas más frescas, sugerentes y características de esta etapa de madurez del escritor. (E. G. de Nora)

20. Un novelista barroco como Gabriel Miró, por su propio barroquismo, es el novelista que no allana nuestro camino de lector. Es más, que lo obstaculiza colocando piedras maravillosamente talladas y árboles de peligrosa y exhaustiva sombra, que agotan nuestra curiosidad e impiden todo buen tránsito. (D. Pérez Minik)

21. Y, sin embargo, esta obra... dio lugar a que se considerase a su autor como iniciador de un nuevo movimiento al que se le llamó "tremendismo". (G. Sobejano)

22. Vista en conjunto la obra de Carmen Laforet, ha de reconocerse que no representa ningún avance importante por el terreno de la experimentación estructural e idiomática... (G. Sobejano)

23. Suele dividirse la producción de Delibes en dos épocas... La época primera se caracterizaría por la obediencia a la narración tradicional... La época segunda vendría marcada por las siguientes notas... (G. Sobejano)

24. Buckley y Gil Casado, entre otros, se han ocupado del lenguaje innovador de esta novela con suficiente extensión para que aquí fuese oportuno demorarse en analizar los recursos de tan poderoso estilo: neologismos, cultismos, extranjerismos... (G. Sobejano)

25. Alfonso Sastre ha dicho y repetido varias veces que en España no hay críticos teatrales... Mucho me temo que lo que yo pueda escribir aquí vaya a caer, por lo que a Sastre respecta, en saco roto... (GTB)

26. Esto me remite necesariamente a mi trabajo sobre el "Quijote", que no puede resultar otra cosa que una antigualla, por mucho que me esfuerce en lo contrario.

    ... Por lo pronto, nunca he aspirado a que mi ensayo alcance la categoría de "científico"... (GTB)

27. Hacía años que ninguna novela vampirizaba tan rápidamente mi atención, abolía así el contorno físico y me sumergía tan hondo en su materia. A medida que avanzaba la tarde, caía la noche, apuntaba el alba, era más efectivo... la sustitución del mundo real por el ficticio. (MVL)

28. El parentesco con lo español es más que evidente, pues, aparte de otras circunstancias históricas, España es, de Europa, el país donde más y mejor se ha cultivado el género [*costumbrista*], siendo ésta, en verdad, una de las más ricas venas de su literatura. (A. Zum Felde, *Urug.*)

29. Abogado de profesión (se licenció en 1938), ejerció brevemente en el foro, para dedicarse casi inmediatamente y de una manera absoluta a la literatura. (*La Estafeta Literaria*, 15-8-76)

30. Podrá o no estarse de acuerdo con algunos de sus juicios, o con la dosificación de líneas que tributa a unos u otros escritores contemporáneos; no podrá dudarse nunca de que su juicio es honesto... (*Triunfo*, 26-4-75)

SECTION B. OTHER WRITTEN STYLES

EXERCISE 1. GENERAL ESSAY STYLES.

1. Que un "Dinoterio" tenga seiscientos mil años no extraña a nadie, pues con ese nombrecito se es capaz de todo. (E. Acevedo)

2. Elogie a Ionesco o ande con *Lolita* bajo el brazo, prodigue sus cómplices sonrisas de mesa a mesa en el Tupí o vocifere *bravos* desde la galería alta, defienda a Fidel Castro hasta los límites de la histeria o suelte seudoespontáneas ironías entre el segundo y tercer acto, encuentre que *Hiroshima mon amour* está "bien hechita" o haga lo posible por dejarse la barba, el esnob está de vuelta de todo, pero casi nunca está de ida. (MB)

3. La vivienda protegida es la clase de casa que los barraquistas [*shanty dwellers*] esperan les caiga del cielo, un poco milagrosamente, siendo este lejano horizonte azul lo que les hace permanecer quietos y resignados en su marasmo actual. (F. Candel)

4. Perfil semejante, aun más negativo, nos ofrece el tan cacareado progreso económico y tecnológico. (MD)

5. Al primer momento parece una muestra de superioridad el hecho de que un súbdito de los Estados Unidos sea reconocido como tal con sólo que diga: soy americano o norteamericano; pero, si nos fijamos un poco, notaremos que, si emplea un nombre genérico que comprende también a los súbditos de otros Estados, es porque no tiene nombre propio, como no se tome por tal el mote de yanqui. (AG)

6. Yo he conocido de cerca más de dos mil condiscípulos, y a excepción de tres o cuatro, ninguno estudiaba más que lo preciso para desempeñar, o mejor dicho, para obtener un empleo retribuido. (AG)

7. Si en este punto hubiera de intentarse algo por los legisladores, el cambio más provechoso sería la sustitución de las oposiciones hoy en uso por el examen de "obras" de los aspirantes. (AG)

8. Las fotografías se las hacen a la llegada, cuando comienza el paseo en los burros. El precio de la fotografía es de cincuenta pesetas una y setenta y cinco pesetas dos, y son en blanco y negro. Se las venden cuando han acabado el paseo, ya reveladas y secas. (M. Gaviria)

9. Se detectan terrenos ultrabaratos situados cerca del mar. ... Se pone nombre a la urbanización. ... Se comienza la tramitación en el Ayuntamiento, ... Caso de que la tramitación fuera bien, se comienzan a clavar estacas que señalan los números de cada parcela, y, en algunos casos, se marcan las parcelas con cal en el suelo. (M. Gaviria)

10. Ocho millones de personas que han decidido vivir juntas en un espacio limitado han de regular y calcular al milímetro sus movimientos, so pena de lesionar los derechos ajenos. (JMG)

11. Pese a la impronta de ejemplar sencillez que había dejado tras sí Juan XXIII y a que en el Concilio se hablase mucho y dijeran cosas muy fuertes..., él abrigaba el temor de que el tiempo menguara el ímpetu de los "progresistas"... (JMG)

12. Líbreme Dios de explicar según el esquema marxista de la lucha de clases, como meses atrás trataba de hacer cierto ensayista, el suceso histórico de la Inquisición española. (P. Laín Entralgo)

13. Para nosotros el prestigio político es cuestión de cantidad. Se es más o menos importante según la cantidad de años que se lleva en eso. (C. Maggi, *Urug.*)

14. Aun admitiendo que en la descripción anterior hubiese... rasgos caricaturescos, no podría negarse que, en su esencia, la descripción corresponde a la realidad. (R. Marqués, *P. Rico*)

15. Es fácil ver, además, que la situación de España por lo que respecta a la participación de la mujer queda muy por debajo de lo que sería de esperar, dado su nivel de desarrollo económico. (A. de Miguel)

16. [*Los estudiantes*] Andan siempre exigiendo "los apuntes", esa vaga sustitución del libro que elimina toda otra curiosidad bibliográfica. Por otra parte, no tienen la culpa: ni en sus casas se valora el libro, ni en el Bachillerato nadie les espoleó a leer... (A. de Miguel)

17. Lejos de saber cuál sea la belleza suma en la mujer, el hombre la busca perpetuamente desde su mocedad a su decrepitud. (J. Ortega y Gasset)

18. Creo que ahora se entenderá mejor lo que antes he dicho: en España lo ha hecho todo el "pueblo", y lo que no ha hecho el "pueblo" se ha quedado sin hacer. (J. Ortega y Gasset)

19. Desde muy niña, la joven gitana ha de cuidar de sus hermanitos cuando la madre sale fuera de casa, bien para ayudar a su marido en los negocios, bien para hacer los negocios ella sola. (J. D. Ramírez Heredia)

20. Que los problemas relacionados con la enseñanza superior son hoy muy importantes para la mayoría de los países es algo que no necesita especial demostración. Y que nuestra patria se encuentra entre los países en los que la problemática universitaria ha adquirido... un acusado relieve, creemos que tampoco necesita mayores explicaciones. (J. Rubio)

21. Si se tratase, en cambio, de que el primer supuesto... fuere el válido, el punto de vista a adoptar respecto a la enseñanza libre sería muy otro... (J. Rubio)

22. Pero sabemos que el mundo es así, y que siendo la justicia una balanza imparcial entre dos partes que creen estar en la razón, se produce inevitablemente un descontento cuando el fallo favorece a uno y condena a otro. (B. Subercaseaux, *Chile*)

23. Mientras más reflexiono en los grandes problemas de la Filosofía, más patente se me manifiesta el error básico de los filósofos al considerar los "problemas del mundo exterior" y los del "mundo interior" (subjetivo,

psíquico, humano) como dos entidades separadas y diversas. (B. Subercaseaux, *Chile*)

24. Es decir, en una situación como ésta, si nosotros tuviésemos el control sobre los *Tour Operators* y les suministrásemos el carburante necesario, los vuelos *charter* podrían seguirse manteniendo, incluso dando para ello cierta prioridad al referido uso de combustible. (R. Tamames)

25. Cuando se ama una ciudad, lo incómodo, lo ingrato no es llegar a detestarla, sino reconocer que se la detesta por algo de que la ciudad misma no tiene la culpa. (GTB)

26. España, país de litorales, ha vivido siempre la aventura del alijo [*de contrabando*], y el estraperlo de los años cuarenta fue una apoteosis del contrabandismo subconsciente de la raza, aun cuando unos cuantos estuviesen negociando con el hambre de todos. (F. Umbral)

27. Se toma al vascuence como bandera de guerra y no como fenómeno histórico, un fenómeno como otro cualquiera. Por otra parte, hay no pocos que gozan en envolvernos en el misterio y sufrirían con que se hiciera luz en este punto. (MU)

28. Nada más arraigado en el hombre que el anhelo de saber de dónde vienen las cosas, anhelo que engendra la filosofía. (MU)

29. La bonita villa marinera de Santa Pola está quedando cada vez menos bonita por causa del telón de cemento que se alza entre el mar y el casco urbano. (*A B C sem.*, 30-10-75)

30. Es inútil, desde luego, afirmar que los emigrantes españoles no se verán afectados por las medidas que adopten los demás países europeos. (*Cuadernos,* enero 1974)

31. Ya en el breve apartado que el famoso Informe del Banco Mundial dedicó a los aspectos de la educación y de la investigación en España se insistía en este tema, en la inquietante proporción de los estudiantes que no llegan a terminar los estudios. (*Cuadernos,* abril 1976)

32. Ultimamente se ha venido defendiendo la tesis de que la existencia de un "turismo de masas", poco rentable económicamente, ha sido una de las causas del deterioro del turismo español. (*Cuadernos,* agosto 1974)

33. Lo que quisiera, en la medida de lo posible y al margen de mis posiciones sobre los puntos en litigio, es aportar algunos elementos colaterales a la discusión que quizá pudieran permitir un avance en la necesaria profundización y eliminar parte de la ambigüedad existente. (*Cuadernos,* octubre 1974)

34. De lo contrario, nombro [*a las personas*] por el apellido, pues la familiaridad que indica el solo nombre se me antoja muy a menudo contrahecha. Si yo gozo o padezco de esa familiaridad e intimidad, ¿por qué ostentarla ante los demás? (*La Estafeta Literaria,* 15-8-76)

35. Su tesis es que se ha llegado a dar tal prioridad a los trabajos de investigación... que el reclutamiento y [*la*] selección del profesorado universitario se realiza simplemente en función de tales trabajos, con total independencia de las aptitudes, intereses o experiencias respecto a la docencia. (*Triunfo,* 12-4-75)

36. Pocas feministas, por ejemplo, recuerdan hoy que la dura pista de Epsom fue el altar en que se inmoló en pro del derecho a voto de la mujer la militante sufragista Emily Davidson, lanzándose en plena carrera al paso del caballo "Anmer" de S. M. el Rey Jorge. (*Triunfo,* 19-6-76)

37. El paso de la infancia a la juventud no ha sido nunca fácil ni cómodo. Percibe el adolescente con más o menos nitidez la pérdida del paraíso que es la infancia y la obligación de entrar en un mundo que se le aparece hostil y lleno de amenazas. (*Triunfo,* 25-6-77)

38. Y eso habría que hacerlo pronto, porque si no, la antigua Tenochtitlán, la airada, incontaminada y fértil capital del Imperio Azteca, a la que el escritor Alfonso Reyes llamara la "región más transparente del aire", morirá asfixiada por el exceso de gente y el humo de las fábricas. (*Visión, Mex.,* 24-4-70)

39. Dado que la gente ahora no anda, de una parte porque los pies han pasado de moda —salvo cuando hay un balón de por medio—, dada también la boga de los aperitivos a base de frutas, la lucha contra la gordura se está poniendo muy difícil. (*Ya,* 17-3-73)

40. ... han asegurado que las pruebas nucleares de Mururoa no suponen peligro alguno ni siquiera para la zona más directamente afectada. (A este respecto —y sólo a título de anécdota— es curioso recordar que un diputado laborista inglés dijo, al serle señalada esta ausencia de peligro: "Si es así, ¿por qué no hacen las experiencias en el golfo de Gascuña?") (*Ya,* 10-7-73)

EXERCISE 2. HISTORY, POLITICS, ECONOMICS.

1. [Las Fuerzas Armadas] Se mantuvieron ostensiblemente ajenas a los problemas de gobierno que no les eran propios; ... proclamaron su respeto por las instituciones y, no obstante la evidencia de la corrupción y el desastre a que éramos llevados, se abstuvieron de toda injerencia indebida en los asuntos de gobierno. (A. C. Alsogaray, *Arg.*)

2. De los antiguos ferrocarriles sólo quedan las vías. El Gobierno de Carranza se apoderó de ellos sin pagar nada a las Empresas propietarias, y ha venido explotándolos varios años, embolsándose el dinero sin renovar el material. (VBI)

3. En este aspecto, se dieron casos tan brutales en un bando como en el otro, siquiera resulten menos disculpables los que se ampararon en el

nombre de Cristo, puesto que a la sombra de Cristo resulta harto difícil justificar un asesinato. (MD)

4. No ha sucedido así. No podía suceder así: antes pasará un camello por el ojo de una aguja. Pero pudo suceder de otra manera, de haberse continuado la política cardenista [=*la del Presidente Lázaro Cárdenas*] de desarrollo equilibrado para todos los sectores sociales. (C. Fuentes, *Mex.*)

5. Echeverría pudo haber escogido, sin más, el camino seguido por su predecesor. Conservadoramente, pudo calcular que la inercia de tres décadas y el apoyo de la oligarquía nacional e internacional... mantendrían incólume el sistema. (C. Fuentes, *Mex.*)

6. La idea fundamental de nuestros gobernantes era que la fuerza política dependía de la extensión del territorio; no mermándose éste, la nación conservaba enteros sus prestigios y su vitalidad. (AG)

7. Acaso hubiera sido un bien para España que el largo y doloroso descenso que se inicia en la paz de Westfalia y se consuma en la de Utrecht hubiera sido una caída rápida, en la que hubiéramos probablemente sacado a salvo la unidad nacional; pero diseminadas nuestras fuerzas para atender a muchos puntos a la vez, debilitados por un gasto incesante de energía, tanto más considerable cuanto la ruina estaba más próxima, las soldaduras de las diversas regiones españolas comenzaron a despegarse y estuvo a punto de dislocarse la nación. (AG)

8. Antes de alegrarse infantilmente del hundimiento de un poder, hay que pensar en el poder que va a sustituirlo: nosotros no podemos ser los herederos de Inglaterra, y hemos de ver quién ha de heredar a Inglaterra, en caso de que mediante una coalición se llegara a desbancarla. (AG)

9. A poco que se hubiera reflexionado sobre la situación de España a la caída de la Dictadura, se habría podido comprobar que aquellos grupos selectos... no eran sino una pequeña minoría... (J. M. Gil Robles)

10. ... pero... no dejaba de ser chusco que, en el momento en que España empezaba a industrializarse, se marchaban al extranjero muchos obreros especializados, y que para suplir a éstos se despoblara al campo, precisamente cuando se anunciaba el inicio de la Reforma Agraria. (JMG)

11. Dada esa realidad, sería ocioso suponer que una u otra de estas dos naciones pueda vivir haciendo caso omiso de la otra. Ya sea que obren o que se abstengan, los Estados Unidos serán siempre, directa o indirectamente, la influencia exterior más grande de cuantas pesen en el destino de México. Querámoslo o no los mexicanos... (M. L. Guzmán, *Mex.*)

12. Un mes más tarde se publica espectacularmente el texto del pacto que habrían suscrito Perón y Frondizi, en vísperas de las elecciones de fe-

brero de 1958, por intermedio de Frigerio. El presidente desmiente su autenticidad, pero el documento levanta una tormenta militar... (F. Luna, *Arg.*)

13. Pero esta vez, los hechos de Rosario y el *cordobazo* (como se lo llamó en recuerdo del "bogotazo" colombiano de 1948) tenían significaciones que dejaban al desnudo todas las carencias del régimen de Onganía. (F. Luna, *Arg.*)
14. Los abastecedores de las mesas ricas, como los mercaderes en objetos de arte caros y otros lujos, son extranjeros. Algunos de aquéllos... vieron en Madrid algo tan atractivo como las Américas, y menos arduo, cooperantes la inercia y el snobismo españoles. (J. F. Montesinos)
15. De 1509 a 1538, el 10% de la emigración femenina y, a partir de 1554 hasta 1575, las solteras no necesitaron licencias, pudiéndose afirmar que a los veinte años de terminada la conquista, la población femenina había equilibrado a la masculina. (F. Morales Padrón)
16. Europa entera asistía emocionada a esa contienda y presagiaba que lo que en ella se ventilaba no le era ajeno. Y las cancillerías de Francia y la Gran Bretaña se esforzaban por conseguir un acuerdo de no intervención. (M. Tuñón de Lara)
17. La costa atlántica colombiana experimenta en esos años un proceso similar al de otros lugares de América Latina: el capital norteamericano entra en el continente por doquier, sustituyendo en muchos sitios al capital inglés, y casi sin encontrar resistencia, establece una hegemonía económica, destruyendo en algunos casos al incipiente capital local... (MVL)
18. El Ejército, como el resto de las Fuerzas Armadas, tiene perfectamente especificada su misión en el artículo treinta y siete de la Ley Orgánica del Estado. (*A B C sem.*, 19-2-76)
19. Pero volvamos a la Oposición y sus batallas. ¿En qué forma organiza sus infatigables asaltos al Poder? Es evidente que éste no se conquista a fuerza de gritar y de acosar al Gobierno, ni de escribir contra él incendiarios panfletos o editoriales. (*A B C sem.*, 16-9-76)
20. El español se quejaba de los ataques que le lanzó en su día "Izvestia" y el soviético se indignó porque los eurocomunistas, a su juicio, pretendían dictar la línea a seguir al Partido de la URSS. (*Cambio 16*, 26-7-76)
21. Veinticuatro horas después de que el Gobierno español decidiese pedir al Rey Juan Carlos I amnistía para los delitos de intencionalidad política, una treintena de bombas estallaban a lo largo y a lo ancho de la geografía española en un plan perfectamente preparado. (*Cambio 16*, 26-7-76)
22. Al margen de que a los políticos de la oposición les cae a contrapelo que el Gobierno tome tan graves decisiones sin encomendarse ni a Dios,

ni al diablo, ni a ellos, todos están de acuerdo y sólo hay una oveja negra. "Esta decisión debería haber sido objeto de un debate parlamentario", dijo el Partido Socialista Obrero Español nada más conocer la noticia. (*Cambio 16,* 8-8-77)

23. A la ruptura brutal de la historia chilena que supuso el golpe de 11 de septiembre..., siguió un período de ausencia de noticias... (*Cuadernos,* abril 1974)

24. *Cuadernos* ha tratado en sucesivos editoriales su sombría opinión sobre 1975. Si por algunos se nos pudo calificar de agoreros y pesimistas, el tiempo viene y vendrá a darnos la razón. (*Cuadernos,* diciembre 1974)

25. En 1947 se abren de nuevo las hostilidades y, desde el principio, los comunistas llevan la iniciativa: en 1949 Chiang es derrotado y, protegido por Estados Unidos, se refugia en la antigua colonia china de Formosa. (*Cuadernos,* diciembre 1974)

26. La campaña presidencial, faltando todavía cerca de un año, ha formado un espeso bosque que no deja ver los árboles. (*Economist para América Latina,* 29-10-69)

27. A unas pocas semanas de las elecciones y antes de entrar en el torbellino de campañas y de mítines, conviene hacer algunas reflexiones que, no por sabidas y tratadas multitud de veces, dejan de tener gran importancia. (*Gaceta Ilustrada,* 29-5-77)

28. Desaparecido el imperialismo y el mercado mundial de precios regulado, es decir, suprimido el lucro, los pueblos "subdesarrollados" hubieran contado con los recursos necesarios para llevar a cabo su transformación económica. (O. Paz, *Mex.*)

29. Como antes decíamos, a paliar el paro y reforzar las medidas correctoras de la inflación y el desequilibrio exterior va dirigido el conjunto de disposiciones aprobadas por el Consejo de Ministros. (*A B C sem.,* 20-11-75)

30. Sin embargo, el mayor impacto de las medidas a nivel popular viene dado por las subidas de la electricidad, el butano... [*etc.*] (*A B C sem.,* 20-11-75)

31. En Estados Unidos es distinto. El hecho de que la riqueza fuera ganada esforzadamente en su origen, con buenas o malas artes, ha sido acompañado de un lavado de cerebro general que ha convertido al millonario en un héroe nacional. (*Cambio 16,* 17-5-76)

32. Ahora bien: si la Mercedes o la Volkswagen (por no poner sino dos ejemplos) tienen que reducir su ritmo de actividad, los primeros a despedir van a ser los trabajadores de países terceros, los que no son comunitarios. [=*del Mercado Común*] (*Cuadernos,* enero 1974)

33. Así las cosas, la huelga de los mineros en plena crisis energética venía a demostrar, con la exhibición [=*release*] de los datos sobre los distin-

tos niveles salariales, que en el paraíso social británico los desequilibrios se acentuaban peligrosamente con la inflación. (*Cuadernos,* abril 1974)

34. Empeñado en proseguir el desarrollo a ritmo adecuado, e incluso incrementarlo sin crear presiones inflacionarias, México requiere cada año mayores recursos generados en el extranjero, sea bienes de equipo para ampliar y diversificar el aparato productivo nacional, inversiones directas, tecnología o créditos a largo plazo para cubrir las necesidades de financiamiento. (*Examen de la Situación Económica de México,* número 531)

35. Los procedimientos que siguen las multinacionales para la penetración en nuevos mercados varían en función de las condiciones socioeconómicas y políticas del país de que se trate. (*Triunfo,* 10-5-75)

36. Italia constituye en efecto un caso singular por cuanto no existe allí ninguna ley de patentes, circunstancia ésta que permite vivir a una serie de pequeños laboratorios a la sombra de las multinacionales. (*Triunfo,* 10-5-75)

37. En términos económicos eso quiere decir que, de acuerdo con el censo industrial de 1965 (esos censos se realizan cada cinco años; el de 1970 está por efectuarse), en el Distrito Federal y en las zonas vecinas al Estado de México se había concentrado el 50, 99 [*por ciento*] de las inversiones industriales totales del país, valoradas en algo más de 5.000 millones de dólares (de un total nacional de 9.190 millones). (*Visión, Mex.,* 24-4-70)

38. El país que registra la más elevada exportación de este tipo de productos es Brasil, que en 1975 alcanzaba a la cifra de 2.900 millones de dólares... (*Visión, Mex.,* 1-9-76)

39. De acuerdo con cifras de la Comisión Económica para América Latina (CEPAL), las exportaciones totales latinoamericanas de manufacturas al mundo alcanzaron en 1961 a 620 millones de dólares, para llegar en el año 1975 a 9.500 millones de dólares. (*Visión, Mex.,* 1-9-76)

40. Es cierto que la balanza comercial española ha sido tradicionalmente negativa. Pero el déficit se venía enjugando con los elevados ingresos por turismo y las remesas de emigrantes, lo que hasta hace un par de años permitía que la balanza de pagos se cerrara incluso con superávit. (*Visión, Mex.,* 11-2-77)

EXERCISE 3. GENERAL JOURNALISTIC NARRATIVE.

1. A gran velocidad un coche derrapa, se mete en el lado izquierdo de la carretera y choca con otro que viene en dirección contraria. El resultado, fácilmente previsible, está en la fotografía. Lo que no es tan fácil de pronosticar es que para Jean-Claude y Pía, los dos ocupantes, todo que-

dara en el susto, gracias a sus cinturones de seguridad. (*A B C*, 18-8-71: picture caption)

2. El taxista —que no pudo ofrecer resistencia al atracador— entregó las trescientas pesetas que obraban en su poder, desapareciendo poco después en la oscuridad no sin antes haberle amenazado de muerte en caso de que fuera seguido. (*A B C*, 18-8-71)

3. Comoquiera que el especialista portugués recomendaba inmediata intervención quirúrgica, el mismo sábado era trasladado Don Juan a Barcelona, y a las siete de la tarde ingresaba en la clínica del doctor Barraquer... (*A B C sem.*, 24-6-76)

4. Al parecer, y sin que por el momento se sepan las causas, el convoy se encarriló por una vía equivocada, la número 17 en vez de la 16 que era la que tenía asignada, yendo a estrellarse contra un ingente montón de material ferroviario almacenado sobre esa vía. (*A B C*, 14-3-76)

5. Cuando cerramos estas páginas, van ya recogidos unos ochenta muertos y más de cien heridos. (*La Actualidad Española*, 27-7-72)

6. Este último [*boxeador*] perdió la vida frente a Guillermo Pérez, quien confesaría más tarde que ninguno de los dos fueron [*sic*] sometidos al reconocimiento, obligatorio antes de cualquier pelea. (*Cambio 16*, 19-1-76)

7. Siempre según el diario sueco, los hechos se habrían producido de la siguiente forma: una parte del personal de los 250 hombres que componen la tripulación se habría amotinado después de haber participado en Riga en las fiestas del aniversario de la revolución soviética... (*Cambio 16*, 17-5-76)

8. Pese a que inicialmente la policía informó que la autora del atentado había sido detenida, lo cierto es que se fugó y probablemente está ya fuera de Argentina. (*Cambio 16*, 5-7-76)

9. Y a veces hay accidentes. Hace unos meses, en el puerto de La Luz, cayó un frigorífico cuando era descargado; de su interior surgieron centenares de relojes de pulsera. (*Cambio 16*, 5-7-76)

10. De acuerdo con fuentes oficiales, 255 guerrilleros y 52 policías constituyen el balance de los enfrentamientos producidos desde el 29 de marzo pasado. (*Cambio 16*, 26-7-76)

11. La conflictividad en el sector de la construcción en León, Burgos y La Coruña se ha mantenido muy alta durante toda la semana anterior, con frecuentes enfrentamientos entre huelguistas y fuerzas del orden. (*Cambio 16*, 20-9-76)

12. En ese mismo pozo, hace más de diez años murió un hombre que estaba trabajando en su interior. Fue un policía armado, Santiago Rodríguez,

que vive en las inmediaciones, aficionado a la cacería, quien en los últimos días de septiembre comentó con los funcionarios de la Brigada de Investigación Criminal la existencia de ese pozo. (*Cambio 16,* 18-10-76)

13. Semejante conclusión, según ha podido saber *Diario 16* en fuentes dignas de todo crédito, se basa en que "en las fincas colindantes no se oyó ningún ruido durante toda la noche, ruido que, inevitablemente, ha de producirse al encerrar los toros..." (*Diario 16,* 17-11-76)

14. Tradicionalmente se vienen celebrando en Gandía, desde el año mil novecientos veintidós, unos juegos florales en los que se concedían unos premios a los poetas galardonados, así como otros premios a trabajos literarios, históricos, etc. (*La Estafeta Literaria,* 15-8-76)

15. Ha quedado abierta al público la sala 49 del Museo del Prado, dedicada a la pintura medieval española, que ha sido objeto en los últimos meses de una amplia labor de reorganización... (*La Estafeta Literaria,* 15-8-76)

16. Margaret tuvo que ser atendida por el médico real y llevada al hotel con una escolta de policías. Poco después, y ya recuperada, asistiría junto a su esposo a un servicio religioso en honor de los egregios visitantes. (*Garbo,* 11-6-73)

17. Como había niebla, uno de los guardianes no lo vio, pero el otro, al notar un bulto, dio la voz de alto, y al no ser acatada [*ésta*], disparó una ráfaga de ametralladora, viendo saltar a Robledo Puch del paredón de seis metros de alto al exterior, cayendo en una zanja que, al parecer, amortiguó el golpe. (*Hoja del Lunes,* Madrid, 9-7-73)

18. Según datos militares, el último intento de Allende de abandonar [*el Palacio de*] la Moneda se produjo cerca de las 12,30 horas. Pidió cinco minutos de cese del fuego para salir. La junta no pudo acceder a la petición por cuanto se mantenía incesante la acción de francotiradores en torno a la Moneda. (*La Vanguardia Española,* 19-9-73)

19. Durante las pasadas semanas se ha venido desarrollando por los servicios de la Jefatura Superior de Policía de Madrid una intensa labor de investigación. (*Ya,* 20-5-73)

20. De aquí el vivo deseo de Occidente de darla por terminada [*la=la Guerra Fría*], siendo así que continúa como el primer día. (J. A. de Zunzunegui)

EXERCISE 4. GRAMMAR, LINGUISTICS AND MISCELLANEOUS.

1. Como se preguntara a la Academia Argentina de Letras las razones por las cuales escribía México y no Méjico, en sesión del 4 de junio de 1936, se resolvió contestar [*lo siguiente*]... (Academia Argentina de Letras)

2. ... la preposición *de,* que viene a heredar, de hecho, en nuestra lengua los usos del genitivo latino junto con otros que se asimilaron a éste en el latín vulgar. (J. Alcina Franch)

3. No creo que los Atlas [*lingüísticos*] sean —como muchos quieren— la panacea que resuelva todos los problemas lingüísticos. Decidido partidario de su realización, sé muy bien las limitaciones que tienen... (M. Alvar)

4. Basta observar lo que sucede de un modo general con los aumentativos, aparentes o verdaderos: rara vez van exentos de algún matiz despectivo o peyorativo. (J. Casares)

5. ... cuando un americanismo es conocido en ocho o más Repúblicas esparcidas, el Diccionario [*de la Real Academia Española*], en vez de mencionarlas una por una, emplea la abreviatura *Amér.,* aun a sabiendas de que existe o puede existir alguna solución de continuidad en el área de difusión del vocablo de que se trata. (J. Casares)

6. ... las concordancias anómalas, relativamente frecuentes en los textos primitivos, van siendo más raras a medida que la lengua literaria adquiere mayor seguridad en los medios de expresión. (S. Gili Gaya)

7. Se tiene como principio de Lexicografía la autosuficiencia de los diccionarios: las definiciones o descripciones en que consisten no deben incluir ningún vocablo que, a su vez, no sea definido en el mismo diccionario. (F. Lázaro Carreter)

8. Más de psicólogos o sociólogos que de lingüistas parece ser la cuestión de formular un ruego o un mandato en forma interrogativa, cosa que el español comparte con otras lenguas... (E. Lorenzo)

9. ... que si no se pronuncia de cierta manera no se puede esperar ser completamente entendido; es decir, que hay una represalia social, inmediata y fulminante, a otras pronunciaciones: no que sean descalificadas por los lingüistas o por una corporación docta, sino que no son bien entendidas. (J. Marías)

10. La realidad *actual* de la lengua —en cualquier momento— es inseparable de su historia, porque si los elementos o "datos" que la componen están "dados", sus conexiones no lo están. (J. Marías)

11. Mientras se vacila sobre si se debe decir 'nylon' o 'nailon' o 'nilón', el producto está siendo desplazado por otras fibras que prometen superiores virtudes, o se lo ofrece, acaso por motivos aduaneros, con otras designaciones comerciales... (J. Marías)

12. No obstante, lo normal es que, exceptuados los casos de complemento de verbo, los complementos con preposición sigan el término al que se refieren. (M. Seco)

13. Son preguntas éstas que me he hecho mil veces al observar que, en tratándose del uso de la *x*, muchos doctos escritores y los periódicos de más circulación y fama caen a cada momento en descuidos ortográficos... (MU)

14. El español que indujere a una potencia extranjera a declarar la guerra a España o se concertara con ella para el mismo fin, será castigado con la pena de reclusión mayor a muerte si llegare a declararse la guerra, y, en otro caso, con la de reclusión mayor. (*Código Penal*, Spain)

15. El propietario de un enjambre de abejas tendrá derecho a perseguirlo sobre el fundo ajeno, indemnizando al poseedor de éste el daño causado. (*Código Civil*, Spain)

16. En caso de siniestro, y en tanto no se haya determinado la pérdida neta definitiva, la entidad aseguradora concederá indemnizaciones provisionales del 60 por 100... (*A B C sem.*, 19-2-76)

17. Los becarios varones podrán alojarse, si ello es posible, en el Colegio Mayor Hispanoamericano de Nuestra Señora de Guadalupe, y las señoritas, en Residencias análogas.

    El hecho de la residencia de los becarios lleva implícita la aceptación por su parte de los reglamentos y [*las*] normas por los que se rijan los centros donde se alojan. (OFINES brochure)

18. Podrán matricularse en esta Universidad los alumnos que, reuniendo los requisitos exigidos para acceder a la enseñanza superior, residan en el territorio nacional... (*A B C sem.*, 7-9-72)

19. A las aflatoxinas se las considera muy cancerígenas y nadie ha demostrado, aún, que las consecuencias del maíz en mal estado acaben en el animal. (*Cambio 16*, 10-5-76)

20. En el siguiente, el "maestro" brindó una soberana lección, dejando clavado al italiano por 6-1. El tercero y el cuarto le fueron adversos, perdiendo el primer punto. (*Ya*, 21-7-73: tennis report)

BIBLIOGRAPHY

Abbreviations used:

B.	=	Barcelona
L.	=	London
M.	=	Madrid
NY.	=	New York
Hisp.	=	*Hispania*
RFE	=	*Revista de Filología Española*

Academia Argentina de Letras:
Acuerdos acerca del idioma, 2 vols., Buenos Aires, 1947-1954.

Academia Española (Comisión de Gramática):
Esbozo de una nueva gramática de la lengua española, M., Espasa-Calpe, 1973.

Alarcos Llorach, E.:
Estudios de gramática funcional del español, M., Gredos, 1970.

Alcina Franch, J., and Blecua, J. M.:
Gramática española, B., Ed. Ariel, 1975.

Alonso, A.:
Estudios lingüísticos. Temas españoles, 2.ª ed., M., Gredos, 1961.

Arutiunova, N[*ina*] D:
(1965): *Trudnosti perevoda s ispanskogo jazyka na russkij,* Moscow, Izdatel'stvo Nauka.
(1966): «Sintaksicheskaya èmfaza v ispanskom jazyke v sravnenii s drugimi romanskimi jazykami», in *Metody sravnitel'no-sopostavitel'nogo izuchenija sovremennykh romanskikh jazykov,* Moscow, Izdatel'stvo Nauka, 3-24.

Barrera-Vidal, A.:
Parfait simple et parfait composé en castillan moderne, Munich, Max Hueber Verlag, 1972.

Beinhauer, W.:
El español coloquial, 2.ª ed., M., Gredos, 1968.

Bejarano, V.:
«Sobre las dos formas del imperfecto de subjuntivo y el empleo de la forma en *-se* con valor de indicativo», in *Estudios dedicados al Profesor García Blanco,* Salamanca, 1962, 77-86.

Bello, A:
Gramática de la lengua castellana destinada al uso de los americanos, Caracas, Eds. del Ministerio de Educación, 1972.

Berschin, H.:
«A propósito de la teoría de los tiempos verbales. Perfecto simple y perfecto compuesto en el español peninsular y colombiano», *Thesaurus*, 30 (1975), 539-556.

Bolinger, D. L.:
(1944): «Purpose with *por* and *para*», *Modern Language Journal*, 28, 15-21.
(1954-5): «Meaningful Word Order in Spanish», *Boletín de Filología*, 8, 45-56.
(1974): «One Subjunctive or Two?», *Hisp.*, 57, 462-471.
(1976): «Again —One or Two Subjunctives?», *Hisp.*, 59, 41-49.

Bouzet, J.:
«Le gérondif dit 'de postériorité'», *Bulletin Hispanique*, 55 (1953), 349-374.

Bruyne, J. de:
(1971): «Das Partizip I und Fast Gleichwertige Formen im Spanischen», *Linguistica Antverpiensia*, 5, 7-14.
(1972): «The Past Participle in Spanish: Problems of Construction», *Linguistica Antverpiensia*, 6, 27-50.

Bull, W. E.:
(1950): «*quedar* and *quedarse*: A Study of Contrastive Ranges», *Language*, 26 467-480.
(1965): *Spanish for Teachers: Applied Linguistics*, NY., Ronald Press.

Carlsson, L.:
(1969): *Le type 'C'est le meilleur livre qu'il ait jamais écrit' en espagnol, en italien et en français*. Uppsala.
(1970): «Sur l'usage des modes après *(me) parece que* en castillan et *(em) sembla que* en catalan», *Studia Neophilologica*, 42, 405-432.

Carnicer, R:
(1969): *Sobre el lenguaje de hoy*, M., Prensa Española.
(1972): *Nuevas reflexiones sobre el lenguaje*, M., Prensa Española.
(1977): *Tradición y evolución en el lenguaje actual*, M., Prensa Española.

Cartagena, N.:
(1970): «*quedar/quedarse*. Acerca de una construcción pronominal en español», *Revista de Lingüística Aplicada*, 8, 71-87.
(1972): *Sentido y estructura de las construcciones pronominales en español*, Concepción, Universidad de Concepción.

Carrasco, F.:
«El pronombre neutro 'lo' como pro-forma del predicado nominal», *Thesaurus*, 27 (1972), 324-333.

Celorio, Marta and Barlow, Annette C.:
Handbook of Spanish Idioms, NY., Regents Press, 1973.

Close, R. A.:
A Reference Grammar for Students of English, L., Longman, 1975.

Contreras, H.:
A Theory of Word Order with Special Reference to Spanish, Amsterdam, North-Holland, 1976.

Contreras, Lidia:
«Las oraciones condicionales», *Boletín de Filología*, 15 (1963), 33-109.

Coste, J., and Redondo, A.:
Syntaxe de l'espagnol moderne, Paris, Sedes, 1965.

Crespo, L. A.:
«*To become*», *Hisp.*, 32 (1949), 210-212.

Fente Gómez, R.:
(1970): «Sobre los verbos de cambio o devenir», *Filología Moderna*, No. 38, 157-172.
(1971): *Estilística del verbo en inglés y en español*, M., S.G.E.L.

Fente Gómez, R.; Fernández Alvarez, J., and Feijoo, L. G.:
(1972*a*): *Perífrasis verbales*, M., S.G.E.L.
(1972*b*): *El subjuntivo*, M., S.G.E.L.

Fernández Ramírez, S.:
«*como si*+subjuntivo», *RFE*, 24 (1937), 372-380.

Fish, G. T.:
(1959): «The Position of Subject and Object in Spanish Prose», *Hisp.*, 42, 582-590.
(1960): «Postverbal Word Order in Spanish Prose», *Hisp.*, 43, 426-429.
(1962): «Syntactic Equations», *Hisp.*, 45, 743-744.
(1963*a*): «The Neglected Tenses: *hube hecho*, Indic. *-ra*, *-re*», *Hisp.*, 46, 138-142.
(1963*b*): «Subjunctive of Fact», *Hisp.*, 46, 375-381.
(1964): «Two Notes on *estar*», *Hisp.*, 47, 132-135.
(1966): «*se*», *Hisp.*, 49, 831-833.
(1968): «The Indirect Object and the Redundant Construction», *Hisp.*, 51, 862-866.

Flórez, L.:
Temas de castellano. Notas de divulgación, Bogotá, Instituto Caro y Cuervo, 1967.

Gamillscheg, E.:
«Spanisch *como* mit dem Konjunktiv», in *Mélanges de linguistique romane et de philologie médiévale offerts à M. Maurice Delbouille*, Gembloux, Eds. Duculot, 1964, I, 221-233.

García, Erica C.:
The Role of Theory in Linguistic Analysis. The Spanish Pronoun System. Amsterdam, North-Holland, 1975.

Gili Gaya, S.:
Curso superior de sintaxis española, 9.ª ed., B., Bibliograf, 1969.

Goldin, M. G.:
«A Psychological Perspective of the Spanish Subjunctive», *Hisp.*, 57 (1974), 295-301

Gooch, A.:
Diminutive, Augmentative and Pejorative Suffixes in Modern Spanish, 2nd. ed., L. and NY., Pergamon Press, 1970.

Gorosch, M.:
Le presento..., L., Longman, 1975.

Hamplová, Sylva:
«Acerca de la manera de acción y el problema de su expresión mediante las perífrasis verbales en español», *Philologica Pragensia,* 11 (1968), 209-231.

Harmer, L. C., and Norton, F. J.:
A Manual of Modern Spanish, L., University Tutorial Press, 1935.

Hatcher, Anna G.:
(1956*a*): «On the Inverted Object in Spanish», *Modern Language Notes,* 71, 362, 373.
(1956*b*): «Syntax and the Sentence», *Word,* 12, 234-250.
(1956*c*): «Theme and Underlying Question. Two Studies of Spanish Word Order», *Word,* 12, Supplement, 1-53.
(1957): «Casos se han dado», *Hisp.,* 40, 326-329.
(1968): «Eso lo da la edad», *Word,* 24, 213-230.

Hernández Alonso, C.:
«El *que* español», RFE, 50 (1967), 257-271.

Kahane, H., and Kahane, Renée:
«The Position of the Actor Expression in Colloquial Mexican Spanish», *Language,* 26 (1950), 236-263.

Kany, C. E.:
(1936): «Conditions Expressed by Spanish *de* plus Infinitive», *Hisp.,* 19, 211-216.
(1951): *American-Spanish Syntax,* 2nd. ed., University of Chicago Press.

Keniston, H.:
Spanish Syntax List, NY., Holt, Rinehart and Winston, 1937.

Kovacci, Ofelia:
(1965): «Las proposiciones en español», *Filología,* 11, 23-39.
(1972): «Acerca de la coordinación en español», *Boletín de Humanidades,* 1, 1-29.

Lenz, R.:
La oración y sus partes, 3.ª ed., M., *RFE,* 1935.

Lope Blanch, J. M.:
(1956): «Construcciones de infinitivo», *Nueva Revista de Filología Hispánica,* 10, 313-336.
(1961): «Sobre el uso del pretérito en el español de México», in *Studia Philologica. Homenaje a Dámaso Alonso,* M., Gredos, II, 373-385.
(ed.) (1971): *El habla de la Ciudad de México. Materiales para su estudio,* México, U.N.A.M.

Lorenzo, E.:
El español de hoy, lengua en ebullición, 2.ª ed., M., Gredos, 1971.

Luna Traill, Elizabeth:
«Observaciones sobre el infinitivo final en el español mexicano», *Anuario de Letras*, 8 (1970), 57-79.

Luque Durán, J. D.:
Las preposiciones, 2 vols., M., S.G.E.L., 1973.

Macandrew, R. M.:
Translation from Spanish, L., A. and C. Black, 1936.

McWilliams, R. D.:
«The Adverb in Colloquial Mexican Spanish», in Kahane, H. R. and Pietrangeli, Angela (eds.), *Descriptive Studies in Spanish Grammar*, Urbana, University of Illinois, 1954, 73-137.

Magallanes, Dulce María:
«Oraciones independientes de gerundio en el español de México», *Anuario de Letras*, 8 (1970), 235-239

Mason, K. L. J.:
Advanced Spanish Course, L., and NY., Pergamon Press, 1967.

Moellering, W.:
«The Function of the Subjunctive in *como* Clauses of Fact», *Hisp.*, 26 (1943), 267-282.

Molina Redondo, J. A. de:
Usos de «se», M., S.G.E.L., 1974.

Moliner, María:
Diccionario de uso del español, 2 vols., M., Gredos, 1966-1967.

Mondéjar, J.:
«La expresión de la condicionalidad en español. (Conjunciones y locuciones conjuntivas)», *RFE*, 49 (1966), 229-254.

Moreno de Alba, J. G.:
«Transposiciones temporales y modales en las formas del indicativo», *Anuario de Letras*, 12 (1974), 205-219.

Morley, S. G.:
«Modern Uses of *ser* and *estar*», *PMLA*, 40 (1925), 450-489.

Náñez, E.:
Construcciones sintácticas del español: preposiciones, Santander, 1970.

Navas Ruiz, R.:
Ser y estar. Estudio sobre el sistema atributivo del español, Salamanca, 1963.

Neale-Silva, E., and Nelson, D. A.:
Lengua hispánica moderna, NY., Holt, Rinehart and Winston, 1967.

Otero, C. P.:
«El otro *se*», in *Actas del XI Congreso Internacional de Lingüística y Filología Románicas*, M., 1968, IV, 1841-1851.

Otero, C. P., and Strozer, Judith:
«Linguistic Analysis and the Teaching of *se*», *Hisp.*, 53 (1973), 1050-1054.

Parisi, G.:
Coordination in Spanish: A Syntactic-Semantic Description of y, pero, and o. Georgetown University, Ph. D. Thesis, 1968.

Pemberton, R. A. (ed.):
Penguin Spanish Reader, L., Penguin, 1971.

Polo, J.:
(1968): «A propósito del 'Diccionario de dudas', de Manuel Seco», *RFE*, 51, 243-265.
(1969): «Casuística gramatical», *Boletín de Filología Española*, núms. 30-31, 45-58.
(1971): *Las oraciones condicionales en español. Ensayo de teoría gramatical*, Universidad de Granada, C.S.I.C.

Poston, L., Jr.:
«The Redundant Object Pronoun in Contemporary Spanish», *Hisp.*, 36 (1953), 263-272.

Prado, E.:
«El subjuntivo», *Yelmo*, No. 15 (dic. 1973-enero 1974), 33-39.

Quirk, R.; Greenbaum, S.; Leech, G., and Svartvik, J.:
A Grammar of Contemporary English, L., Longman, 1972.

Ramos, M. A.:
«El fenómeno de 'estar siendo'», *Hisp.*, 55 (1972), 128-131.

Ramsey, M. M.:
A Textbook of Modern Spanish, revised by R. K. Spaulding, NY., Holt, Rinehart and Winston, 1956.

Richardson, W. A. R.:
Modern Spanish Unseens, L., Pergamon, 1964.

Rivero, María Luisa:
«Mood and Presupposition in Spanish», *Foundations of Language*, 7 (1971), 305-336.

Roca Pons, J.:
Estudios sobre perífrasis verbales, M., C.S.I.C., 1958.

Roldán, Mercedes:
«Towards a Semantic Characterization of *ser* and *estar*», *Hisp.*, 57 (1974), 68-75.

Santiago, R.:
«Impersonal *se le(s), se lo(s), se la(s)*», *Boletín de la Real Academia Española*, 55 (1975), 83-107.

Schmitz, J. R.:
«The *se me* Construction: Reflexive for Unplanned Occurrences», *Hisp.*, 49 (1966), 430-433.

Seco, M.:
Diccionario de dudas y dificultades de la lengua española, 5.ª ed., Aguilar, 1967.

Spaulding, R. K.:
Syntax of the Spanish Verb, NY., Holt, Rinehart and Winston, 1964.

Steel, B.:
A Manual of Colloquial Spanish, M., S.G.E.L., 1976.

Togeby, K.:
Mode, aspect et temps en espagnol, Copenhagen, Munksgaard, 1953.

Woehr, R.:
«Two Problems of Modal Syntax: The Superlative Construction and the Verb *parecer*», *Hisp.*, 56 (1973), 318-325.

Wright, L. O.:
(1929): «The Indicative Function of the *-ra* Form», *Hisp.*, 12, 259-278.
(1947): «The Spanish Verb Form with the Greatest Variety of Functions», *Hisp.*, 30, 488-495.

INDEX

OBRAS DE METODOLOGÍA Y LINGÜÍSTICA

METODOLOGÍA DEL ESPAÑOL

Estructuras sintácticas del español actual. M.ª Luz Gutiérrez Araus. 368 págs.

Niveles Umbral, Intermedio y Avanzado. Repertorio de funciones comunicativas del español. M.ª José Gelabert, Emma Martinell, Manuel Herrera, Francisco Martinell. 208 págs.

A Textbook of Colloquial Spanish. Brian Steel. 384 págs.

HISTORIOGRAFÍA DE LA LINGÜÍSTICA ESPAÑOLA

Alfonso X el Sabio y la lingüística de su tiempo. Hans-J. Niederehe. 252 págs.

El lingüista español Lorenzo Hervás. Antonio Tovar. 368 págs.

Antonio de Nebrija: De vi ac potestate litterarum. A. Quilis, P. Usábel. 176 págs.

Limpia, fija y da esplendor. Dagmar Fries. 220 págs.

PROBLEMAS BÁSICOS DEL ESPAÑOL

El Subjuntivo. Valores y usos. J. Borrego, J. G. Asensio, E. Prieto. 272 págs.

Aspectos del español hablado. Ana M.ª Vigara Tauste. 154 págs.

Usos de «se». J. A. de Molina Redondo. 144 págs.

Usos de Ser y Estar. J. A. de Molina Redondo, J. Ortega Olivares. 224 págs.

El Adverbio. Claire Hue Fanost. 144 págs.